Le grand livre des maternelles

Le grand livre des maternelles a été réalisé sous la direction d'**Ursula Barff**.
Celle-ci a reçu la collaboration des auteurs suivants :

Sylvia Horak pour les mois de janvier et février;
Brigitte Nelich et **Doris Velte** pour les mois de mars, septembre et octobre;
Iris Prey pour les mois d'avril, mai et juin;
Brigitte Höfler et **Petra Kleinheinz** pour les mois de novembre et décembre.

© 1993 Falken-Verlag GmbH, 6272 Niedernhausen/Ts.
Titre de l'édition originale : *Lauter tolle Sachen die Kinder gerne machen.*
© Casterman 1994
Traduction : Vincent Deligne et Marie-Caroline Frappart

http://www.casterman.com

Le grand livre des maternelles

Ursula Barff

Bricoler, jouer, chanter, apprendre,

écouter des histoires, cuisiner

casterman

Table des matières

Avant-propos
Décalquer les motifs à partir du patron

Janvier

Chanson	J'aime la galette	14
Jeu	Le roi dort	14
Enigme	Le deuxième ski	15
Jeu	Roi, couvre-toi !	15
Poème	Un petit bonhomme	16
Jeux, bricolage	Il fait froid	16
Poème	Dans la neige	18
Jeu	Figés dans la glace	18
Chanson	Flocon papillon	18
Expériences	Eau et glace	19
Jeu	L'infiniment petit	19
Jeux	Jeux de balles ou de boules	20
Jeu	Le moulin	22
Bricolage	Le serpent à la pomme	22
Connaissance	Cuisiner avec de la neige	23
Poème	Œufs battus	23
Recette	Icebergs à la vanille	24
Bricolage	Le coin des veillées	25
Lecture	Les sept corbeaux	26
Jeu	Mots gigognes	30
Bricolage	Corneilles dans la neige	31
Nature	Traces dans la neige	32
Jeu	Sur la piste des animaux	32
Nature	Les animaux en hiver	33
Jeu	Pensées	34
Jeu	Dans le noir	34
Connaissance	Hibernation	34
Poème	Petit poisson	34
Jeu	Pêche à la carpe	35

Jeu	A l'intérieur	36
Jeu	Course aux triangles	37
Jeu de doigts	Le bonhomme de neige	37
Jeu	Le jeu des gants	38
Jeu	Le labyrinthe	39

Février

Connaissance	Fêter la fin de l'hiver et le carnaval	42
Poème	Et hop !	43
Activité	Des crêpes de fête	43
Bricolage	Couvre-chefs	44
Jeu de doigts	Les rois du carnaval	46
Expérience	Ballons collants	47
Devinettes	Quiz amusant	47
Devinette	Dites-le avec des dessins	48
Jeu	Pyramide de table	49
Jeu	Catapulte	49
Bricolage	Canard du carnaval	50
Bricolage	Cartons d'invitation	52
Bricolage	Joyeuses décorations	53
Jeu	Tombola baraka !	54
Bricolage	Mise en scène et lots	54
Poème	Sens dessus dessous	60

Jeu	Western dansant	60
Poème	Ronrirapan	60
Jeu	Serpent gesticulant	61
Jeu	Serpents à la une	61
Comptine	Turlutu	62
Jeu	Chapeau claque	62
Jeu	Aveugle attrapé	62
Chanson	Arlequin dans sa boutique	62
Bricolage	Couple de pantins	63
Jeu	Le jeu des grimaces	64
Jeu	Saut au but	64
Jeu	Queue d'âne	65
Jeu	Gugusse	65
Jeu	Chiens volants	66
Jeu	Balle-trap'	65
Recette	Hérisson tout bon	67
Recette	Petites bouchées en chocolat	67

Bricolage	L'étang aux grenouilles	84
Bricolage	Ballon grenouille	85
Jeu	Grenouilles et cigognes	86
Lecture	Le tonnerre de Pâques	88
Bricolage	Décorer des œufs	92
Jardinage	Prairie de Pâques	93
Bricolage	Motifs à piquer	93
Bricolage	Nid de lapin	94
Bricolage	Lapin culbuteur	95

Avril

Mars

Bricolage	Invitation à une fête d'anniversaire	70
Jeux	Jeux de kim	72
Peinture	Pots de fleurs multicolores	74
Peinture	Prairie de printemps	74
Bricolage	Mobile d'abeilles	75
Jardinage	Serre	76
Nature	L'alimentation des vers de terre	78
Jeu	Ver	78
Jeu de doigts	L'orage	79
Poème	Météo	78
Bricolage	Vitraux	80
Nature	De l'œuf à la grenouille	82
Bricolage	Marionnette grenouille	83
Comptine	Quelle nouille !	83

Bricolage	Modelages de printemps	98
Jeu	Mimes du temps	99
Poème	Mi-temps	99
Bricolage	Horloge météorologique	100
Nature	Récolter et faire sécher des fleurs	102
Bricolage	Tableaux et signets	103
Bricolage	Animaux en papier	104
Jeu	Rallye en ville	106
Jeu	Rallye en ville	108
Chanson	Passe, passera	110
Jeu	Noir ou blanc	110
Connaissances	Bon sens paysan	111
Bricolage	Bouquet de fleurs	112
Bricolage	Bouquet de fleurs	114
Jardinage	Semences de la cuisine	116
Expérience	Pois secs	117
Lecture	Félix et les haricots blancs	118
Fête	Animaux en mélo cakes	120
Jeu	Le train fantôme	124

Mai

Juin

Chanson	Voici le mois de mai	128
Devinette	L'arbre magique	129
Poème	Pique-nique	130
Nature	Découvrir les fleurs	130
Expérience	Colorer des fleurs	130
Chanson	Duo dansant	131
Bricolage	Félicitations	132
Bricolage	Chat cadeau	132
Bricolage	Cœur en feuille	133
Jeu	Jeu de puce	134
Bricolage	Classeur pour recettes de cuisine	136
Recettes	aux fraises	137
Bricolage	Cartons d'invitation	138
Bricolage	Ballons fraises	139
Bricolage	Pompons en forme de fraise	140
Lecture	Les trois papillons	142
Jardinage	Mini-potager	144
Bricolage	Le village des Indiens	146
Bricolage	Voilier et animaux flottants	148
Théâtre	La fête de l'été à Guignolville	150

Peinture	Impression à la pomme de terre	156
Farce	Cartes postales truquées	158
Farce	La petite valise	158
Jeu	C'est vert	159
Bricolage	Le kamishibaï	160
Devinette	Qu'est-ce que c'est ?	163
Poème	Il était une fois	163
Jeux	Lancer de balle	164
Jeu	Course d'animaux	165
Recettes	Le temps des fruits rouges	166
Jardinage	Culture de boutures	168
Jeu	Labyrinthe	170
Jeux	Jeux avec une corde	171
Bricolage	Eventails	174
Bricolage	Animaux visières	176
Peinture	Tableaux en relief	177
Lecture	Mahommed et Lalo	178
Bricolage	Visage aux mille nez	180

Juillet

Août

Jeu de doigts	Tous mes petits doigts	184
Jeu	Pigeon vole	185
Jeu	La vache fait meuh!	185
Bricolage	Animaux en bouchons	186
Jeu	Le lama cracheur	188
Jeu	Le brigand dans la forêt	188
Chanson	Dans la forêt lointaine	189
Jeu	Course d'obstacles	190
Poème	Farandole de l'escargot	191
Bricolage	Boîtes échasses	192
Dessin	Le dessin musical	193
Jeu	Petit Poucet	193
Bricolage	Grenouille pantin	194
Jeu	Le cheval à bascule	196
Jeu	Cherche le fil	197
Jeu	Football à deux	197
Chanson	Ah ! tu sortiras, Biquette	198
Bricolage	Petits cochons	200
Jeu	La ferme de Firmin	202
Jeu	Les animaux du cirque	202
Jeu	Où partons-nous en voyage ?	203
Jeu	Cassette souvenir	204
Lecture	Paneton à l'étable	206

Jeu	Lignes dans le sable	212
Dessin	Dessiner dans le sable	212
Jeu	Courir dans le sable	213
Jeu	Dissimuler des petits cailloux	213
Jeu	Le serpent de mer	213
Bricolage	Sable multicolore	214
Bricolage	Tableau de coquillages	216
Jeu	Les oiseaux dans le nid	217
Jeu de doigts	Cinq amis dans un nid	217
Bricolage	Poissons transparents	218
Bricolage	Cadran solaire	219
Bricolage	Portrait refait	220
Bricolage	Double portrait	220
Comptine	Dans le mille	220
Jeu	Empreinte de pas	221
Jeu	A qui sont ces pieds ?	221
Bricolage	Paysages mirages	222
Jeu de doigts	Baleine	222
Jeu	La pêche	223
Recette	Glaces aux fruits	223
Bricolage	Bateau en écorce	224
Jeu	Aménager un paysage	225
Jeu	Course de bateaux	226
Jeu	Pêche aux bouchons	226
Jeu	Chasse au trésor	226
Jeu	Navire dans la tempête	227
Jeu de doigts	Les deux pouces	227
Chanson	Bateau, ciseau	228
Jeu	L'île aux trésors	229
Jeu	La tante d'Amérique	294
Bricolage	Bateaux en emballage	230
Bricolage	Petit théâtre de marionnettes	232
Théâtre	Guignol part en vacances	234
Jeu de doigts	Guignol	237

Septembre

Bricolage	Valise souvenir de vacances	240
Peinture	Tournesols	241
Expérience	Moudre des grains	242
Recette	Cuire du pain	243
Peinture	Collage d'épis et de graminées	244
Jeux de doigts	Dix petites souris	245
Bricolage	Souris	245
Peinture	Souris de pierre	246
Jeu	Souris dans un trou de souris	246
Jeu	Attrape la souris	246
Chanson	Une souris verte	247
Jeu	Rallye d'automne	248
Jeu	Ballon relais	251
Bricolage	Composition de fruits d'automne en plâtre	251
Bricolage	Etal de marché	252
Bricolage	Jeu de mémoire "Fruits et légumes"	254
Recette	"Amanites tue-mouches"	254
Recette	Potage aux légumes	255
Recette	Pommes de terre en robe de chambre au fromage blanc et à la crème fraîche	255
Lecture	La légende du bon Roi des pommes de terre	256
Jardinage	Pommes de terre	259
Jeu	Chasse au lapin	260
Jeu	Moulin à vent	260
Bricolage	Betterave de Halloween	261
Comptine	Choix d'automne	262
Comptine	Le soleil fait ses adieux	262
Bricolage	Figurines pour doigts	262
Jeu	Scions du bois	263
Jeu	Billes en cercle	264
Enigme	La lune est ronde	264
Jeu	Le capitaine des brigands	265
Jeu	Le roi aux clés	265

Octobre

Chanson	Vent frais	268
Jeu	Que mettez-vous dans votre panier ?	268
Jeu de doigts	La petite fille qui grimpe	269
Devinette	La petite fille	269
Bricolage	Un ver dans la pomme	270
Bricolage	Jeu de tir en plein air	270
Recette	Gelée de pommes	272
Recette	Thé à la pomme	273
Recette	Pommes au four	273
Peinture	Arbre d'automne	274
Bricolage	Fenêtre coquette	274
Bricolage	Guirlande de feuilles	275
Bricolage	Bonshommes de feuilles	275
Nature	Feuilles et fruits	276
Recette	Gâteau cerf-volant	277
Bricolage	Cerf-volant décoratif	278
Bricolage	Marionnette fantôme	279
Lecture	Le petit fantôme de toutes les couleurs	280
Recette	Pop-corn	283
Poème	Des fantômes dans la cuisine	283
Théâtre	Le fantôme du château	284
Chanson	Tout en passant par un p'tit bois	289
Bricolage	Château fort de la chauve-souris	290
Chanson	L'éléphant sur la toile d'araignée	292
Poème	Une mémoire d'éléphant	293

Décembre

Cadeaux	Le lutin de l'Avent	326
Jeux	Jeux de noix	327
Recette	Galettes aux noix	329
Bricolage	Serviettes de saint Nicolas	330
Chanson	O grand saint Nicolas !	331
Bricolage	Instruments faits main	332
Lecture	Comment saint Nicolas s'est déniché un assistant	334
Bricolage	Oiseaux de Noël	337
Jeu	Rallye de l'Avent	338
Bricolage	Sapin de Noël à la fenêtre	340
Bricolage	Bougeoir en étoile	341
Jeu	Dé du Père Noël	342
Bricolage	Coussin tendresse	344
Bricolage	Boules de Noël	345
Bricolage	Mobile d'étoiles	346
Lecture	Dans la nuit noire	346
Jeu	Contes de Noël avec des poupées de nœuds	348
Chanson	Entre le bœuf et l'âne gris	349

Novembre

Devinette	Message de novembre	296
Poème	Santé !	297
Devinette	Novembre	297
Expérience	Vent et air	298
Bricolage	Soufflez, c'est joué !	300
Bricolage	Parachute	301
Nature	Comment aider les oiseaux ?	302
Chanson	Promenons-nous	303
Bricolage	Tableau dans la brume	304
Bricolage	Jeu de mémoire	305
Jeux	Clarté et obscurité	306
Théâtre	L'arrivée du soleil au pays de Malon	308
Bricolage	Théâtre d'ombres	312
Théâtre	Mise en scène	314
Jeux	Jeux d'ombres	315
Bricolage	Enfant lanterne	316
Peinture	Tableau à la lanterne	318
Bricolage	Décoration de fenêtre	319
Recette	Oies de la Saint-Martin	320
Bricolage	Petites lanternes de l'Avent	321
Bricolage	Ville lumière	322

Avant-propos

Dans un monde où l'image et les techniques priment, où les enfants ont parfois des difficultés à faire la différence entre ce qui est et ce qui paraît, il est impératif que nous les aidions à accéder aux gens qui les entourent, aux animaux, aux plantes, aux objets. Il faut leur enseigner comment appréhender l'intégralité de leur environnement quotidien et leur donner la possibilité de traiter des impressions et d'établir des comparaisons.

Les propositions contenues dans cet ouvrage ont pour objectif de favoriser le développement de l'enfant, de divertir celui-ci et de lui faire plaisir. Nous nous sommes donc efforcées de présenter tous les types d'activités possibles et imaginables à organiser avec des petits : des poèmes simples pour enfants aux histoires plus longues et au théâtre de marionnettes, en passant par l'observation de la nature, les chansons, les jeux de mouvements, les bricolages, les recettes, les devinettes, etc.

Pour qu'il soit facile de s'orienter dans cet ouvrage, nous l'avons divisé en mois de l'année. Vous localiserez ainsi facilement les activités correspondant à une période déterminée, mais vous pourrez aussi trouver dans ce livre des idées pour une fête d'anniversaire ou toute autre fête d'enfants. Les suggestions se trouvent dans le mois au cours duquel se produit l'événement.

Pour avoir un aperçu, prenez donc connaissance de la table des matières détaillée. Pour la réalisation des bricolages, les photos des objets vous aideront. Les dessins étape par étape et les patrons contribueront également à la réussite des travaux. Les listes séparées constituent une aide appréciable dans le choix des matériaux corrects. Elles précisent en outre l'âge et le nombre des participants. Naturellement, les âges ne sont donnés qu'à titre indicatif et peuvent varier selon le stade de développement des enfants. Toutes les propositions acceptent sans difficulté des variantes, qu'il s'agisse des bricolages, des recettes ou des jeux.

Nous espérons que le présent ouvrage vous aidera à faire de votre enfant un individu décidé, gai et actif.

Bonne lecture !

Ursula Barff

Décalquer les motifs à partir du patron

N'est pas artiste qui veut. Il arrive fréquemment qu'un bricolage ne donne pas ce que l'on avait imaginé, simplement parce que le dessin n'est pas très réussi. C'est la raison pour laquelle nous avons fourni un patron permettant de décalquer tous les éléments difficiles à dessiner.

Pour décalquer, vous avez deux possibilités :

REPRODUCTION SUR PAPIER-CALQUE

Le papier-calque est un papier translucide et solide que l'on peut notamment acheter dans les magasins d'articles de bureau. Mais les bureaux d'architectes en utilisent eux aussi beaucoup et il serait peut-être possible d'obtenir gratuitement des chutes auprès d'eux.

Vous pouvez également employer du papier sulfurisé qui présente les mêmes propriétés, si ce n'est qu'il est un peu moins épais et un peu moins solide. Pour cette technique de décalquage, vous avez également besoin d'un crayon gras.

1. Posez le papier sur le motif que vous souhaitez reproduire et suivez le contour avec le crayon. Veillez à ce que le papier-calque ne glisse pas.

2. Avant de retirer le papier, assurez-vous que vous avez bien reproduit toutes les lignes. Otez ensuite le papier du patron.

3. Retournez le papier et placez-le sur le carton ou le papier sur lequel vous voulez reproduire le modèle. Les contours tracés au crayon sont maintenant sur le nouveau papier.

4. Repassez maintenant vigoureusement le contour. Etant donné que vous avez travaillé avec un crayon gras, les premières lignes se déposeront sur le papier ou le carton et le motif apparaîtra. Vérifiez qu'il ne manque rien et découpez votre dessin.

REPRODUCTION SUR PAPIER CARBONE

Le papier carbone existe en noir ou en blanc. Vous pourrez vous procurer le noir dans un magasin d'articles de bureau, car il sert normalement à réaliser des copies de lettres. Le papier-calque blanc se vend dans les magasins de bricolage. Vous utiliserez ce dernier pour reproduire un motif sur un fond sombre. Vous devrez changer de papier lorsque le revêtement sera complètement usagé.

1. Posez d'abord le papier ou le carton sur lequel vous voulez reporter votre motif.

2. Superposez ensuite le papier carbone, côté coloré vers le bas, puis le patron que vous voulez décalquer.

3. Pour éviter tout glissement de papier pendant l'opération, attachez les trois feuilles avec des trombones.

4. Suivez à présent le contour avec votre crayon. Il se reproduira directement sur le support. Avant d'ôter le papier carbone, vérifiez que vous n'avez rien oublié. Vous pouvez découper ensuite soigneusement le motif obtenu.

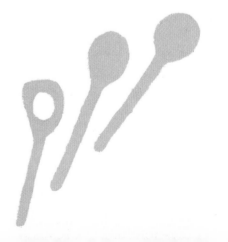

Janvier

En janvier, c'est la fête :
il neige enfin !
Bonnet sur la tête
et gants aux mains,
Garçons et fillettes,
courent au jardin.
Chouette !
Voici un nouveau copain.
Bonhomme de neige
vous salue bien !

CHANSON

J'aime la galette

J'ai- me la ga- let- te sa- vez- vous com- ment ? Quand elle est bien faite a- vec du beurre de- dans. Tra- la la la la la la la lè- re, Tra- la la la la la la la la, Tra- la la la la la la la lè- re, Tra- la la la la la la la la.

JEU

Le roi dort

LE ROI DORT

Age :
à partir de 3 ans
Participants :
4 minimum

Le 6 janvier, lorsque vous partagerez la galette des rois, la joie sera au rendez-vous.

Le roi élira sa reine, les sujets applaudiront avec plaisir.

Pourquoi ne pas prolonger ce temps de fête par le jeu du "roi dort" ?

Le roi choisit une attitude et la mime. Ses sujets doivent l'imiter et dire ce que le roi fait. Par exemple "le roi se gratte la tête", "le roi rit", "le roi tire la langue".

Bien sûr, après un moment, le roi pourra céder sa place à un de ses fidèles sujets.

ÉNIGME

Le deuxième ski

JEU

Roi, couvre-toi !

Thomas a ressorti ses skis de la cave et part sur les pistes. Comme il commence à avoir froid, il détache ses skis et les plante dans un monticule de neige. Il entre dans un chalet et commande du thé brûlant pour se réchauffer. Mais au moment de récupérer ses skis lorsqu'il décide de repartir, Thomas est tout à fait surpris : il lui en manque un ! Pouvez-vous l'aider ?

Le roi aura bien sûr reçu une couronne en carton et il sera fêté. Mais après le repas, décrétez que vous êtes au royaume des 1000 rois. Est désigné roi celui qui porte un couvre-chef amusant. Vous aurez eu soin d'amasser dans les coins de la pièce à jouer une casserole, un entonnoir, un sac en papier, un journal à plier, des collants en laine… le défilé sera des plus cocasses.

LE DEUXIÈME SKI
Age :
à partir de 4 ans
Participants :
seul ou à deux

ROI, COUVRE-TOI!
Age:
à partir de 3 ans
Participants :
sans limite

POÈME

Un petit bonhomme

J'AI LA BOULE QUI TOURNE

Age :
à partir de 5 ans
Participants :
à partir de 2

Un petit bonhomme
Assis sur une pomme
La pomme dégringole
Le petit bonhomme s'envole
Sur le toit de l'école.

JEUX ET BRICOLAGE

Il fait froid

J'AI LA BOULE QUI TOURNE

Profitez d'un beau tapis de neige pour jouer à ce jeu. Evitez les obstacles.
Déposez au loin un objet (une orange, un foulard, un bout de bois). Un enfant doit aller le chercher. Facile ? Oui, sauf si un meneur de jeu a fait tourner le concurrent une dizaine de fois sur lui-même avant son départ.
Que de rire, lorsqu'il marchera en titubant comme s'il avait bu dix verres de vodka pour se réchauffer.

DEVINETTES

• Elle tombe sans jamais se faire mal.
(La neige)
• Comment doit-on s'habiller quand il fait froid?
(Vite)
• Pourquoi les eskimos ne portent-ils pas de lunettes bleues ?
(Car ils confondraient la neige et la mer)

CARTES GIVRÉES

Quelques dernières cartes de vœux à envoyer? Prenez un bâton de colle. Avec celui-ci, dessinez n'importe quel motif sur un carton. Saupoudrez celui-ci de sucre cristallisé. Vous obtiendrez de cette manière un beau sujet givré.

CARTES GIVRÉES

Age :
à partir de 4 ans
Participants :
seul ou à plusieurs

IGLOO

Dans nos contrées, nous ne disposons évidemment pas d'assez de glace pour construire un igloo, mais vous pouvez tout à fait fabriquer des briques de neige.
Voici comment procéder.
Remplissez une boîte à chaussures de neige que vous compresserez le plus fortement possible. Retournez ensuite le carton et "démoulez" avec précaution la brique de neige.

Pour que celle-ci ne se désagrège pas et devienne suffisamment solide pour entrer dans la construction d'un igloo, arrosez-la légèrement d'eau, puis lissez-en la surface à la main.

POÈME

Dans la neige

Des cristaux de glace ornent la fenêtre.
Le chat au grenier s'est calfeutré.
Comment ce peut-il être ¿
Même l'étang est tout gelé !
De ma bouche le souffle s'échappe,
Comme la fumée d'une cheminée.
Je remonte mon col et serre mon écharpe.
Faisons attention à ne pas glisser.
Les arbres ont mis leur manteau long !
Toute la terre montre sa blanche face.
Que peuvent donc faire les petits poissons
A l'abri sous la glace ¿

Figés dans la glace

FIGÉS DANS LA GLACE
Age :
à partir de 3 ans
Participants :
à partir de 4

Mettez de la musique. Les enfants pourront danser à leur guise, prenant les attitudes les plus folles. Au moment d'arrêter le son, le meneur de jeu crie : "Gelés, figés !" Les enfants devront se figer à l'instant même. Ceux qui bougent alors sont éliminés : "Fondus, foutus".

CHANSON

Flocon papillon

Flo- con, pa- pil- lon, La fe- nê- tre, la fe- nê- tre,

Flo- con, pa- pil- lon, La fe- nêtre est en co- ton.

Expériences
Eau et glace

Lorsque l'eau gèle, c'est-à-dire lorsqu'elle se transforme en glace, elle augmente de volume et a donc besoin de davantage de place. Une expérience très simple vous permettra de vérifier avec votre enfant ce phénomène naturel.

Voici la marche à suivre.

1. Remplissez à moitié un pot à confiture vide avec de l'eau.

2. Laissez reposer jusqu'à ce que le niveau du liquide se stabilise.

3. Marquez au feutre le niveau exact de l'eau.

4. Placez le pot ouvert dehors ou au congélateur pendant une nuit entière.

Le lendemain, vous constaterez que l'eau s'est transformée en glace. Lors de ce processus, elle s'est dilatée, comme le prouve le niveau de la glace, situé au-dessus du repère tracé la veille.

Attention ! Vous devez absolument laisser le bocal ouvert ! En effet, si vous le fermiez, la glace en formation développerait une telle puissance que le verre éclaterait et risquerait de blesser un enfant.

Même à l'air libre, vous pouvez observer la force de la glace qui se dilate. Ainsi, au cours de l'année, l'alternance de la chaleur et du froid entraîne un processus appelé effritement : des fêlures et fissures apparaissent sur les pierres, les bâtiments et les routes et l'eau s'y infiltre. Lorsque celle-ci gèle, elle se dilate et peut faire sauter des morceaux entiers de pierre ou d'autres matériaux. C'est pour cette raison qu'après chaque hiver, des nids-de-poule et autres déformations apparaissent sur nos routes.

Le flocon de neige

Qu'observez-vous lorsque vous regardez un flocon de neige ou un cristal de glace à la loupe ? Des étoiles blanches très finement ciselées, avec de nombreuses pointes et aiguilles. Sachez d'ailleurs – c'est incroyable mais vrai – qu'aucun cristal n'est semblable à un autre. Ils sont tous uniques !

Jeu
L'infiniment petit

Munissez votre petit découvreur d'une loupe. L'infiniment petit deviendra curieusement fascinant.

Une poussière sur un meuble ressemblera à un arbre fantastique. Le grain d'une peau d'orange sera un cratère sur la lune. Des minutes passionnantes en perspective!

EAU ET GLACE
Age :
à partir de 5 ans
Participants :
seul ou en groupe

Matériel :

- un pot de confiture vide en verre épais sans couvercle
- un feutre noir
- un congélateur

L'INFINIMENT PETIT
Age :
à partir de 3 ans
Participants :
seul ou à deux

Matériel :

- une loupe

Jeux de balles ou de boules

Lorsqu'il a vraiment beaucoup neigé, vous pouvez organiser des jeux fantastiques avec des boules de neige. A cet effet, formez un maximum de boules et entassez-les les unes sur les autres. Et s'il n'a pas neigé, des petites balles de mousse, des paires de chaussettes roulées en boule, du papier chiffonné peuvent souvent faire l'affaire.

LE MANGEUR DE BOULES DE NEIGE

Age :
3 à 4 ans
Participants :
seul ou en groupe

Matériel :

• des boules de neige
• un très grand morceau de carton (découpé par exemple dans un emballage de machine à laver)
• des gouaches
• des pinceaux
• de la ficelle

LE MANGEUR DE BOULES

Dessinez un visage rigolo sur le morceau de carton, découpez un grand trou pour la bouche et suspendez ensuite la cible à une branche robuste avec la ficelle.
C'est parti ! Combien d'essais les différents concurrents devront-ils effectuer avant de parvenir à lancer un projectile dans la bouche du mangeur de boules de neige ?

BASKET BOULES

Age :
à partir de 4 ans
Participants :
à partir de 2

Matériel :

• des boules de neige
• des boîtes en carton de différentes tailles

BASKET BOULES

Lancez des boules de neige les unes après les autres en direction d'un enfant qui doit essayer de les attraper dans une boîte en carton. Plus les boules sont petites, plus le jeu se complique.

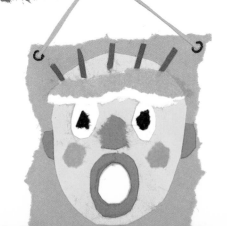

CHAPEAU !

Posez un chapeau sur la tête d'un bonhomme de neige. Qui parviendra à faire tomber le couvre-chef à coups de boules de neige ? Plus la distance par rapport au bonhomme de neige est grande, plus la tâche sera difficile.

CHAPEAU !

Age :
à partir de 4 ans
Participants :
à partir de 2

Matériel :

• de la neige
• une branche
• un vieux chapeau de feutre

Pour se reposer un peu. Voici un jeu calme à jouer à l'intérieur.

BLANCHE-NEIGE

Commencez le conte de Blanche-Neige que tout le monde connaît bien. Arrêtez soudain au milieu d'une phrase (et pourquoi pas d'un mot ?). Votre auditoire doit alors vous aider. L'enfant qui continue votre récit devra s'arrêter lui aussi au coin d'une phrase. Un de ses compagnons tentera de poursuivre la narration, et ainsi de suite jusqu'au mot "Fin".

BLANCHE-NEIGE

Age :
à partir de 5 ans
Participants :
à partir de 2

Le moulin

LE MOULIN

Age :
à partir de 5 ans
Participants :
à partir de 1

En hiver, les fenêtres sont embuées. Quel plaisir d'y inscrire sa marque ! Suggérez d'y dessiner un moulin d'un seul trait. Les essais seront nombreux. Attention à ne pas salir tous les carreaux de la maison. On peut recommencer plusieurs fois au même endroit. Ce jeu peut également être exécuté dans la neige ou, plus sagement, sur un bout de papier.

BRICOLAGE

Le serpent à la pomme

LE SERPENT À LA POMME

Age :
à partir de 3 ans
Participants :
seul ou en groupe

Matériel :

• une feuille de métal à repousser
• un verre
• un crayon
• des ciseaux
• une aiguille à tricoter courte
• une pomme

1. Posez le verre sur la feuille de métal à repousser, dessinez son contour et découpez le cercle ainsi obtenu.
2. Tracez-y une spirale que vous découperez également.
3. Enfoncez à présent l'aiguille à tricoter dans la pomme que vous poserez sur un radiateur.
4. Enfichez ensuite avec précaution le centre de la spirale sur le sommet de l'aiguille.
Lorsque vous lâchez l'ensemble, la spirale s'étirera vers le bas.
Si le radiateur est réglé sur une température élevée, l'air circulant au-dessus de celui-ci est si chaud qu'il se dilate et se déplace. Votre serpent pomme commencera alors à tourner sur lui-même !

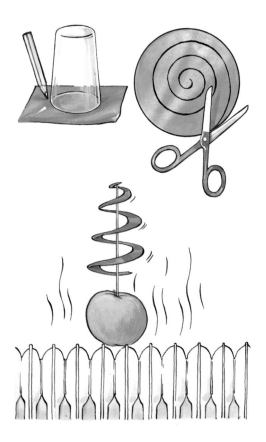

CONNAISSANCE

Cuisiner
avec de la neige

Des œufs battus en neige : c'est de toute saison.

Séparez les jaunes d'œufs des blancs.

Servez-vous d'un fouet pour monter les blancs en neige. Ils "prennent" rapidement, car, en battant les blancs d'œufs au fouet, vous y ajoutez une grande quantité d'air.

Les blancs montés en neige doivent toujours être incorporés à la pâte en dernier lieu. Ils donneront au gâteau sa légèreté, son caractère "aérien".

Les blancs en neige n'entrent pas seulement dans la composition de la pâte ; on peut aussi en recouvrir une tarte aux fruits ou les mélanger à du fromage râpé pour les étendre sur des toasts et passer ensuite l'ensemble au four. La mousse blanche devient alors légèrement brune et son goût est vraiment succulent !

POÈME

Œufs battus

Le cuisinier bat la neige.
Mais celle-ci jamais ne se plaint.
Car les blancs s'allègent :
ils deviennent mousse, c'est divin :
Aériens sous les coups de fouet,
Blancs et doux comme du duvet.
La bataille est terminée.
Le cuisinier a gagné.
On se lèche les babines.
Tous dans la cuisine !

Icebergs
à la vanille

ICEBERGS À LA VANILLE

Age :
à partir de 6 ans
Participants :
seul ou à deux

Ingrédients :

• 4 blancs d'œufs
• 100 g de sucre en poudre
• 1/2 l de lait
• de la crème vanille

Ustensiles :

• un plat
• un batteur
• une casserole
• 2 cuillers à soupe
• une écumoire

Ces îles flottantes sont souvent préparées à l'occasion d'anniversaires ou d'autres fêtes. Il s'agit de petites masses auxquelles on ne donne pas une forme ronde, mais que l'on coupe simplement à la cuiller.

1. Montez les blancs en neige jusqu'à ce qu'ils soient bien fermes, ajoutez le sucre en poudre et battez à nouveau. La masse obtenue sera encore plus consistante. Portez ensuite le lait à ébullition (pas de gros bouillons !).

4. Le cas échéant, rajoutez du lait froid et chauffez-le à nouveau.

Présentation des îles flottantes : chaudes sur une crème vanille froide ou froides avec une crème chaude.

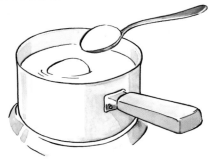

2. Détachez à la cuiller deux grosses masses de blancs en neige et déposez-les dans le lait en ébullition.

3. Attendez qu'elles gonflent. Retournez-les alors prudemment à l'aide des deux cuillers et laissez-les encore tremper un très court moment dans le lait. Sortez-les ensuite à l'écumoire.

BRICOLAGE

Le coin
des veillées

En hiver, les journées sont très courtes et la nuit tombe rapidement. Vous passez donc beaucoup plus de temps qu'en été à l'intérieur de la maison. Pourquoi ne pas renouer avec les traditions de nos ancêtres ?
Raconter de belles histoires au coin du feu ou à la lueur d'une "bougie à histoires". Lorsque qu'un adulte (impérativement) allumera celle-ci, la maisonnée saura que c'est l'heure du conte !

BOUGIE DANS LA CORBEILLE

Posez la corbeille à l'envers (ouverture vers le bas) sur le plan de travail et collez les figurines en bois ainsi que la bougie dans le creux situé à la base de celle-ci.

BOUGIE ENTOURÉE DE BONSHOMMES EN CURE-PIPE

1. Prenez un cure-pipe et pliez-le de manière à obtenir trois brins de longueur identique.
2. Découpez-le ensuite à l'endroit des pliures.
3. Pliez encore l'un des bouts en deux et tournez-le trois ou quatre fois sur lui-même pour former le tronc.
4. Introduisez les deux extrémités du brin torsadé dans l'orifice de la perle, puis rabattez-les au-dessus de celle-ci.

5. Faites passer le deuxième cure-pipe par la boucle de la base du tronc et formez les jambes et les pieds.
6. Placez le troisième cure-pipe un peu en dessous de la perle et enroulez-le une fois autour du tronc.
7. Sur la perle, dessinez les yeux, le nez et la bouche avec des crayons de couleur résistant à l'eau. Si vous le désirez, vous pouvez aussi coller une chevelure en brins de laine sur la tête des personnages.
Etant donné que les bras et les jambes sont mobiles et déformables à souhait, vous pourrez disposer les petits bonshommes comme bon vous semblera tout autour de la boîte. Et pour éviter que ces "auditeurs attentifs" ne glissent de leur boîte, fixez-les par un point de colle.

LE COIN DES VEILLÉES
*Age :
à partir de 4 ans
Participants :
seul ou en groupe
(sauf pour l'allumer)*

BOUGIE DANS LA CORBEILLE

Matériel :

• une corbeille en matériau naturel
• des petites figurines multicolores en bois
• de la colle
• une bougie en cire d'abeille

BOUGIE ENTOURÉE DE BONSHOMMES EN CURE-PIPE

Matériel :

• une boîte à fromage : 12 à 15 cm
• cure-pipes : 20 cm de long
• des perles de bois multicolores
• des brins de laine
• des ciseaux
• des crayons de couleur résistant à l'eau
• de la colle
• une bougie en cire d'abeille

LA PORTEUSE DE BOUGIE

Matériel :

- 2 pots de fleur en terre cuite
- de la colle
- une bougie en cire d'abeille, s'adaptant à la taille du pot
- des couleurs couvrantes
- du vernis incolore en bombe (sans CFC)

LA PORTEUSE DE BOUGIE

Collez l'une contre l'autre les bases des deux pots de fleur et peignez la fillette directement sur les pots avec des couleurs couvrantes. Vaporisez ensuite du vernis incolore pour éviter que celles-ci ne s'écaillent par la suite.

LECTURE

Les sept corbeaux

Les Frères Grimm

Un homme avait sept fils et aucune fille, alors qu'il désirait vraiment en avoir une. Mais un jour, sa femme le combla de joie en donnant enfin naissance à une fille. La joie des parents fut immense, mais hélas, le bébé était si petit et si chétif qu'on jugea nécessaire de le baptiser de toute urgence.

Le père envoya vite un de ses fils à la source afin qu'il y puisât l'eau du baptême, mais les six autres l'y suivirent et comme chacun voulut être le premier à puiser, la cruche tomba à l'eau.

Les sept garçons restèrent là, ne sachant que faire et n'osant surtout pas rentrer chez eux.

Ne les voyant pas revenir, le père s'impatienta et dit : "Les garnements sont certainement en train de s'amuser et ont oublié la pauvre petite!" Il avait tellement peur que le bébé meure sans baptême qu'il s'emporta : "Je voudrais les voir tous transformés en corbeaux!" A peine eut-il prononcé ces paroles, qu'il entendit des battements d'ailes au-dessus de sa tête. Il leva les yeux et vit s'envoler sept corbeaux noirs.

Les parents ne pouvaient rompre la malédiction et leur peine était immense d'avoir ainsi perdu leurs sept fils. Néanmoins, ils se consolèrent quelque peu en constatant que leur chère petite fille recouvrait ses forces et embellissait de jour en jour.

Pendant très longtemps, la petite ignora qu'elle avait eu des frères, car ses parents se gardaient bien d'y faire la moindre allusion. Mais un jour, elle surprit par hasard une conversation à son sujet : on disait qu'elle était bien jolie, mais qu'elle était tout de même responsable du malheur qui avait frappé ses sept frères. Toute bouleversée, elle courut demander à son père et à sa mère si elle avait bien eu des frères et ce qu'il était advenu d'eux.

Ses parents ne purent garder le secret plus long-temps. Ils l'assurèrent que seul le ciel avait voulu tout ce qui s'était passé. Sa naissance n'avait été que la cause indirecte de cette malédiction. Cependant, de jour en jour, la fillette se sentait davantage coupable et était persuadée qu'elle devait absolument délivrer ses frères. Elle ne connut ni trêve ni repos jusqu'au jour où elle partit parcourir le vaste monde : elle retrouverait ses frères, où qu'ils soient, et les délivrerait à n'importe quel prix. Elle n'emporta qu'une petite bague en souvenir de ses parents, une miche de pain contre la faim, un cruchon d'eau contre la soif et une petite chaise pour se reposer.

Alors elle s'en alla loin, très loin, jusqu'au bout du monde. Elle s'approcha du soleil, mais il était brûlant, effrayant et mangeait les jeunes enfants. Elle s'enfuit à toutes jambes et courut vers la lune, mais celle-ci était glaciale, sinistre et méchante. Lors-qu'elle aperçut la fillette, elle dit : "Je sens, je sens l'odeur de la chair humaine." La petite fille s'éloigna aussi vite qu'elle le put et arriva auprès des étoiles, qui l'accueillirent avec bonté. Chaque étoile était assise sur sa petite chaise personnelle. L'étoile du matin se leva, lui tendit un petit os de poulet et dit : "Sans cet osselet, tu ne pourras pas ouvrir la Montagne de Verre où se trouvent tes frères."

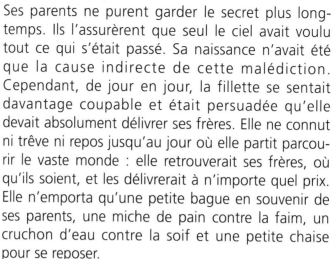

La fillette prit l'osselet, l'enroula précieusement dans son mouchoir et reprit sa route jusqu'à ce qu'elle fût arrivée à la Montagne de Verre. La porte était fermée; la petite voulut donc sortir le petit os, mais quand elle dénoua son minuscule mouchoir, il contenait non plus un os de poulet, mais une petite clé en or.

Quand elle s'avança à l'intérieur, un nain vint à sa rencontre et lui demanda : "Que cherches-tu, mon enfant?" - "Je cherche mes frères, les sept corbeaux", répondit-elle. Et le nain déclara : "Messieurs les corbeaux ne sont pas à la maison, mais si tu veux attendre ici leur retour, entre donc!" Le nain se mit alors à servir le repas des corbeaux dans sept petites assiettes et sept petits gobelets. La petite sœur mangea une bouchée de chaque petite assiette et but une gorgée de chaque petit gobelet; dans le dernier gobelet, elle laissa tomber la bague qu'elle avait emportée avec elle.

Tout à coup, on entendit dans l'air des battements d'ailes et des croassements. Le nain dit alors : "Voici Messieurs les corbeaux qui rentrent."

Dès qu'ils furent arrivés, ils voulurent manger et boire et chacun chercha donc son assiette et son gobelet.

Tous, l'un après l'autre, s'étonnèrent : "Qui donc a mangé dans mon assiette? Qui a bu dans mon gobelet? Une bouche humaine est passée par là!"

Et comme le septième corbeau arrivait au fond de son gobelet, la petite bague roula devant lui. Il la regarda et reconnut la bague qui avait appartenu à son père et à sa mère. "Mon Dieu! si notre petite sœur pouvait être là", s'exclama-t-il, "nous serions délivrés!" En entendant ce souhait, la fillette, qui se tenait cachée derrière la porte, s'avança vers les sept corbeaux qui retrouvèrent instantanément leur forme humaine. Ils s'embrassèrent chaleureusement, puis reprirent tous ensemble joyeusement le chemin de la maison.

JEU

Mots gigognes

MOTS GIGOGNES
Age :
à partir de 5 ans
Participants :
à partir de 2

Dans "corbeau", il y a "corps" et "beau". Dans "souriante", il y a "souris" et "riante". Dans "million", il y a "mille" et "lion". "Coquille" contient "coq" et "quille". Il sera amusant de dresser une énorme liste de mots qui peuvent en contenir d'autres.

Si l'exercice est un peu difficile, on peut commencer par trouver un seul mot dans un autre : dans "tableau", il y a table, dans "bouteille", il y a "bout", etc.
Ce jeu en amènera beaucoup d'autres : répétitions de voyelles, mots déformés, etc.

Corneilles dans la neige

CORNEILLES DANS LA NEIGE

Age :
à partir de 8 mois
Participants :
à partir de 2

Matériel :

- du papier noir
- de la colle
- une grande feuille de papier à dessin (à surface rugueuse)
- des chutes de papier rouge
- des chutes de papier gris
- un petit morceau de papier vert

Voilà de quoi s'amuser avec des petits qui ne sont pas encore en mesure de se servir correctement de ciseaux. Vous pouvez créer avec eux un magnifique tableau hivernal, comme cette corneille dans la neige.

1. Demandez aux enfants de déchirer de nombreux petits morceaux de papier noir qu'ils se feront une joie de vous donner un par un.

2. Vous formerez ainsi le contour d'une corneille sur le papier blanc.

3. Encollez ensuite les morceaux de papier restants, puis laissez les petits recouvrir de "plumes" le corps du volatile.

4. Déchirez également l'œil vert, les pattes et le bec rouges dans des feuilles de papier de couleur, puis placez-les sur le tableau.

5. Dans une chute de papier gris, déchirez également quelques "flocons de neige" que vous disposerez tout autour de l'oiseau.

Plus la feuille de papier blanc – en d'autres termes le "paysage hivernal" – sera grande, plus vous pourrez y intégrer de corneilles !

Traces dans la neige

Lors d'une prochaine promenade en forêt, par un dimanche d'hiver enneigé, tentez donc de découvrir un maximum de traces de pas d'animaux dans la neige. Voici à titre d'exemple les traces laissées par six animaux différents.

TRACES DANS LA NEIGE

Age :
à partir de 5 ans
Participants :
à partir de 2

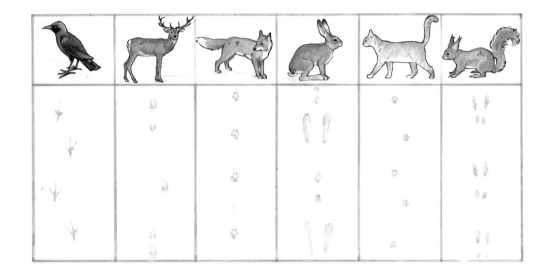

Sur la piste des animaux

Quelle est la nourriture préférée des lapins? Les carottes, bien sûr, qu'ils apprécient aussi en hiver.

Cherchez des traces de lapin et tentez de trouver vers quel légume elles mènent.

Peut-être reconnaîtrez-vous aussi les traces de pas d'autres animaux qui aboutissent à certains types d'aliments ?

SUR LA PISTE DES ANIMAUX

Age :
à partir de 5 ans
Participants :
seul ou à deux

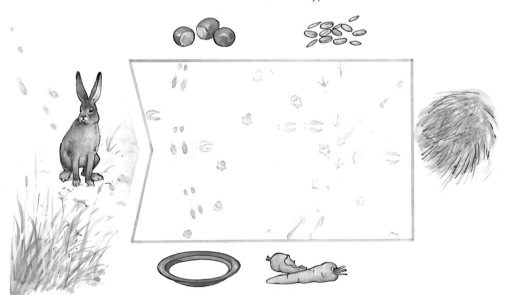

NATURE

Les animaux en hiver

Comment les animaux se protègent-ils donc du froid pendant l'hiver ? Contrairement à nous les humains, un écureuil ne porte pas de longue écharpe, la carpe pas de bonnet fourré et la corneille pas d'épaisses chaussettes de laine !

Dans tous les pays où l'hiver est rigoureux, certains animaux mangent tellement en été qu'ils deviennent gros et dodus. Ils adoptent en fait ce comportement en prévision de l'hiver, où ils se nourriront de cette graisse qui leur permettra également de conserver la chaleur de leur corps.

Les mammifères développent un pelage d'hiver épais et chaud, tandis que les oiseaux produisent un plumage d'autant plus fourni que la température est basse. La grande quantité d'air entre leurs plumes hérissées présente en effet une température élevée, ce qui les protège des intempéries.

Cependant, tous les animaux ne sont pas suffisamment protégés des rigueurs de l'hiver par une fourrure protectrice, une épaisse couche de graisse ou un dense manteau de plumes ! En outre, beaucoup d'autres ne trouvent plus assez de nourriture et, pour éviter de souffrir du froid ou de la faim, migrent en automne vers le sud et les pays chauds. Hirondelles, cigognes, oies sauvages, coucous et de nombreux autres oiseaux chanteurs parcourent ainsi des milliers de kilomètres pour se réfugier par exemple en Afrique. Ces oiseaux sont dits migrateurs.

Les corbeaux et les corneilles sont eux aussi des oiseaux migrateurs, mais ils ne quittent pas nos régions lorsque le froid arrive. En fait, ils arrivent chez nous à cette période, en novembre, en provenance des régions nordiques encore plus froides.

Et comme ils trouvent qu'il fait suffisamment chaud dans nos pays à cette époque de l'année, ils passent tout l'hiver chez nous.

Afin que ces oiseaux ne meurent pas de faim lors d'un hiver particulièrement rude, vous pouvez par exemple leur installer un petit abri où vous placerez de la nourriture. Passez à la page 302 pour savoir comment fabriquer celui-ci et connaître les consignes à respecter.

JEUX ET
CONNAISSANCES

Pensées

PENSÉES
A partir de 5 ans

Matériel:

• des objets de
toutes les sortes

Un enfant commence par énoncer une pensée : "Je pense à la neige" par exemple. L'enfant suivant reprend cette idée pour en exprimer une autre : "La neige me fait penser aux montagnes", puis le suivant pourra dire : "La montagne me fait penser aux cols", puis "Les cols me font penser aux chemises", etc.

La difficulté sera renforcée lorsqu'il faudra dérouler les pensées en sens contraire. Parce que les associations d'idées sont parfois curieuses !

POÈME

Petit poisson

Petit poisson qui tournes en rond
Petit poisson, dis-moi ton nom
Petit poisson qui bouges
Petit poisson tout rouge
Petit poisson, dis-moi ton nom

DANS LE NOIR
A partir de 3 ans

Matériel :

• des objets de
toutes les sortes

Dans le noir

L'hiver, la nuit tombe vite. Et il fait déjà noir lorsque votre enfant se met au lit. Avant d'aller dormir, un soir de petites angoisses, jouez avec lui. Dans l'obscurité, mettez-lui différents objets dans les mains qu'il devra reconnaître. Une excellente manière de dédramatiser l'obscurité.

Hibernation

"Il dort comme une marmotte", dit-on de quelqu'un qui s'éveille toujours très difficilement. Connaissez-vous l'origine de cette phrase ? Eh bien, les marmottes dorment bel et bien pendant tout l'hiver ; on dit alors qu'elles hibernent !

Pendant tout l'été, elles se nourrissent énormément afin de grossir. En automne, elles rassemblent du foin et se préparent un lit bien chaud pour l'hiver. C'est également avec ce matériau qu'elles bouchent leur tanière. De la sorte, le froid reste à l'extérieur, pendant qu'elles sommeillent tranquillement. Leur cœur bat plus lentement que d'habitude, elles respirent plus faiblement et leur température descend à quelques degrés au-dessus de zéro.

Le hérisson, qui hiberne également, calfeutre son logis en automne avec de l'herbe sèche et du feuillage et dort roulé en boule pendant tout l'hiver.

JEU

Pêche
à la carpe

A partir du patron, décalquez des grandes et des petites carpes. Reproduisez les grandes dix fois sur du carton rouge et les petites en dix exemplaires à chaque fois sur du carton jaune, vert, blanc et orange. Découpez ensuite tous ces poissons.

RÈGLES DU JEU

Distribuez à chaque enfant une paille et une assiette bleue symbolisant un étang. Placez le quatrième étang contenant tous les poissons au milieu de la table.

Les enfants lancent le dé l'un après l'autre: le rouge commence. Avec sa paille, le joueur aspire une carpe rouge dans l'étang central et la transporte jusqu'à son assiette en carton. Si la carpe tombe avant d'avoir atteint son but, elle doit être replacée dans le "vivier". Le joueur suivant lance alors le dé et tente d'emmener de la même manière une carpe de la couleur correspondante jusqu'à son étang. Si, en lançant le dé, un joueur sort le noir, il doit restituer l'une des carpes qu'il avait "pêchées" (aspirées !). S'il n'en a pas, il passe un tour.

Le jeu se termine lorsque l'étang central est vide. Le vainqueur est celui qui a pêché le plus grand nombre de poissons. Les carpes rouges comptent double, car elles sont deux fois plus grosses que les autres.

PÊCHE
À LA CARPE

Age :
à partir de 3 ans
Participants : 3

Matériel :

• 4 assiettes en carton, peintes en bleu
• 3 pailles
• un dé à faces de couleurs
• du papier-calque
• un crayon
• 50 poissons en papier de couleur :
• 10 grands rouges et 10 jaunes, 10 verts, 10 blancs et 10 orange, plus petits
• des ciseaux

A l'intérieur

Prévoyez toujours quelques jeux d'intérieur même lorsque vous avez l'intention de passer l'après-midi dehors. La pluie est trop souvent au rendez-vous !

PIQUE HÉRISSON

Age :
à partir de 4 ans
Participants :
à partir de 3

Matériel
par enfant :

• un morceau
de savon
• une soucoupe
• environ 50
épingles à tête dans
un récipient
• une minuterie

Pique hérisson

Distribuez à chaque enfant un morceau de savon, une soucoupe et un ravier plein d'épingles à tête.
Réglez la minuterie sur trois ou quatre minutes. Chaque enfant devra essayer de planter le maximum d'aiguilles dans son savon de manière à ce que celui-ci ressemble à un hérisson. Lorsque la minuterie retentit, tous doivent s'arrêter.
Le vainqueur est celui dont le hérisson porte le plus de piquants.

ASPIRE
LENTILLES

Age :
à partir de 4 ans
Participants :
à partir de 3

Matériel
par enfant :

• une paille
• deux petits raviers
• une poignée
de lentilles
• une minuterie

Aspire lentilles

Chaque joueur reçoit deux raviers. Déposez dans l'un un nombre déterminé de lentilles. Les enfants doivent aspirer celles-ci avec leur paille et les placer dans le second ravier.
Ce jeu peut se dérouler de deux manières.
Les enfants peuvent jouer à tour de rôle : le joueur qui perd une lentille doit s'arrêter et la main passe au joueur suivant. Au bout de trois à cinq tours, comptez les lentilles. Le vainqueur est celui dont le second ravier en contient le plus.
Mais vous pouvez également organiser une course : au signal de départ, tous les enfants commencent à aspirer.
Le vainqueur est celui qui, au bout de cinq minutes, a transvasé le plus grand nombre de lentilles dans le second ravier.

Course aux triangles

Pour ce jeu, chaque enfant doit fermer le plus grand nombre possible de triangles dans sa couleur.

L'un d'entre vous commence par disperser un grand nombre de points sur la feuille de papier.

Les enfants reçoivent ensuite des feutres de couleurs différentes. Pour ne pas oublier leur couleur, ils dessinent un point de couleur sur le dos de leur main ou placent le capuchon sur le feutre.

Le premier joueur relie deux points avec son feutre, le second fait la même chose, ainsi que le troisième et le quatrième. C'est alors à nouveau le tour du premier joueur, et ainsi de suite. Chacun doit s'efforcer de tracer le plus grand nombre possible de triangles dans sa couleur et se verra attribuer un point pour chacun d'entre eux. Mais attention, vous devez également empêcher les autres d'y parvenir. Ainsi, lorsqu'un joueur a déjà dessiné deux côtés du triangle, mais qu'un autre ferme celui-ci avec sa couleur, il n'appartient à personne.

COURSE AUX TRIANGLES

Age :
à partir de 4 ans
Participants :
2 à 4

Matériel :

• une feuille de papier
• un feutre de couleur différente pour chaque enfant

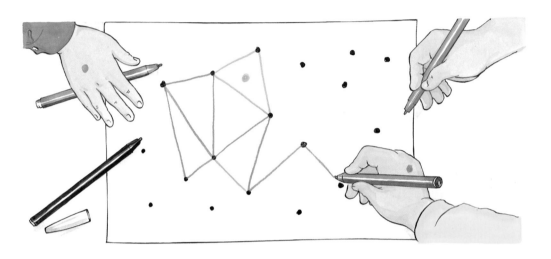

JEU DE DOIGTS

Le bonhomme de neige

Vous pouvez jouer à ce jeu avec des tout-petits qui commencent juste à parler.

Bonhomme de neige
(Frapper du poing gauche sur la table)
et sa dame de glace
(Frapper du poing droit sur la table)
se tracassent.
Car quand le soleil montre ses joues
Ils fondent en gadoue !

(A gadoue, frapper les mains à plat sur la table et répéter le mot en criant)
Bonhomme de neige et sa dame de glace
(Frapper alternativement avec le poing droit et le poing gauche sur la table)
perdent la face.
(Placer les deux pouces l'un sur l'autre)
Quand la pluie se met à tomber
ils commencent à dégouliner, splash !
(A splash, répéter ce mot en criant)

LE BONHOMME DE NEIGE

Age :
à partir de 16 mois
Participants :
à partir de 2

Le jeu des gants

LE JEU DES GANTS

Age :
à partir de 2 ans
Participants :
2 à 4

Matériel :

• du papier-calque
• du carton rigide
• un crayon
• des ciseaux
• des feutres

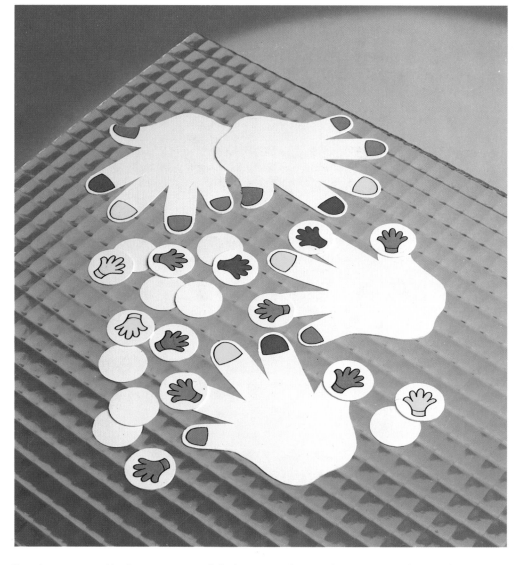

Sur du carton, décalquez quatre fois les mains et vingt fois les plaquettes de jeu, puis découpez le tout.
Peignez les ongles des mains et les plaquettes comme sur la photo.

RÈGLE DU JEU :

Distribuez une main à chaque enfant. Retournez les plaquettes sur la table et mélangez-les correctement.

L'enfant qui commence le jeu dit : "Mes doigts commencent à geler, il me faut un gant vert (bleu, jaune, rouge ou brun)."
Il peut alors retourner la plaquette et si la couleur correspond à l'annonce, il peut déposer cette plaquette sur l'ongle correspondant.
C'est à présent le tour de l'enfant suivant.
Le vainqueur sera le premier joueur à avoir "ganté" tous les doigts de sa main.

Le labyrinthe

1. Sciez la baguette de bois de façon à obtenir deux morceaux de 41 cm de long et deux de 30 cm de long.

2. Poncez les arêtes de coupe.

3. Collez les baguettes sur le pourtour de la plaque et laissez-les sécher pendant deux heures.

4. Plantez ensuite des clous le long du bord intérieur et au hasard sur toute la surface de la plaque.

5. Reliez les clous deux à deux par des élastiques. Vous constituerez ainsi un parcours.

6. Déterminez les points de départ et d'arrivée.

7. Disséminez des impasses que vous marquerez par des points verts. Le joueur qui entre dans l'une d'elles avec la bille est pénalisé d'un point.

8. Marquez au feutre noir la direction de jeu ainsi que le départ et l'arrivée.

Qui parviendra à faire rouler la bille du départ à l'arrivée avec un minimum de points de pénalité ?

LE LABYRINTHE

Age :
à partir de 5 ans
Participants :
à partir de 2

Matériel :

• une baguette de bois : 142 cm de longueur sur 4 cm de large et 0,5 cm d'épaisseur
• une petite scie à bois
• du papier de verre
• une plaque de bois (contre-plaqué) : 30 x 40 cm
• de la colle à bois
• des clous à tête plate
• un marteau
• des élastiques
• des feutres à grosse mine, un noir et un vert
• une bille en métal ou en verre : environ 1 cm

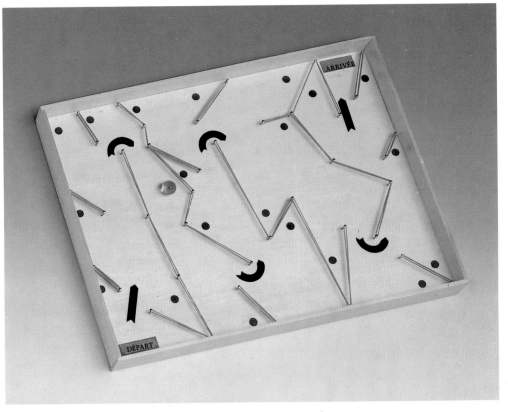

Février

Pour le carnaval
en février
Tout le monde
est déguisé.
Mettez ce que vous voulez :
Masques, loups
ou faux nez.
Il suffit d'aimer
s'amuser
et le tour est joué.
Venez donc avec nous !
Serez-vous grenouille
ou gnou ?

Fêter la fin de l'hiver et le carnaval

Voici plusieurs centaines d'années, l'hiver était une période extrêmement rude pour les hommes. Ils passaient de nombreuses semaines dans leurs maisons totalement recouvertes de neige et vivaient très parcimonieusement des réserves qu'ils avaient accumulées pendant l'été.

On imagine aisément avec quelle impatience ils attendaient le retour du printemps afin de pouvoir circuler en liberté, se chauffer au soleil et manger à nouveau des légumes frais.

Pour faire enfin disparaître l'esprit malin de l'hiver auquel on croyait encore à cette époque, on organisait en février une grande fête durant laquelle on brûlait le bonhomme hiver.

Les gens riaient, festoyaient, faisaient grand bruit, dansaient, se déguisaient et chantaient très fort afin de chasser l'hiver par leur vacarme et leur apparence délirante.

Aujourd'hui, dans certaines régions, on fait encore des grands feux au mois de février. Mais, dans de nombreux endroits, on fête surtout le carnaval.

Et avant celui-ci, on peut aussi célébrer la chandeleur !

ACTIVITÉ

Des crêpes de fête

Cuisinez des crêpes avec les enfants.
Et bien sûr, selon la tradition, ils les lanceront en tenant une pièce dans la main gauche. Si elle retombe correctement dans la poêle, le petit cuisinier sera riche et chanceux toute l'année.

Une présentation insolite de crêpes fera la joie de la famille ou de la classe.
Faites-les décorer en forme de visages.
C'est fou ce que l'on peut faire avec du sucre blanc, du sucre brun, du chocolat et de la crème.
Avec des crêpes salées, on peut également s'amuser !
Attention, toutes les associations doivent être dignes d'un gastronome.

POÈME

Et hop !

La veille de la chandeleur
L'hiver passe ou prend vigueur.
Si tu sais bien manier la poêle
A toi l'argent en quantité.
Mais gare à la mauvaise étoile
Si tu mets la crêpe à côté.

BRICOLAGE
Couvre-chefs

COUVRE-CHEFS

Age :
à partir de 3
ou 4 ans
Participants :
seul ou en groupe

Matériel :

• de vieux chapeaux
• de la laine
• des morceaux de carton de couleur
• des chutes de laine
• du papier crépon et du papier de soie
• du papier-calque et un crayon
• des chutes de tissu
• des filtres à café
• des assiettes en carton
• des peintures couvrantes
• des pinceaux
• des ciseaux
• de la colle
• un élastique à chapeau et une étroite bande de coton
• une agrafeuse

Un déguisement ne doit être ni onéreux ni compliqué à confectionner.

Pour se glisser dans la peau d'un autre personnage pendant le carnaval et se sentir tout à fait différent, il suffit par exemple de porter un couvre-chef original.

La réalisation d'un chapeau "Aujourd'hui je-ne-suis-pas-moi" requiert des matériaux extrêmement simples.

CHAPEAU "ASSIETTE EN CARTON"

Découpez l'assiette en carton jusqu'au centre, faites se chevaucher les bords et agrafez-les ensemble de manière à obtenir un chapeau chinois.

Peignez maintenant votre couvre-chef. Quand il est sec, collez des petites boules de papier de soie sur le dessus et des franges de papier crépon sur le bord. Découpez ensuite un morceau d'élastique à chapeau de la longueur appropriée et agrafez-le sur le chapeau afin que celui-ci tienne bien sur la tête.

CHAPEAU FILTRE

Collez deux filtres à café de la même dimension l'un à l'intérieur de l'autre. Découpez une fleur et une grosse tige dans du carton de couleur et agrafez-les ou collez-les sur le filtre. Fixez ensuite des franges en papier crépon sur le bord. Pour finir, agrafez à droite et à gauche des bandes de coton que vous nouerez sous le menton lorsque vous porterez le chapeau.

CHAPEAU À NATTES

Qui n'a jamais rêvé d'avoir de longues nattes? Voici l'occasion rêvée, car elles sont très simples à confectionner. Collez ou fixez simplement un morceau de tissu de récupération autour d'un vieux chapeau. Avec de la laine, réalisez deux grosses et longues nattes et nouez des chutes de tissus de couleur à une extrémité.
Collez ou cousez maintenant les nattes à droite et à gauche à l'intérieur du chapeau, et le tour est joué !

FICHU À FRANGE

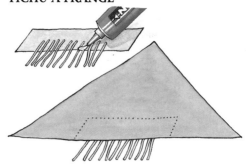

Mais peut-être préférez-vous porter une belle frange sur le front ?
A cet effet, collez des brins de laine les uns à côté des autres sur une bande de tissu. Fixez ensuite celui-ci sur le long côté d'un triangle de tissu (de récupération), de manière à ce que la frange se trouve pressée entre les deux morceaux d'étoffe.
Vous pouvez maintenant nouer le foulard sous le menton ou derrière la nuque.

JEU DE DOIGTS

Les rois du carnaval

LES ROIS DU CARNAVAL

Age :
à partir de 2 ans
Participants :
à partir de 2

Aujourd'hui, tous mes petits doigts
sont joyeux comme des rois
(agiter tous les doigts)
Ils se rendent, hilares,
au carnaval, sans retard
(les doigts marchent sur la table)
Tous se pressent : un, deux, trois,
aujourd'hui, c'est mardi gras
En tête, tout devant,
le pantin marrant
(montrer le pouce qui se dandine)
Puis la Princesse Pâquerette
qui cherche le Prince Alouette
(l'index)
Et maintenant la sorcière maléfique
Avec son balai magique
(le majeur)

Le clown qui les suit tous
De son gros ventre, les pousse
(l'annulaire)
Et pour finir, le nain,
qui ne veut pas rater le festin.
(l'auriculaire)
Taratata, Boum boum
La fanfare défile
(à "Taratata", souffler dans le poing fermé,
à "Boum boum", taper dans les mains)
Taratata, Boum, boum
Le carnaval est en ville !

EXPÉRIENCE

Ballons collants

Gonflez des ballons, fermez-les en nouant l'ouverture et frottez-les quelques instants sur un pull-over en laine. Montez sur une échelle en tenant les ballons à la main et lâchez-les le plus haut possible. Vous assisterez alors à un phénomène vraiment étonnant : les ballons resteront collés au plafond pendant des heures.

L'explication est toute simple : la friction contre le pull-over en laine charge les ballons d'électricité négative. Le plafond, quant à lui, comporte un nombre égal de particules positives et négatives. Ses particules positives attirent les particules négatives des ballons, ce qui "colle" ceux-ci au plafond.

BALLONS COLLANTS

Age :
à partir de 5 ans
Participants :
à partir de 2

Matériel :

• des ballons gonflables

DEVINETTES

Quiz amusant

Dans quel bal ne peut-on pas danser ?
(le handball)
Quel serpent a sa place au carnaval ?
(le serpentin)
Quel papillon ne vole jamais ?
(le nœud papillon)
Qu'est-ce qui est plus méchant qu'un chien enragé ?
(deux chiens enragés)
Qu'est-ce qu'il est impossible de prendre dans la main gauche ?
(la main gauche)
Quelle est l'ouvrière la plus courageuse ?
(l'abeille)

Quel roi rugit ?
(le lion, roi des animaux)
Quel jardin ne peut-on pas arroser ?
(le jardin d'enfants)
Quel est l'oiseau capable de soulever des tonnes ?
(la grue)
Quel chat fait mal ?
(le chat dans la gorge)
Quelles pommes ne sont pas comestibles ?
(les pommes de pin)

Dites-le
avec des dessins

Hier, le facteur est venu apporter des ✉. Mais notre brave

n'aime pas du tout les ✉ et encore moins les facteurs ! Il s'est mis sur

la 🏠 et a aboyé. Comment vais-je atteindre la 🏠 ¿ Je dois

donner cette ✉. Or cette petite 🏠 a sa 📫 sur sa porte.

Et l'on est obligé de passer par le chemin que ce 🐕 garde.

Le facteur mit la ✉ en poche et laissa son 🚲 par terre.

Alors lentement il ouvrit son grand 👜. Il prit dans

ce 👜 rapidement un paquet de 🌭. Son repas du jour ! Il

s'approcha lentement du 🐕 sur la 🏠.

Le chien vorace s'élança sur les 🌭 et se rendit gentiment

à sa 🏠 Rex. Le facteur sortit la ✉ de sa poche et courut à la 🏠.

Distribuer des ✉ dans les 📫 constitue un bon régime. Le

🐕 a tout mangé, sauf un petit 🌭.

JEUX

Pyramide de table

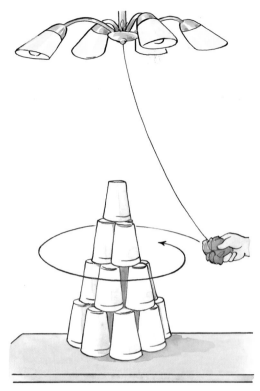

Poussez la table sous le lustre et faites grimper dessus l'un d'entre vous. L'enfant fixe la ficelle au lustre de manière à ce que la balle en tissu puisse osciller librement au-dessus de la table.

Un enfant tient la balle sur le côté jusqu'à ce que la pyramide de gobelets soit réalisée sous la lampe.

Le premier joueur imprime un mouvement à la balle en tissu, de façon à ce que celle-ci décrive des cercles autour de la pyramide de gobelets. Au fur et à mesure, les cercles deviennent de plus en plus petits et la balle finit par renverser quelques gobelets. Lorsque la corde s'immobilise, comptez le nombre de gobelets culbutés. C'est maintenant le tour du joueur suivant.

PYRAMIDE DE TABLE

Age :
à partir de 3 ans
Participants :
à partir de 3

Matériel :

• 15 pots de yaourt
• une balle en tissu fixée à une longue ficelle

Catapulte

Peignez un carton à œufs de manière à obtenir un cercle extérieur vert, un cercle intermédiaire jaune et une cible rouge centrale. Chaque enfant pose une fourchette devant lui, dents orientées vers la cible et vers le haut. Le premier joueur place l'objet à catapulter sur le manche de sa fourchette et appuie vigoureusement sur les dents : l'objet s'envole dans les airs ! Et où atterrit-il ? S'il parvient dans la zone verte, le joueur marque 1 point, dans le jaune 2 points et dans le rouge 3 points.

CATAPULTE

Age :
à partir de 3 ans
Participants :
à partir de 3

Matériel :

• un carton à œufs carré
• de la peinture couvrante
• un pinceau
• des glands, des noix, des noisettes, des bonbons, des boutons ou tout autre objet à catapulter
• des fourchettes

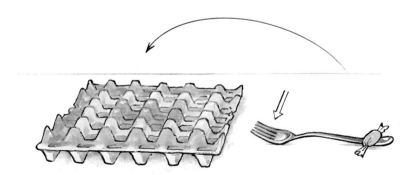

Canard
du carnaval

CANARD
DU CARNAVAL

Age :
à partir de 5 ans
Participants :
à partir de 2

Matériel :

• une boîte à
fromage en forme
de demi-lune
• de la colle
• du papier de
couleur verte
• des plumes
• un petit entonnoir
en plastique
• des morceaux de
papier de couleur :
blanc, bleu, jaune
• des ciseaux
• de la feutrine jaune
• une vieille aiguille
à repriser
• une paire de
pinces universelles à
manches plastifiés
• une bougie
• des petites cuillers
à sucre en plastique
• une aiguille pointue,
grosse et longue
• des brins de laine
• 4 perles de bois
peintes : Ø 2,5 cm
• une petite scie à bois
• une latte de bois
de 0,5 cm d'épaisseur
sciée en : un morceau
de 20 cm de long
2 morceaux de 15 cm
• de la colle à bois
• un mince foret
à bois
• de la ficelle solide
et fine
• 5 perles de bois
brut : Ø 1 cm

Normalement, les canards sont tout à fait différents, mais n'oubliez pas qu'il s'agit ici d'un canard du carnaval !

C'est une marionnette suspendue à des fils, qui se dandine fort bien.

RÉALISATION

1. Collez les deux parties de la boîte à fromage. Fixez du papier de couleur verte autour de celles-ci et les plumes jaunes pour les ailes.

2. Collez maintenant des yeux en papier de couleur, des cils et une bande de décoration sur l'entonnoir symbolisant la tête.

3. Découpez ensuite la queue dans la feutrine jaune et collez-la avec les plumes sur la partie arrière de la boîte.

4. Maintenez l'aiguille à repriser à l'aide des pinces et placez-la au-dessus de la flamme de la bougie jusqu'à ce qu'elle rougeoie. Pratiquez ensuite avec l'aiguille brûlante les orifices dans l'entonnoir et dans les cuillers, qui permettront de fixer les fils.

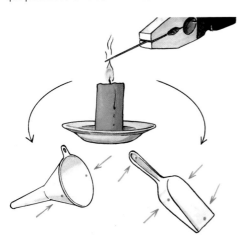

5. A l'aide de l'aiguille de couturière, percez les trous nécessaires dans la partie en carton et passez au travers de ceux-ci les fils de jonction entre les différents éléments. Nouez solidement les extrémités entre elles.

6. Percez les orifices de fixation des fils sur les trois éléments de la poignée en bois, que vous collerez ensuite ensemble. Tandis que l'un d'entre vous maintient le canard par le bas, l'autre passe les fils dans la poignée, puis enfile sur chacun de ces derniers une petite perle de bois. Il détermine ensuite la bonne longueur de chacun des fils, noue ceux-ci au-dessus des perles et coupe l'excédent de fil.

MANIPULATION

Maintenez la poignée de bois de manière à ce que les pattes du canard reposent sur le sol.

Faites basculer la poignée en bois alternativement vers la droite et la gauche et déplacez-la simultanément vers l'avant, c'est-à-dire dans le sens de la marche. Avec un peu d'entraînement, le canard se dandinera superbement. Il hoche aussi automatiquement la tête et sur un parquet, on l'entendra arriver de loin.

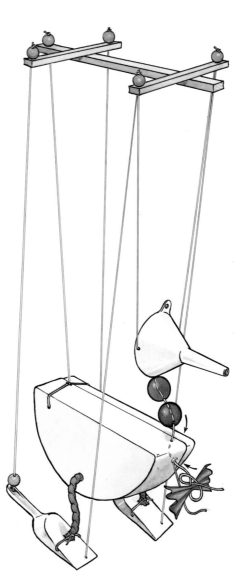

Cartons d'invitation

CARTONS D'INVITATION

Age :
à partir de 4 ans
Participants :
seul ou en groupe

Matériel :

- du papier-calque
- un crayon
- un morceau de carton ondulé renforcé sur une face
- des ciseaux
- de la peinture couvrante
- un pinceau
- de la colle
- un feutre noir indélébile
- un petit morceau de carton blanc
- une règle
- du fil
- des feutres de couleur

Si vous souhaitez fêter le carnaval avec des amis, vous devez naturellement les inviter. Et pour qu'ils n'oublient pas le jour, l'heure et le lieu de la fête, envoyez-leur un carton d'invitation original.

Voici trois propositions :

1. Pour confectionner les cartons d'invitation, vous avez besoin d'un morceau de carton ondulé. Si vous n'en avez pas, procurez-vous un grand carton et découpez-le en différentes parties. Reportez sur celles-ci les contours des motifs du patron, puis découpez-les.

2. Peignez maintenant le recto de vos cartes avec de la peinture couvrante. Pourquoi ne pas poser un insecte sur la fleur ?

3. Sur l'invitation "ballon", collez la cordelette et la petite carte. Dans la chaussure de clown, passez une grosse ficelle faisant office de lacet.

4. Demandez à votre maman d'inscrire le texte, par exemple :

– sur la fleur : "Quiconque marche à quatre pattes et vole est invité."

– sur le ballon : "Nous organisons un bal du carnaval. Seras-tu de la partie ?"

– sur la chaussure de clown : "Nous organisons une fête du cirque. Veux-tu te joindre à nous ?"

5. Retournez les cartons d'invitation. Au verso, apposez le timbre, puis inscrivez l'adresse du destinataire et la vôtre. Pour que le facteur s'y retrouve, tracez au feutre des lignes comme sur une carte postale normale.

ATTENTION

Etant donné que ces invitations ne sont pas envoyées sous enveloppe, elles sont considérées comme cartes postales de format spécial. Vous devrez donc acquitter des frais de port supérieurs, mais elles constitueront une surprise vraiment agréable pour le destinataire.

Joyeuses décorations

Age :
à partir de 2
ou 3 ans
Participants :
à partir de 2

Une fête costumée sera deux fois plus réussie, si la pièce dans laquelle elle se déroule est elle aussi décorée de multiples couleurs. Et comme les enfants aiment bien se déguiser en animaux, ornez votre "salle de bal" de divers bricolages animaliers.

GUIRLANDE DE COCCINELLES

1. Coupez en deux dans le sens de la longueur une grosse pomme de terre, badigeonnez une moitié de peinture et pressez-la sur une serviette en papier préalablement pliée en deux suivant la diagonale, comme le montre la photo ci-contre. Vous obtiendrez alors une impression sur les deux faces du triangle.

2. Après avoir imprimé une certaine quantité de serviettes de cette manière, transformez ces taches en coléoptères multicolores, en peignant des petites têtes, des petites pattes et des antennes de couleur noire.

3. Tendez à présent la ficelle au travers de la pièce, suspendez-y les serviettes et collez-les. Votre guirlande de coccinelles n'est-elle pas superbe ?

CHENILLE

1. Recouvrez de papier de couleur les deux côtés des sous-bocks et découpez les bords qui dépassent.

2. Percez, dans chaque bord, deux orifices situés l'un en face de l'autre. Attention : pratiquez un seul trou pour la tête.

3. Assemblez tous les éléments à l'aide d'attaches parisiennes, de manière à constituer un corps mobile.

4. Ajoutez à la tête les oreilles, les yeux, une grande bouche et une longue langue en papier de couleur.

Laissez simplement pendre la chenille ou fixez-la au mur. L'important est qu'elle ait suffisamment de place pour se tortiller de-ci de-là.

GUIRLANDE DE COCCINELLES

Matériel :

• de nombreuses serviettes (cellulose)
• de grosses pommes de terre
• un couteau de cuisine
• des peintures couvrantes
• des pinceaux
• un rouleau de grosse ficelle

CHENILLE

Matériel :

• *un grand nombre de sous-bocks*
• *du papier de couleur*
• *de la colle*
• *des ciseaux pointus*
• *de nombreuses attaches parisiennes*
• *du fil de nylon ou des clous pour suspendre la chenille*

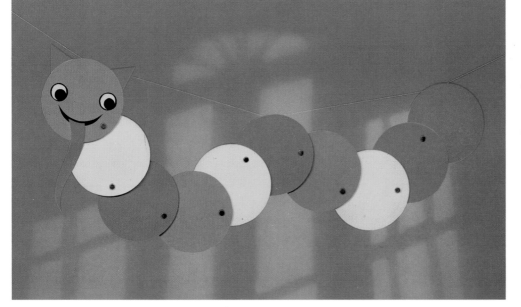

SAC À LOTS

Matériel par enfant :

• un filet à oranges vide

• (une épingle de sûreté)

JEU
Tombola baraka !

Tout carnaval est émaillé de jeux avec des gagnants et des perdants. Les gagnants remportent des lots et se félicitent, tandis que les perdants sont un peu tristes, car ils ne gagnent rien. Pour que cela n'arrive pas lors de votre prochain carnaval d'enfants, le mieux est d'organiser une tombola. Chacun peut tenter sa chance cinq fois au cours de la fête. Le truc : chaque billet est gagnant.

SAC À LOTS

Chaque invité se voit remettre un filet à oranges, le suspend à son portemanteau. Par la suite, les enfants ayant remporté des lots pourront les placer dans leur sac et auront de la sorte les mains libres pour continuer à jouer.

CARTE DE LA CHANCE

Matériel :

• une carte en papier de couleur
• une perforatrice
• des feutres de couleur
• de la ficelle
• des ciseaux

CARTE DE LA CHANCE

Pour que vos invités sachent toujours précisément combien de fois ils peuvent encore participer à la tombola, distribuez à chacun d'entre eux une carte de la chance qu'ils pourront porter suspendue autour du cou. Pour éviter toute confusion, inscrivez le nom d'un invité sur chaque carte.

A chaque fois que celui-ci remporte un prix, perforez la carte. Il suffit donc d'un simple coup d'œil à chaque enfant pour savoir combien de fois il peut encore tenter sa chance.

LISA

STAND DE TOMBOLA

Fabriquez votre stand de tombola à partir de tous les objets mentionnés ci-contre. La photo ci-dessous vous y aidera. Vous trouverez aux pages suivantes les explications portant sur les deux modèles de caisse du hasard, les sacs de lots et les lots eux-mêmes.

L'enfant qui souhaite tenter sa chance tire sur l'un des cinq anneaux en laiton pendant hors de la caisse du hasard. Il relève ainsi l'une des cinq plaquettes de couleur, par exemple la rouge. L'enfant peut alors plonger la main dans le sac à lots rouge et choisir un prix en palpant les différents objets contenus dans celui-ci.

Le mieux est de répartir les lots arbitrairement dans les cinq sacs. Mais vous pouvez également placez les plus beaux lots dans un sac et cacher les autres dans les quatre sacs restants.

C'est uniquement le hasard qui détermine la couleur que l'enfant tire et donc, le sac dans lequel il peut choisir son lot.

STAND DE TOMBOLA

Matériel :

• 2 cageots à fruits en bois
• une plaque de bois
• une nappe
• un parasol avec un pied
• un panneau pour la tombola
• 5 sacs à lots de différentes couleurs
• une caisse du hasard

SACS SURPRISES

Matériel :

• une pièce de tissu rouge, une jaune, une verte, une bleue et une brune : 60 x 40 cm
• cinq bandes de coton de 30 cm chacune
• cinq élastiques de 15 cm de long chacun
• des épingles de sûreté
• du fil à coudre
• des ciseaux
• une machine à coudre ou une aiguille

BRICOLAGE

Tombola baraka !

Pour ce bricolage, faites-vous aider par votre maman ou par un enfant plus âgé sachant déjà utiliser une machine à coudre.

SACS SURPRISES

1. Réalisez un ourlet sur le côté long des pièces de tissu.

2. Dix centimètres plus bas environ, fixez la bande de coton aux deux bords de manière à réaliser un tunnel permettant de passer l'élastique.

3. Pliez ensuite le tissu en deux de manière à ce que le tunnel soit à l'intérieur.

4. Cousez ensemble les deux côtés du sac et retournez celui-ci.

5. Le tunnel se trouve maintenant de nouveau à l'extérieur et vous pouvez y introduire l'élastique et le coudre.

CAISSE DU HASARD (EN BOIS)

Age : à partir de 6 ans avec 1 adulte
Participants : à partir de 2

Matériel :

• Plaque de contre-plaqué A : 40 x 40 x 1 cm
• Plaque de contre-plaqué B : 40 x 40 x 0,5 cm
• 1 baguette de bois de 3 cm de large sur 1 cm d'épaisseur : un morceau : 40 cm de long; 2 morceaux : 38 cm de long chacun
• de la colle à bois
• des clous
• un marteau
• une perceuse et un foret
• 5 x 1 m de ficelle à store
• 5 anneaux en laiton: Ø 2,5 cm
• 5 sous-bocks ronds, encollés des deux côtés
• des ciseaux
• de la colle
• des chutes de papier de couleur : rouge, jaune, vert, bleu, brun
• Plaque de contre-plaqué C : 39 x 40 x 0,5 cm

CAISSE DU HASARD (EN BOIS)

1. Assemblez la caisse en la collant et la clouant (sans la plaque C !).

2. Percez cinq orifices dans la baguette frontale et la plaque de contre-plaqué A. Percez en outre un trou au milieu de celle-ci.

3. Dans chaque orifice de la baguette, passez par l'avant un morceau de ficelle que vous introduirez ensuite dans l'orifice correspondant de la plaque A.

4. Ramenez alors par l'arrière tous les morceaux de ficelle dans le trou du milieu.

5. Fixez un anneau à l'extrémité supérieure de chaque ficelle et une plaquette de couleur à l'extrémité inférieure.

6. Clouez à présent la plaque C.

Sur le stand, placez une chaise sur laquelle vous installerez la caisse du hasard.

Décorez celle-ci avec beaucoup de papier crépon et de serpentins.

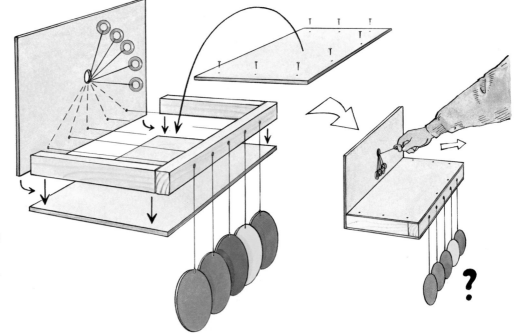

Caisse du hasard (en carton)

1. Sur la face avant du carton, percez les uns à côté des autres cinq orifices à la même hauteur.

2. Au milieu de la face arrière, pratiquez un trou un peu plus grand.

3. Recouvrez toute la surface du carton de chutes de papier peint.

4. A l'aide d'une aiguille, passez les cinq ficelles les unes après les autres au travers des orifices de la face avant et de celui de la face arrière.

5. Fixez ensuite les anneaux de laiton aux extrémités arrière des ficelles qui pendent toutes au travers du même orifice.

6. Collez du papier de couleurs différentes sur les sous-bocks et pratiquez un orifice dans chacun d'entre eux.

7. Fixez un sous-bock de couleur différente à chaque extrémité avant des ficelles.

8. Pour finir, fermez la boîte et collez un grand morceau de papier peint sur la partie supérieure du carton.

Si vous tirez maintenant sur l'un des anneaux à l'arrière, vous actionnez une plaquette de couleur à l'avant. Laquelle ? C'est l'affaire du hasard !

CAISSE DU HASARD (EN CARTON)

*Age :
à partir de 4 ans
Participants :
2*

Matériel :

- une grande boîte en carton
- une grosse aiguille avec un grand chas
- de la colle
- des chutes de papier peint de couleur
- 5 morceaux de ficelle à store
- 5 anneaux de laiton : Ø 2 cm
- 5 sous-bocks ronds
- des chutes de papier de couleur : rouge, jaune, vert, bleu, brun

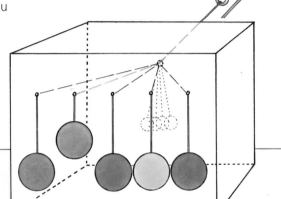

BRICOLAGE
Lots

LOTS
Age :
à partir de 3 ans
Participants :
seul ou en groupe

Matériel :

• du papier multicolore
• du papier à lettres
• des ciseaux
• des feutres
• de la colle
• de la laine
• une agrafeuse
• des rouleaux de papier hygiénique
• des boîtes d'allumettes
• des chutes de tissu
• de la ficelle
• des macaronis
• des perles de couleur
• des bonbons emballés
• des petits élastiques
• une paille
• le bouchon d'un flacon de détergent
• des pinces à linge

Les sacs de lots contiennent de nombreux petits prix. Vous pouvez bien sûr en acheter certains, comme des ours en gomme, des miroirs de poche, des chewing-gums, des petites poupées et des ours en peluche, des gommes, des crayons de couleur, des billes de verre, etc. Mais ces surprises risquent de coûter assez cher. En outre, l'effet sera beaucoup plus fort si vous confectionnez vous-même les lots de la tombola. Naturellement, vous devez commencer à les fabriquer bien avant le jour dit. D'une part, vous pourrez vous réjouir à l'avance de la fête pendant le bricolage et d'autre part, vos invités prendront au moins autant de plaisir que vous de cette charmante attention.

COLLIER DE PÂTES

Enfilez en alternance des macaronis et des petites perles sur une ficelle solide et nouez ensemble les deux extrémités.

PANTIN EN BONBONS

1. Dans du papier de couleur, découpez un cercle pour la tête et deux pour le corps.
2. Collez ensuite quatre bonbons avec une languette de papier entre les deux cercles du corps.
3. Placez la tête sur le corps et fixez sur celle-ci le chapeau pointu et la collerette faite des chutes de tissu.
4. Avec de la gouache ou du papier découpé, donnez un amusant visage à ce pantin.

BOÎTE À SURPRISES

1. Recouvrez l'extérieur d'une boîte d'allumettes de papier de couleur.
2. Dans le tiroir, placez soit une petite confiserie, soit un petit billet comportant une invitation, une devinette ou une blague.
3. Pour aiguiser encore davantage la curiosité du gagnant, peignez un grand point d'interrogation rouge sur la boîte.

MINI-LIVRE D'IMAGES

1. Découpez dix carrés de papier de 6 x 6 cm chacun.
2. Assemblez-les avec deux agrafes.
3. Dessinez un objet sur chaque page ou inventez une histoire en images.
Vous pouvez également découper des photographies dans des magazines ou des prospectus.

PETITE POUPÉE POUR LE DOIGT

1. A partir du patron, reproduisez le motif sur du papier de couleur.
2. Découpez le contour.
3. Peignez ensuite un visage joyeux à la poupée.
4. Collez sur le corps un vêtement confectionné dans des chutes de tissu.
Utilisez un petit élastique rond pour maintenir la petite poupée sur votre doigt.

SOURIS CONFISERIE

1. Tracez un cercle sur du papier de couleur.
2. Découpez-le en deux moitiés.
3. Collez chacune d'entre elles en cornet.
4. Collez sur chacune deux petits disques pour les oreilles et peignez les yeux. Collez ensuite une longue queue en laine.
5. A l'intérieur du corps, fixez un bonbon emballé.

LE CLOWN MYSTÉRIEUX

1. Posez le rouleau de papier hygiénique verticalement sur le papier de couleur et tracez-en le contour avec un crayon. Pour que le cercle puisse être encollé, découpez un bord un peu plus large.
2. Préparez un second cercle de la même manière et vous obtiendrez ainsi le fond et le couvercle du clown.
3. Collez maintenant le fond sur l'une des extrémités du rouleau de papier hygiénique; placez ensuite une surprise à l'intérieur, puis fixez le couvercle.
4. Entourez maintenant le rouleau de papier de couleur.
5. Pour finir, fixez l'amusante tête de clown.

PETITE POUPÉE EN PINCES À LINGE

1. Séparez les deux éléments d'une pince à linge.

2. Découpez deux brins de laine de la même longueur et collez-les en guise de cheveux entre les deux "dos" de la pince à linge.

3. Nattez les brins de laine et peignez un visage.

PIPE À BULLES DE SAVON

1. Dans un côté du bouchon de flacon de détergent ou d'adoucissant, percez un orifice pour la paille.

2. Introduisez celle-ci jusqu'à ce qu'elle dépasse légèrement à l'intérieur.

3. Versez un peu d'eau avec du savon dans la pipe.

Soufflez, et vous ferez de superbes bulles de savon !

Si vous le souhaitez, suspendez à la pipe une petite carte portant l'inscription suivante :

Je faisais des bulles de savon
Et ça a marché :
L'une d'entre elles s'est prise pour un avion
Et n'a pas explosé !

POÈME

Sens dessus dessous

Au numéro trois
De la rue Saint-Nicolas
La maison est en carton
L'escalier est en papier
Le locataire en fil de fer
Le propriétaire en pomme de terre !

JEU

Western dansant

Tracez un cercle au sol. Un cow-boy et un Indien se placent à l'intérieur de ce territoire. En sautillant, chacun, les bras tendus, accroupi, doit essayer de chasser l'autre hors du cercle.

POÈME

Ronrirapan

Rond, rond, rond,
La queue du cochon
Ri, ri, ri,
La queue d'une souris
Ra, ra, ra,
La queue d'un gros rat
Pan, pan, pan,
La queue d'un serpent.

JEU

Serpent gesticulant

Plusieurs joueurs assis les uns derrière les autres, jambes écartées, et se tenant par la taille, forment un serpent.
Quelle équipe arrivera la première là où le fakir-arbitre se tient ?

SERPENT GESTICULANT
Age :
à partir de 3 ans
Participants :
à partir de 10

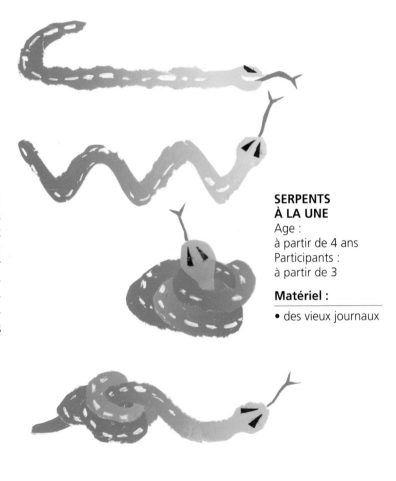

Serpents à la une

Chaque joueur ouvre un journal devant lui sur le sol. Au signal de départ, tous les enfants commencent à réaliser le serpent le plus long possible avec le journal, en déchirant la feuille en spirale de l'extérieur vers l'intérieur. Lorsque le dernier a terminé, placez précautionneusement les animaux les uns à côté des autres et comparez-les. Qui aura réussi à réaliser le plus long serpent ?

SERPENTS À LA UNE
Age :
à partir de 4 ans
Participants :
à partir de 3

Matériel :

• des vieux journaux

Turlutu

Turlututu
Chapeau pointu
Tontaine, tonton
Bonnet de coton
Tonton, tontaine
Béret de laine
Chapeau de drap
Qui s'y collera ¿

JEU
Chapeau claque

CHAPEAU CLAQUE
Age :
à partir de 3 ans
Participants :
à partir de 3

Tendez une grosse couverture sur une corde entre deux arbres à hauteur d'enfant. Faites une balle légère avec une chaussette pliée en boule.
Un enfant muni d'un chapeau se place derrière la couverture.
Chacun essayera tour à tour de "découvrir" le compagnon.

CHANSON
Arlequin dans sa boutique

Arlequin dans sa boutique
Sur les marches du palais,
Il enseigne la musique
A tous les petits valets.

Oui, Monsieur Po
Oui, Monsieur Li
Oui, Monsieur Chi
Oui, Monsieur Nelle
Oui, Monsieur Polichinelle

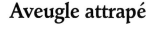

Aveugle attrapé

Demandez aux enfants lequel parmi eux aimerait participer à un jeu très difficile.
Un jeu pour lequel il faut être très très attentif. Le plus audacieux s'étant proposé, montrez-lui un chemin bourré d'obstacles qu'il devra parcourir les yeux bandés (enjamber des livres, éviter des chaises, etc.). L'enfant doit mémoriser le parcours.
Ensuite, bandez-lui les yeux. Avec l'aide du public, enlevez rapidement tous les obstacles.
Le petit intrépide s'escrimera pour rien… sauf pour la plus grande joie de son public.

Couple de pantins

**COUPLE
DE PANTINS**

*Age :
à partir de 3 ans
Participants :
seul ou en groupe*

Matériel :

- du papier-calque
- un crayon
- du carton fin
- des ciseaux
- des gros feutres ou
des peintures
couvrantes et
un pinceau
- des chutes de laine
- de la colle
- 4 attaches
parisiennes par
pantin
- une aiguille et
du fil

Ce couple de pantins constituera une décoration sympathique pour votre chambre. Lorsque vous tirez sur la ficelle, les personnages se mettent à bouger gaiement. Leur réalisation est très facile.

1. Pour chaque personnage, reportez les cinq éléments (avec les repères) du patron sur le carton et découpez-les.

2. Peignez la tête et le corps sur le grand ovale, puis les bras et les jambes séparément.

3. Collez ensuite les cheveux faits de brins de laine.

4. Lorsque la peinture est sèche, percez des orifices avec la pointe des ciseaux au niveau des repères, soit quatre dans le corps ainsi que deux dans chaque bras et chaque jambe.

5. Retournez chaque élément sur le plan de travail et faites glisser les bras et les jambes sur le corps jusqu'à ce que les orifices coïncident, puis insérez les attaches parisiennes par l'avant. Rabattez-en les extrémités, de manière à ce que les bras et les jambes bougent facilement vers le haut et le bas.

6. Pour finir, demandez à votre maman ou à un enfant plus âgé de fixer les brins de laine au dos, comme indiqué sur le schéma.

Et maintenant, vive la danse des pantins !

Dans la chambre

Le jeu des grimaces

Un enfant se place en face d'un autre et fait des grimaces : il roule les yeux, tire la langue, gonfle les ailes de son nez, lève les sourcils et glapit, grogne, pépie, siffle ou piaille. Il bondit en plus dans toute la pièce en exécutant des mouvements comiques, passe sous les chaises, rampe sur le tapis, saute en l'air, se gratte comme un petit singe et pousse des cris perçants.

Les autres enfants imitent tout ce que le premier fait et le suivent partout. Tous vont et viennent bruyamment et gaiement dans l'appartement. Au bout de cinq minutes, lorsque la minuterie sonne, la magie des grimaces est terminée.

**LE JEU
DES GRIMACES**
*Age :
à partir de 2 ans
Participants :
à partir de 3*

Matériel :

• une minuterie

Tout le monde ne possède pas une grande maison dans laquelle il est possible de s'ébattre avec ses petits amis. Dans ce type d'habitation, il est en effet possible, lorsque l'on veut organiser une grande fête avec de nombreux invités, de vider une pièce et d'y organiser des jeux bruyants et fous.

Mais si vous vivez dans un petit appartement dans lequel il n'est pas simple de pousser les meubles, vous pouvez parfaitement organiser les jeux suivants, puisqu'ils nécessitent seulement un espace réduit.

SAUT AU BUT
*Age :
à partir de 2 ans
Participants
par manche : 5*

Matériel :

• du fil
• des ciseaux
• une aiguille
• 5 boîtes
d'allumettes
• 5 serviettes en
papier de couleur
• des ours en
gomme
• un sous-bock rond
• de la colle
• un morceau de
papier de couleur
rouge
• 5 sièges

Saut au but

1. Découpez quatre morceaux de fil de longueur égale, faites un nœud à l'une des extrémités de chacun.
2. Enfilez-les avec une aiguille à chaque coin du couvercle de la boîte d'allumettes.
3. Nouez les quatre autres extrémités aux quatre coins de la serviette.
4. Remplissez ensuite le tiroir d'ours en gomme et refermez la boîte.
La cible sera le sous-bock recouvert du papier rouge.

Règle du jeu

Le jeu se joue en quatre manches au cours desquelles est toujours désigné un gagnant. Posez la cible au milieu des chaises disposées en cercle. Tous les enfants montent sur des chaises et au signal de départ, font "voler" tous leurs parachutes.

Le gagnant est celui dont le parachute tombe le plus près de la cible. Il peut manger ses passagers en gomme et sort du jeu.

Queue d'âne

L'un d'entre vous peint un grand âne sur la feuille de papier. Vous pouvez demander à votre maman ou à un enfant plus âgé de vous aider un peu. Une fois le dessin terminé, accrochez-le au mur.

Bandez les yeux du premier joueur et placez-lui la queue de l'âne – quelques longs brins de laine tressés ensemble – dans la main. L'enfant doit attacher la queue avec une punaise à l'endroit où se trouve selon lui l'arrière-train de l'animal. Pendant ce temps, il chante :

L'âne a perdu sa queue
Qui va la retrouver ?
Voilà, voilà, j'ai la queue
Je vais la lui attacher !

Vous pouvez d'ores et déjà imaginer tous les endroits où la queue pourra atterrir !

Gugusse

L'un d'entre vous est le meneur de jeu. En secret, il prépare l'une des deux assiettes avant le jeu. Pour ce faire, il tient la bougie allumée sur le fond de la soucoupe jusqu'à ce que celle-ci soit toute noire de suie. Attention : il doit bien garder à l'esprit quelle assiette il a noircie de cette manière.

Le meneur de jeu demande à un enfant de s'asseoir en face de lui et lui explique ce qui suit : "Tu es Gugusse et tu reproduis tous mes gestes. Mais tu dois toujours me regarder droit dans les yeux et ne jamais rire." Gugusse reçoit sans le savoir l'assiette noircie dans la main gauche et reproduit avec la main droite les gestes du meneur de jeu. Ce dernier passe en rond un doigt sous l'assiette et se masse le front avec celui-ci, repasse un doigt sous l'assiette et se frotte alors le nez. Le meneur de jeu refait les mêmes gestes plusieurs fois jusqu'à ce que le front et les joues de son vis-à-vis soient tout à fait noirs.

A la fin du jeu, on donne un miroir à Gugusse qui s'aperçoit avec stupeur qu'il s'est complètement noirci le visage !

QUEUE D'ÂNE

Age :
à partir de 3 ans
Participants par manche :
un enfant et de nombreux spectateurs

Matériel :

- une feuille de papier blanc
- des gros feutres
- un foulard pour bander les yeux
- des brins de laine
- 5 punaises
- un mur

GUGUSSE

Age :
à partir de 5 ans
Participants :
2 et de nombreux spectateurs malicieux

Matériel :

- 2 soucoupes
- une bougie
- des allumettes
- 2 chaises
- un miroir

JEUX

Chiens volants

CHIENS VOLANTS
Age :
à partir de 4 ans
Participants :
2 et 4 "lesteurs de
chaise"

Matériel :

• 4 chaises
• 2 morceaux de
ficelle solide de 3 m
de long
• 2 pots de yaourt
• des chutes de
papier de couleur
• de la colle
• une aiguille
pointue avec
un grand chas
• des ciseaux

1. Collez un nez, des yeux et des oreilles en papier de couleur sur les deux pots de yaourt de manière à donner à ceux-ci l'apparence de têtes de chien.
2. Percez un trou dans le fond de chaque pot de yaourt.
3. Enfilez-les chacun sur une ficelle.
4. Tendez les ficelles entre deux chaises. Pour qu'elles soient toujours bien tendues, faites asseoir deux enfants sur les chaises.
Au signal de départ, chacun des deux joueurs tente de faire avancer le "chien volant" le plus rapidement possible d'une chaise à l'autre en soufflant sur celui-ci. Attention, il est interdit de s'aider des mains !

Balle-trap'

BALLE-TRAP'
Age :
à partir de 5 ans
Participants :
toujours par couple

Matériel
par couple :

• un petit carton
• 1 m de ruban de
1 cm de large
• des ciseaux
• des petites balles
rebondissant très
bien

Percez deux trous l'un en face de l'autre dans la boîte et passez le ruban au travers de ceux-ci.
Le premier enfant dépose la boîte sur sa tête, noue le ruban sous son menton et maintient, s'il le veut, la boîte avec ses deux mains.
Le deuxième lance la balle sur le sol de manière à ce que l'autre puisse l'attraper au rebond dans la boîte.
Le cas échéant, vous pouvez organiser un concours entre plusieurs équipes et compter combien elles ont attrapé de balles en un laps de temps déterminé.

Hérisson tout bon

Les danses et les jeux ouvrent l'appétit et donnent soif. Préparez donc un délicieux hérisson et de la limonade de carnaval pour rassasier et désaltérer vos invités.

Découpez tous les ingrédients en petits morceaux et embrochez-les. Piquez les brochettes terminées sur la tête de chou afin d'obtenir un grand hérisson.

Avec cet en-cas original, ne servez pas de rafraîchissements traditionnels, mais des "limonades de carnaval" colorées et tout à fait fantastiques.

Celles-ci sont préparées à base d'eau gazeuse, "transformées" à l'aide de colorants alimentaires non toxiques. Vous n'en modifiez absolument pas le goût, mais obtenez de merveilleuses compositions de couleurs.

Observez vos invités : ils seront d'abord étonnés, puis littéralement enthousiasmés.

Petites bouchées en chocolat

Entre les mets salés, placez sur le buffet des bouchées en chocolat faites maison. Pour les réaliser, faites bouillir de l'eau dans une grande casserole.

Pendant ce temps, déposez tous les ingrédients dans la cruche, que vous placerez dans l'eau chaude, et remuez fréquemment.

Lorsque le chocolat est bien onctueux, versez-le avec précaution dans les petites couronnes de papier.

Lorsqu'il est solidifié, disposez les couronnes sur un napperon en papier.

HÉRISSON TOUT BON

Ingrédients :

• une tête de chou comme support
• du pain
et par exemple,
• de la charcuterie,
• du fromage,
• des petits cornichons
• du raisin blanc et noir
• des quartiers de mandarine
• des boulettes de viande hachée
• des cure-dents comme supports de brochette

PETITES BOUCHÉES EN CHOCOLAT

Ingrédients :

• 150 g de sucre en poudre
• 120 g de margarine végétale
• 50 g de poudre de cacao
• un peu de rhum

Matériel :

• des couronnes en papier blanc Ø environ 2,5 cm
• des napperons en papier

Ustensiles :

• une grande casserole plate
• une cruche
• une cuiller
• des poignées ou des gants

Mars

Mars nous apporte giboulées et pluies
mais les premiers rayons de soleil aussi.
Le lapin de Pâques est notre ami
Dans l'herbe verte, il bondit
pour nous offrir des œufs jolis.
Le printemps se prépare.
Accueillons-le sans retard !

INVITATION
À UNE FÊTE
D'ANNIVERSAIRE

Age :
à partir de 3 ans
Participants :
seul ou à deux

Matériel :

• du papier-calque
• un crayon
• du papier de
différentes couleurs
• des ciseaux
• du papier blanc
pour machine
à écrire
• de la colle
• des feutres

Pour tous les enfants, la fête d'anniversaire doit être un jour extraordinaire. Pour eux, les jeux sont bien plus importants que la limonade et les gâteaux. Selon son âge, l'enfant concerné aide à sélectionner les activités, à préparer la fête et à confectionner les cartes d'invitation qui sont, bien sûr, fonction du mois de l'événement. En mars, pourquoi pas des motifs printaniers et inspirés de la fête de Pâques, que vous pourrez également utiliser pour les cartes de félicitations en tous genres ?

1. Décalquez tous les motifs du patron sur du papier de couleur. Pour le fond sombre, il est plus simple d'employer du papier à patron de couture.

TULIPE

2. Pliez en deux parties égales un morceau de papier de couleur (20 x 20 cm).

3. Décalquez le dessin de la tulipe, la base de la fleur marquée en pointillés doit coïncider avec le pli.

A cet endroit, ne découpez pas les deux moitiés de papier, afin que la tulipe puisse s'ouvrir.

4. Pour l'intérieur, découpez le même motif 1/2 cm plus petit dans du papier blanc.

5. Collez-le dans le premier.

6. Inscrivez sur celui-ci le texte de l'invitation. Sur le recto de la carte, vous pouvez également noter le nom de l'invité.

PERCE-NEIGE

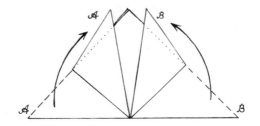

2. Pliez suivant la diagonale un carré de papier blanc de 16 x 16 cm.

3. Repliez les bords A et B vers le haut de manière à ce que leur sommet se situe à 2 cm environ de la pointe du triangle, puis ouvrez à nouveau la fleur.

4. Découpez ensuite un carré de papier vert de 8 x 8 cm.

5. Inscrivez sur celui-ci le texte de l'invitation.

6. Collez-le à l'intérieur. Refermez à nouveau le perce-neige.

LAPIN DE PÂQUES

2. Décalquez le lapin sur du papier de couleur brune et la corbeille sur du papier jaune.

3. Découpez les deux éléments.

4. Collez les deux côtés et la base de la corbeille sur le lapin à l'endroit prévu à cet effet.

5. Découpez les yeux et les moustaches dans des chutes de papier blanc et noir et collez-les.

6. Dessinez ensuite les lignes avec un feutre noir.

7. Inscrivez le texte sur une feuille de papier blanc de 10 x 10 cm.

8. Pliez celle-ci plusieurs fois et glissez-la entre la corbeille et le lapin.

Au début de la fête, vous pouvez utiliser les cartes d'invitation pour un petit jeu : placez les mêmes motifs comme cartons nominatifs sur la table d'anniversaire. Pour connaître leur place, les invités doivent retrouver sur ceux-ci l'objet figurant sur leur invitation.

Jeux de kim

Ces jeux permettent de développer les facultés de perception et d'aiguiser les organes des sens de façon ludique. Les différentes variantes de jeux de kim font appel à l'odorat, au goût, au toucher et à l'ouïe.

KIM DU GOÛT

Age :
à partir de 4 ans
Participants :
à partir de 4

Matériel :

• différents aliments (2 à 3 par enfant)
• des petites assiettes
• des cuillers à café
• un foulard pour bander les yeux

KIM DU TOUCHER

Age :
à partir de 2 ans
Participants :
à partir de 4

Matériel :

• divers petits objets
• un sac de toile

KIM DU GOÛT

Préparez des assiettes avec des petits échantillons d'aliments aux goûts très différents (pour les enfants plus âgés, les saveurs peuvent être très proches).

Lors du jeu, veillez à ce que les plus jeunes participants ne soient pas désagréablement surpris par des aliments qu'ils n'aiment pas. En effet, le jeu ne serait plus du tout amusant et les autres participants auraient peur qu'il leur arrive la même chose.

Placez les assiettes à part afin que les enfants ne puissent les voir. A chaque fois, bandez les yeux d'un enfant et donnez-lui à goûter des échantillons de nourriture. Ses petits amis peuvent l'aider un peu et lui donner des indices. L'enfant gagnant sera celui qui aura donné le plus grand nombres de réponses correctes.

KIM DU TOUCHER

Placez différents objets dans un sac de toile : par exemple, une pince à linge, une brique Lego, une cuiller, une gomme, une petite auto et une petite poupée en plastique. Les enfants plongent chacun à leur tour la main dans le sac et doivent deviner ce qu'il contient uniquement par le toucher.

Si les enfants sont très jeunes, vous pouvez d'abord montrer les objets avant de les placer dans le sac.

S'ils le souhaitent, les enfants peuvent conserver les objets qu'ils ont reconnus. Mais attention, veillez alors à ce qu'aucun bambin ne rentre chez lui bredouille.

KIM DE L'OUÏE

Le kim de l'ouïe est un peu plus compliqué que les deux jeux précédents et est donc destiné à des enfants un peu plus âgés.

A chaque fois, bandez les yeux d'un enfant, tandis qu'un autre ou le meneur de jeu produit un bruit : par exemple, fermer une porte, ouvrir un robinet ou faire rouler une petite auto sur le sol.

Si vous possédez un magnétophone à cassettes équipé d'un micro, vous pouvez enregistrer ces bruits préalablement et les faire entendre aux joueurs.

KIM DE L'ODORAT

Ce jeu de kim est le plus complexe, car, chez la plupart des individus, l'odorat est le sens le moins développé. Le choix des échantillons est lui aussi plus difficile, car les odeurs doivent être suffisamment distinctes pour que les enfants puissent les reconnaître. Choisissez par exemple du savon, de la moutarde, du fromage, des fleurs, du café et des bananes.

KIM DE L'OUÏE
Age :
à partir de 5 ans
Participants :
à partir de 4

Matériel :

• tout ce qui se trouve dans la pièce
• le cas échéant, enregistrer les bruits préalablement
• un foulard pour bander les yeux

KIM DE L'ODORAT
Age :
à partir de 6 ans
Participants :
à partir de 4

Matériel :

• des échantillons aux odeurs très différentes (2 à 3 par enfant)
• un foulard pour bander les yeux

POTS DE FLEURS MULTICOLORES
Age :
à partir de 3 ans
Participants :
seul ou en groupe

Matériel :

• des tabliers ou des vieilles chemises
• des journaux pour protéger le plan de travail
• des vieux pots de fleurs en terre cuite
• des pinceaux
• de la gouache
• du terreau
• des oignons de fleurs

PRAIRIE DE PRINTEMPS
Age :
à partir de 3 ans
Participants :
seul ou en groupe

Matériel :

• des journaux,
• des catalogues
• des prospectus
• des ciseaux
• de la colle
• du papier de couleur verte
• un feutre vert

PEINTURE-COLLAGE

Pots de fleurs multicolores

Chaque invité se réjouira de pouvoir emporter chez lui une petite surprise de la fête d'anniversaire. Et sa joie sera encore plus intense s'il réalise celle-ci lui-même.
Enfilez les tabliers, prenez les pots de fleurs, les pinceaux et les gouaches et protégez le plan de travail à l'aide de papier journal. Décorez les pots de fleurs de jolis dessins. Mieux vaut procéder à ce petit travail au début de la fête afin que la peinture ait le temps de sécher. A la fin de la fête, chaque invité reçoit un oignon de fleur qu'il plante dans son pot entre-temps rempli de terreau. Les enfants peuvent également peindre une petite étiquette où ils inscriront leur nom et celui de la fleur.
De retour à la maison, chacun placera le pot sur une soucoupe à un endroit ensoleillé et l'arrosera régulièrement. Combien de temps faudra-t-il pour que la première pointe verte surgisse ?

Prairie de printemps

De vieux magazines permettront de réaliser une superbe prairie de printemps multicolore. Le plaisir sera total si vous la confectionnez avec les autres enfants. Les plus grands découperont les fleurs que colleront les plus petits. Vous pouvez également réaliser de superbes tableaux multicolores avec des fleurs imaginaires. A cet effet, dessinez d'abord les contours voulus sur le papier ou découpez directement au gré de votre fantaisie. Collez les fleurs ainsi obtenues sur du papier de couleur verte. Prenez également du papier de couleur verte pour les tiges et les feuilles ou dessinez-les avec des feutres de même couleur.

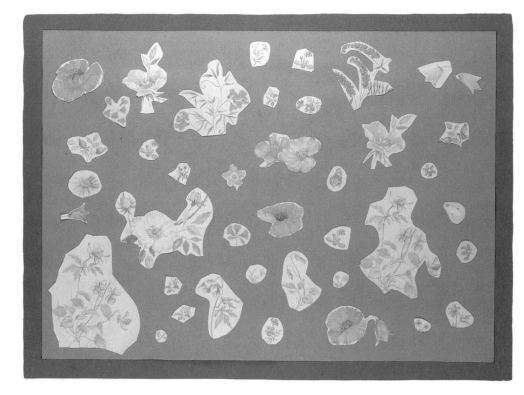

BRICOLAGE

Mobile d'abeilles

MOBILE D'ABEILLES

Age :
à partir de 5 ans
Participants :
seul ou en groupe

Matériel :

• une grande branche
• du fil mince de nylon
• des punaises
• des ciseaux
• du papier blanc transparent ou du papier de soie
• des cure-pipes noirs et jaunes

Un mobile constitue toujours une très belle décoration dans une chambre et peut varier suivant les caractéristiques de la saison. Pour le vôtre, employez un thème qui correspond au début du printemps : les abeilles.

1. Cherchez une belle branche pour suspendre les abeilles. Une branche tortueuse de noisetier "contorta" sera du plus bel effet.
2. Fixez-la au plafond avec le fil de nylon de manière à ce qu'elle soit droite.
3. Pour réaliser les ailes des abeilles, découpez, dans du papier de soie blanc, des morceaux de 6 x 3 cm que vous torsaderez.
4. Pour le corps d'une abeille, découpez des morceaux de cure-pipes noirs et jaunes de 7 cm de long environ.

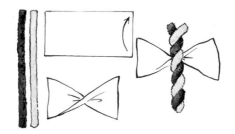

5. Placez une paire d'ailes torsadées dans le tiers supérieur entre les deux morceaux de cure-pipes et torsadez ceux-ci également. Vous obtiendrez ainsi un corps d'abeille ailé.
6. Vous pouvez maintenant suspendre à la branche les insectes terminés à l'aide d'un fil de nylon le plus fin possible.

Serre

SERRE

*Age :
à partir de 6 ans
Participants :
seul ou en groupe*

Matériel par enfant :

- un pot de fleurs rectangulaire
- du terreau
- des graines de plantes
- du fil de fer rigide
- des ciseaux
- du film plastique transparent
- du fil et une aiguille

Pour faire pousser des fleurs pendant les saisons froides, il faut utiliser une serre. En effet, dans la chaleur de celle-ci, les fleurs germent plus rapidement que dans la nature. Lorsque les pousses sont suffisamment grandes et que la température extérieure s'est réchauffée, vous pouvez alors les replanter dans le jardin. Votre serre ressemble en fait à un tunnel et est très simple à construire.

Remplissez d'abord le pot de terreau. Si plusieurs enfants participent à la réalisation, ils peuvent préparer des petits panneaux portant leur nom ou un symbole et les planter en terre. Déterminez quelles fleurs vous souhaitez semer, une seule espèce ou un mélange de différentes espèces. Plantez les graines en suivant les indications fournies sur le paquet.

1. Réalisez maintenant des arceaux dont la longueur et le nombre sont fonction du format du pot.

2. Placez-les à intervalles de 8 à 10 cm, en veillant à ce que leurs sommets soient distants d'au moins 10 cm de la surface du terreau.

3. Lorsque tous les arceaux sont enfichés en terre, déroulez le film plastique au-dessus d'eux. Pour qu'il ne puisse pas glisser, attachez-le solidement à droite et à gauche de chaque arceau. Découpez ensuite ses deux extrémités en suivant la forme des arceaux, tout en laissant un bord de 2 cm qui se rabattra devant les deux ouvertures.

4. Placez maintenant la serre dans un endroit ensoleillé.

Pendant les jours qui suivent, arrosez régulièrement la terre, car rien ne peut pousser sans eau.

La durée de germination est fonction des espèces de fleurs plantées. Pour que l'attente ne soit pas ennuyeuse, confectionnez (ou faites-vous aider par des enfants plus âgés sachant déjà écrire) un calendrier de croissance, où vous réaliserez chaque jour un dessin du parterre. Par la suite, vous pourrez ainsi compter combien de temps il aura fallu aux petites graines pour devenir de belles fleurs.

Nom de la fleur : ....

semée le : ....

1er jour : arrosée
2e jour ....
3e jour ....
4e jour ....
5e jour ....
6e jour ....
7e jour ....
8e jour ....
9e jour ....
10e jour : .... repiquée
11e jour ....
12e jour ....
13e jour ....
14e jour ....
15e jour ....

16e jour : ....
17e jour : ....
18e jour : ....
19e jour : ....
20e jour : 1ère ... qui s'ouvre
21e jour : ....
22e jour : ....
23e jour : ....
24e jour : ....
25e jour : ....
....
....
....
....
....

**CALENDRIER
DE CROISSANCE**
*Age :
à partir de 7 ans*

Matériel :

• une feuille de
papier blanc épais
de format DIN A3
• un crayon
• des crayons de
couleur

Lorsque les graines commencent à germer et que vous apercevez trois ou quatre petites feuilles, vous devez repiquer les fleurs, c'est-à-dire les transplanter. En effet, les jeunes pousses ont désormais besoin de beaucoup plus d'espace pour se développer vigoureusement.

C'est la raison pour laquelle vous devez déterrer certaines plantes pour permettre aux autres de mieux grandir.

L'alimentation des vers de terre

L'ALIMENTATION DES VERS DE TERRE

Age :
à partir de 3 ans
Participants :
seul ou en groupe

Matériel :

• un grand bocal
à conserve
• de la terre
du jardin
• des feuilles,
• du marc de café ou
• des morceaux de
carton ondulé

Vous savez tous que les vers de terre vivent dans le sol et que, plus ils sont nombreux à grouiller dans la terre, mieux le jardin se porte. Mais qu'y font-ils exactement et de quoi se nourrissent-ils ?

Une simple observation permettra de mieux le comprendre.

A cet effet, vous avez besoin d'un grand bocal à conserve que vous remplissez de terre du jardin devant bien sûr contenir quelques vers. Au-dessus de la terre, placez des feuilles coupées en petits morceaux, un peu de marc de café, des restes d'oignons ou des petits morceaux de carton ondulé humidifié. Il ne vous reste plus maintenant qu'à attendre. Au bout de quelques jours, vous constaterez que les vers travaillent à la surface de la terre. Avec un peu de chance, vous pourrez même voir sur le bord du bocal les galeries qu'ils ont creusées. Ils rampent en effet vers le haut pour chercher de la nourriture. Vous savez à présent comment les vers tirent leur nourriture sous la terre et quels types d'aliments ils ingurgitent.

Et savez-vous pourquoi les vers de terre sortent toujours de leur refuge en cas de forte pluie ? La raison en est toute simple : ils doivent respirer ! Vous pourrez observer cette loi de la nature en réalisant vous-même une expérience toute simple.

Versez de l'eau dans le bocal jusqu'à ce que toutes les galeries soient noyées, puis vous constaterez que les vers viennent rapidement en surface chercher l'air dont ils ont besoin. Si les vers de terre sortent par temps de pluie, ce n'est pas pour prendre une douche !

Ramenez à présent les vers dans le jardin. En vidant le bocal, vous constaterez qu'ils ont pratiquement tout mangé et que leur digestion a transformé les aliments en une fine terre, aérée en outre par les galeries creusées. C'est la raison pour laquelle un jardinier se réjouit toujours d'avoir beaucoup de vers de terre dans son jardin.

JEU

Ver

Les enfants qui entendront ce petit texte trouveront très amusant de le prononcer le plus vite possible :

Un ver vaniteux voit venir un vieux ver verruqueux.
– Va-t'en, ver vulgaire, vocifère le ver vaniteux.
– Vil ver vaniteux, vous êtes virulent en vain !
Je vais, je viens où je veux.
Vous n'êtes qu'une vermine et un vaurien.

JEU DE DOIGTS

L'orage

Il bruine
Il pleut
Il tombe des cordes
Il grêle
Des éclairs strient le ciel
Il tonne

Raimond Pousset

Tournez d'abord les mains à plat sur la table, puis frappez avec un doigt de chaque main sur la table et ensuite avec les quatre. Maintenant, tapez plus fort et pour cela utilisez la jointure des doigts. Sifflez pour symboliser les éclairs et enfin, tambourinez avec les poings.

POÈMES

Météo

Il pleut il mouille
C'est la fête à la grenouille.
Quand il ne pleuvra plus
Ce sera la fête à la tortue.

Dans une citrouille
Y avait un crapaud volant
Qui mangeait des nouilles
Avec un cure-dents !

Vitraux

VITRAUX

Age :
à partir de 4 ans
Participants :
seul ou à deux

Matériel :

- du carton noir
- du papier de couleur transparent
- de la colle
- des ciseaux
- une aiguille et du fil
- un crayon

1. Utilisez du carton noir pour réaliser le cadre. Placez à cet effet une petite assiette sur le carton et tracez-en le contour avant de découper le cercle obtenu. La manière la plus simple d'évider l'intérieur est de tracer un second cercle un peu plus petit et de le découper. Vous créez ainsi un anneau.

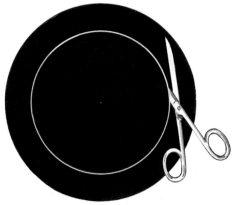

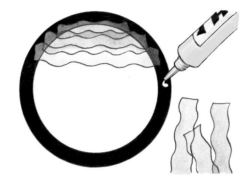

2. Vous pouvez également obtenir le cadre en pliant en deux le cercle initial, puis en découpant un motif, par exemple, des lignes ondulées ou un papillon qui se répète sur les deux moitiés du carton lorsqu'on l'ouvre.

4. Collez les bandes les unes après les autres des deux côtés du cadre. Elles doivent se chevaucher légèrement, afin que la lumière ne puisse les traverser.

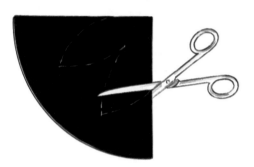

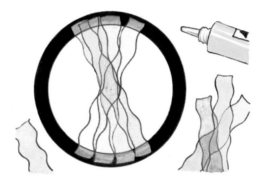

3. Pliez le cercle horizontalement, puis verticalement, de manière à obtenir un quart de cercle. Le motif que vous découperez alors dans celui-ci sera identique sur les quatre côtés. Vous pourrez par exemple obtenir ainsi une très belle fleur.

Après avoir confectionné le cadre, réalisez le vitrail proprement dit. Pour ce faire, découpez dans du papier transparent de chaque couleur plusieurs bandes ondulées.

5. Vous pouvez également coller les bandes toujours au centre du cercle. Cette technique est particulièrement adaptée au motif de fleur.

Lorsque le vitrail est terminé, vous pouvez soit le fixer directement sur une vitre avec du papier adhésif double face, soit passer du fil transparent entre les bords, en nouer les extrémités et obtenir ainsi une suspension.

De l'œuf à la grenouille

**DE L'ŒUF
À LA GRENOUILLE**
*Age :
à partir de 5 ans
Participants :
seul ou en groupe*

Matériel :

• du papier à lettres
• une agrafeuse
• des feutres et des crayons de couleur

Au début du printemps, la nature renaît après son sommeil hivernal et vous pouvez observer sa croissance et la naissance de la nouvelle vie.

En mars, les grenouilles se dirigent vers leur lieu de reproduction (frayère) dans l'eau. Il faut savoir que pour pondre, une grenouille revient toujours à l'endroit où elle est née.

Les œufs (le frai) ressemblent à de petites perles contenant chacune un minuscule point noir. La femelle peut en pondre des milliers. Après le frai, les grenouilles rentrent chez elles et les œufs sont laissés à eux-mêmes. Il faut environ quatre mois entre la ponte de l'œuf et la constitution d'une véritable petite grenouille. L'évolution entre ces deux stades est tellement intéressante que cela vaut la peine d'observer ces animaux pendant toute cette longue période.

Si vous habitez à proximité d'un étang ou d'un ruisseau, allez voir en mars si les grenouilles y ont frayé. Si c'est le cas, rendez-vous au même endroit toutes les deux à trois semaines et vous pourrez observer comment ces animaux peuvent évoluer en de si courtes périodes.

Toutefois, soyez toujours extrêmement prudents. Lorsque vous vous rendez à l'étang avec des amis, prenez garde à ne pas détruire les plantes situées autour des œufs et à ne pas déranger les animaux aquatiques.

Pour pouvoir retrouver ultérieurement les différents stades de développement, confectionnez un petit cahier dans lequel vous consignerez toutes vos observations.

A cet effet, agrafez ensemble dix feuilles de papier à lettres blanc.

Un adulte peut rédiger les textes, tandis que les enfants dessinent les illustrations correspondantes.

Le cahier peut par exemple se présenter comme suit :

1. Le mâle et la femelle se rendent en mars sur leur lieu de naissance.

2. La femelle y pond plusieurs milliers d'œufs, le frai.

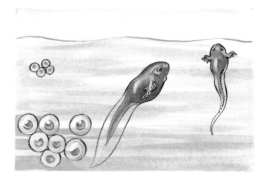

3. Au bout de trois semaines, des têtards sortent des œufs ; ils respirent par des branchies.

Marionnette grenouille

MARIONNETTE GRENOUILLE

Age :
Réalisation par un adulte
Jeu à partir de 3 ans
Participants : seul ou en groupe

Matériel :

- une vieille chaussette verte
- 2 perles en bois blanc
- du fil vert
- une aiguille
- des ciseaux
- de la feutrine rouge : 20 x 6 cm
- un feutre noir
- de la colle

4. Après environ onze semaines, les pattes arrière se forment.

5. Vient ensuite le tour des pattes avant.

6. Le têtard peut maintenant venir aspirer de l'air à la surface de l'eau.

7. La queue se résorbe.

8. Au bout de quatre mois, la grenouille parfaitement développée peut quitter l'eau.

1. Enfilez la chaussette sur la main et ouvrez et fermez celle-ci, le pouce en bas, les autres doigts en haut – comme pour former une gueule.

2. Cousez ensuite la chaussette entre l'annulaire et le majeur au centre de la gueule.

3. Cousez à cet endroit la langue en feutrine rouge.

4. Fixez les deux perles en bois symbolisant les yeux et dessinez les pupilles à l'aide d'un feutre noir.

5. Pour finir, fixez également un col en feutrine rouge comme sur la photo.

Quelle nouille !

Une grenouille, nouille, nouille
Qui se croyait belle, belle, belle
Montait à l'échelle, chelle, chelle

Et redescendait, dait, dait
En s'cassant le nez, nez, nez.
C'est à toi de chercher !

L'étang
aux grenouilles

L'ÉTANG
AUX GRENOUILLES

Âge :
à partir de 5 ans
Participants :
à partir de 3

Matériel :

• une feuille
de papier de
couleur verte
• de la gouache
• du papier à plier
vert : 15 x 15 cm
• de la colle

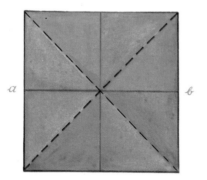

1. Placez le papier à plier devant vous sur la table. Pliez-le successivement suivant les diagonales et ouvrez-le à nouveau.
Tournez ensuite la feuille et pliez-la une fois horizontalement et une fois verticalement, puis ouvrez-la.

2. Tournez la feuille une nouvelle fois, puis pliez-la encore tout en ramenant les points a et b vers l'intérieur, de manière à former un triangle.

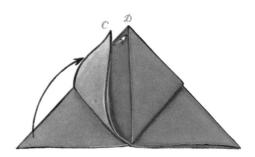

3. Remontez maintenant les deux pointes extérieures (C) vers le sommet (point D) et aplanissez le pli ainsi formé.

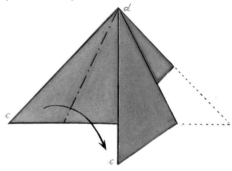

4. Retournez votre travail et pliez les côtés c et d successivement suivant la ligne de pli médiane.

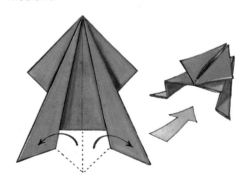

5. Ramenez à présent les côtés c et d sur le pli obtenu précédemment, puis retournez votre travail de manière à ce que la grenouille repose sur ses pattes. Encollez la face inférieure de ces dernières et placez le petit batracien dans l'étang.

Ballon grenouille

Notre ballon grenouille peut non seulement sauter, comme une grenouille normale, mais aussi voler et atterrir ensuite sur ses grands pieds.

1. Commencez par reproduire sur du carton vert rigide les pieds figurant sur le patron et découpez-les.
2. Pratiquez une entaille suivant le pointillé.
3. Gonflez le ballon, nouez-le et peignez sur celui-ci un visage de grenouille. Vous pouvez vous inspirez de la photo pour ce faire.
4. Pour finir, fixez les pieds au nœud du ballon.
Et voilà, la grenouille est terminée et prête à sauter.

BALLON GRENOUILLE
Age :
à partir de 5 ans
Participants :
seul

Matériel :

- du papier-calque
- un crayon
- du carton vert rigide
- des ciseaux
- un ballon gonflable vert
- un feutre noir
- un feutre rouge

Grenouilles et cigognes

GRENOUILLES ET CIGOGNES

Age :
à partir de 4 ans
Participants :
2 à 6

Matériel :

• du carton rigide blanc : 40 x 40 cm
• de la gouache
• un pinceau
• cinq bouchons
• des feutres
• un dé à faces de couleur
• des chutes de papier
• des ciseaux
• de la colle
• douze pions verts et deux rouges

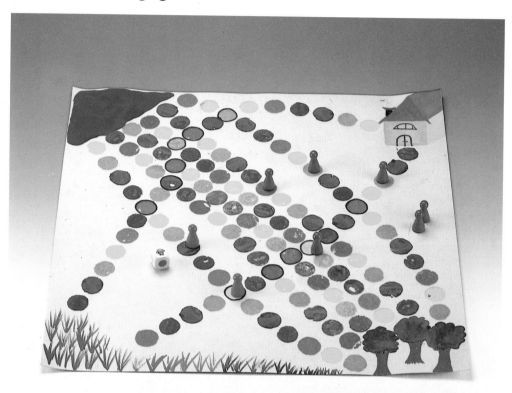

Il s'agit d'un jeu d'équipe : celle des grenouilles et celle des cigognes. Le fait qu'un pion déterminé ne soit pas affecté à un joueur précis rend le jeu passionnant et exige tactique et réflexion en commun.

RÉALISATION

Réalisez le plateau de jeu à la gouache sur le carton rigide. Pour la répartition des camps, inspirez-vous de la photo. Imprimez les cases pour les grenouilles et les cigognes à l'aide des bouchons. A cet effet, badigeonnez la partie ronde de ceux-ci de couleurs différentes et tamponnez-les en alternance sur le plateau de jeu.

Mieux vaut procéder au préalable à des essais d'impression sur un autre papier. Vous saurez ainsi combien de fois vous pouvez utiliser les bouchons sans devoir appliquer à nouveau de la gouache. Pour les grenouilles, vous devez prévoir six rangées placées les unes à côté des autres et allant de la forêt à l'étang et pour les cigognes, deux rangées allant de la maison à la prairie. Entourez les cercles qui se chevauchent d'un gros trait de feutre.

Dessinez maintenant une petite grenouille sur un morceau de papier blanc, découpez-la et collez-la sur la face blanche du dé de couleur.

RÈGLES DU JEU

Deux équipes, l'une constituée de quatre "grenouilles" au maximum et l'autre de deux "cigognes", s'affrontent.

Les grenouilles se partagent les douze pions verts et les cigognes reçoivent chacune un rouge. Les grenouilles commencent à jouer à partir de la forêt, tandis que les cigognes démarrent de la maison.

C'est le plus jeune joueur qui commence. Ensuite, une grenouille et une cigogne lancent alternativement le dé.

La couleur sortie sur le dé indique la case de couleur jusqu'à laquelle le joueur peut avancer.

Les grenouilles tentent d'atteindre la mare, tandis que les cigognes s'efforcent de les capturer. Ces dernières peuvent voler entre la maison et la prairie d'avant en arrière et également changer de direction au cours d'un parcours. En revanche, les grenouilles doivent toujours sauter tout droit de la forêt vers l'étang.

Mais chaque équipe peut ôter n'importe lequel de ses pions, suivant le stade du jeu et le danger qui menace les batraciens. Par exemple, l'équipe des grenouilles peut avoir davantage intérêt à mener un seul animal au but, plutôt que plusieurs à la fois.

Si une cigogne rencontre une grenouille sur l'une des douze cases communes, elle l'attrape et l'emporte dans son nid.

Lorsque la cigogne tire le symbole de la grenouille avec le dé, elle peut "manger" n'importe qu'elle grenouille.

Si une grenouille tire ce symbole au dé, elle saute directement dans l'étang sans plus lancer le dé.

L'équipe gagnante est celle qui possède le plus de grenouilles à la fin du jeu.

Le tonnerre de Pâques

Elisabeth Stiemert

Cette histoire se passe par un beau matin de printemps. Plus précisément la veille de Pâques.

Alice heurta son bol et le cacao se renversa sur la table du petit déjeuner. Quelle tuile ! Le cacao se déversa comme un fleuve et dégoulina sur Jeannot. Jeannot était le lapin d'Alice, son animal familier, son confident, qui, chaque nuit, dormait près d'elle sur son oreiller. Or, Jeannot était assis sur les genoux d'Alice, si bien que sa douce fourrure brune fut pleine d'horribles taches. La veille de Pâques, c'est une vraie malchance pour un lapin.

Alice pleurait pour lui : "Pauvre Jeannot, comme c'est triste, dans quel état es-tu ! Et nous qui devions faire la fête demain !"

La maman d'Alice déclara : "Cesse de pleurer, ce n'est pas si grave. Nous allons laver ton lapin."

Elle attrapa Jeannot par les oreilles et se rendit dans la cave où se trouvait la buanderie. Alice les suivit en courant.

La maman ouvrit le hublot de la machine à laver et y jeta le lapin. Tout simplement. Et pour que la lessive en vaille la peine, elle fourra également des tas d'autres choses dans la machine. Quatre chaussettes blanches, un chiffon à épousseter bleu clair, une taie d'oreiller et une casquette. Elle ferma la machine, ajouta la poudre à lessiver et appuya sur le bouton pour que la lessive à trente degrés commence.

Alice s'accroupit et regarda le visage apeuré du lapin Jeannot. Elle lui fit signe comme on fait signe à quelqu'un qui part en voyage et lui dit : "Que tout aille bien !"

Mais pour le moment, rien n'allait bien pour Jeannot. Il était très secoué et avait le vertige. Il voulait que tout cela cesse ! Il voulait sortir !

Les chaussettes blanches connaissaient ce tourbillon. Elles ne le craignaient pas et tentaient de consoler le petit animal : "Il ne t'arrivera rien. Bientôt, tout sera terminé." Elles l'étreignaient et le serraient très fort.

La casquette dit à Jeannot : "Nous sommes avec toi, ne t'inquiète pas."

Enfin la machine s'arrêta. La maman d'Alice ouvrit la porte, prit les chaussettes, la casquette, le chiffon à épousseter et la taie d'oreiller, tandis qu'Alice sortit son lapin.

Maintenant, il devait lui aussi sécher sur la corde à linge, suspendue dehors au-dessus de la pelouse.

Alice tendit à sa maman deux pinces à linge rouges et celle-ci suspendit le lapin par les oreilles, juste entre les deux chaussettes.

Alice se tenait sous la corde et faisait signe à son lapin : "Coucou Jeannot, tout va bien ?"

Non, Jeannot n'allait toujours pas bien. Un peu mieux que dans la machine certes, mais la situation était encore loin d'être idéale. Les pinces rouges lui meurtrissaient les oreilles et surtout, il trouvait cette situation extrêmement désagréable.

Ce n'était pas l'avis des chaussettes. Elles se balançaient et se laissaient bercer par le vent.

Elles enjoignaient Jeannot à les imiter. "C'est tellement chouette !"

Le chiffon à épousseter bleu clair lui faisait signe de la gauche : "Ne reste donc pas suspendu comme cela ! Bouge, mon cher ! Tu n'en seras que plus vite sec !"

Non, non, le lapin en peluche ne voulait pas. Il n'était tout de même pas un vulgaire chiffon bleu clair.

Jusqu'à ce qu'Alice commence à danser. Elle dansait en dessous de lui sur la pelouse, sautait d'une jambe sur l'autre et tournait sur elle-même. Et en plus, elle chantait : "Je suis contente, demain c'est Pâques, je suis contente, demain c'est Pâques…" Elle chantait si gaiement, que Jeannot fut contaminé par sa joie. Il commença à danser sur la corde, d'avant en arrière, d'arrière en avant. Et tout doucement, pour que les chaussettes ne l'entendent pas, il se mit à chanter avec Alice : "Je suis content, demain c'est Pâques."

Rapidement, le lapin commença à se sentir mieux. Le soleil dardait ses rayons, Jeannot pouvait voir très loin au-dessus de la clôture du jardin et, le plus important, maintenant il était sec.

Alice appela sa maman : "Je voudrais reprendre mon lapin Jeannot !"

La mère lui répondit : "Je le décrocherai dès que j'aurai terminé le gâteau de Pâques !"

Lorsque le gâteau fut au four, Alice cria : "Je voudrais reprendre mon lapin !"

La mère répondit : "Je le décrocherai dès que j'aurai lavé mon plat."

Lorsqu'elle eut terminé, Alice cria : "Je voudrais reprendre mon lapin !"

La mère lui répondit : "Je te le donne tout de suite. Je voudrais seulement reposer un peu mes jambes."

Lorsque sa mère fut reposée, Alice cria à nouveau. Mais sa maman n'avait toujours pas le temps. Elle avait en effet beaucoup de choses à préparer, car demain était le jour de Pâques. Or, l'après-midi était déjà bien entamée.

Soudain, tout se gâta. Un terrible orage éclata. Des éclairs strièrent le ciel et le tonnerre gronda. Et il se mit à pleuvoir, pleuvoir. Non, il ne pleuvait pas, il tombait des hallebardes. Comme si le ciel, où brillait le soleil quelques instants auparavant, allait s'effondrer. Jeannot le lapin, les chaussettes, le chiffon et la casquette étaient trempés comme des soupes. Ils s'égouttaient sur le fil. Alice cria dans la pluie : "Je veux mon lapin Jeannot ! "

La mère sortit de la maison et lui dit : "Mais c'est impossible, Alice, il est tout mouillé."
Le soir venu, à l'heure du coucher, le lapin était toujours trempé et Alice dut aller au lit sans lui.
Jeannot, les chaussettes, la casquette, le chiffon et la taie d'oreiller durent passer la nuit sur la corde. Le vent les secouait tous. Mais ils ne pouvaient dormir. Alors, ils commencèrent à raconter des histoires de printemps, de tulipes et de primevères, de merles et d'hirondelles, d'odeurs de violettes. Ils se racontèrent des histoires toute la nuit, et lorsque le jour se leva et que les merles commencèrent à chanter, c'était le jour de Pâques.
Bientôt Alice s'élança dans le jardin. Elle courut jusqu'au lapin et cria : "Je veux récupérer mon lapin ! "
Et elle fut bien étonnée. Cinq œufs de Pâques se trouvaient sur la pelouse sous la corde, juste en dessous de l'animal.
Alice dit à son lapin : "S'il te faut une petite douche tous les jours pour pondre d'aussi jolis œufs, pas de problème, la machine est à ta disposition ! "
Jeannot, effrayé, tenta de lui expliquer que Pâques n'arrivait qu'une fois l'année et bien souvent dans une plus grande tranquillité !

BRICOLAGE

Décorer des œufs

PEINDRE DES ŒUFS DE PÂQUES

Age :
à partir de 3 ans
Participants :
seul ou en groupe

Matériel :

• des œufs de poule
• des bâtons de cire
• des peintures
naturelles pour
peindre les œufs
• une vieille
casserole
• une cuiller
• un chiffon

ŒUFS COLLÉS

Age :
à partir de 2 ans
Participants :
seul ou en groupe

Matériel :

• des œufs vidés
• du papier brillant
ou transparent
• des confettis
• de la colle

Peindre des œufs de Pâques

1. Dessinez des motifs avec les bâtons de cire sur les œufs.
2. Délayez ensuite les peintures naturelles en suivant les instructions figurant sur l'emballage et cuisez les œufs dans celles-ci.
3. Avec un chiffon, enlevez la cire des œufs encore chauds, de manière à pouvoir admirer le motif blanc qui s'y est inscrit.

Œufs collés

Ces œufs peuvent être réalisés même par de très jeunes enfants, car il s'agit d'un travail de bricolage extrêmement simple.
1. Déchirez ou découpez des chutes de papier de différentes couleurs.
2. Enduisez un œuf de colle.
3. Roulez-le dans les petits morceaux de papier. Pressez ensuite prudemment.

JARDINAGE

Prairie de Pâques

BRICOLAGE

Motifs à piquer

PRAIRIE DE PÂQUES

Age :
à partir de 2 ans
Participants :
seul ou en groupe

Matériel :

- un pot de fleurs
- du terreau
- des graines de gazon
- un arrosoir
- des ciseaux

MOTIFS À PIQUER

Age :
à partir de 4 ans
Participants :
seul ou en groupe

Matériel :

- du papier-calque
- du carton mince
- un crayon
- des ciseaux
- des chutes de papier de différentes couleurs
- du fil de fer vert
- de la colle
- des feutres

Une très ancienne tradition consiste à construire un nid dans lequel le lapin de Pâques pourra déposer ses œufs. Si vous n'avez pas de mousse, vous pouvez semer de l'herbe, mais vous devez alors commencer votre nid trois à quatre semaines avant Pâques. Il est intéressant d'observer comment le gazon pousse et comment le nid devient toujours plus vert.

Pour ce faire, remplissez de terre un pot de fleurs, dispersez-y des graines de gazon et arrosez. Vous devez toujours veiller à ce que la terre ne soit pas totalement sèche, sinon les graines ne pousseront pas. Peu avant Pâques, "tondez" votre pelouse, c'est-à-dire coupez les pointes afin que celle-ci devienne plus dense. Le lapin de Pâques peut maintenant arriver et déposer ses œufs dans votre nid.

Si vous souhaitez faire pousser du blé ou du seigle au lieu de l'herbe, semez les graines 14 jours avant Pâques, car c'est le temps qu'il faudra à ces céréales pour germer et croître.

Vous pouvez également utiliser la prairie de Pâques pour décorer la table et y piquer des motifs de Pâques que vous fixerez sur des morceaux de fil de fer.

1. A partir du patron, décalquez les motifs sur le carton mince qui servira de support. Reproduisez ceux-ci à deux reprises pour chaque animal sur du papier de couleur.

2. Découpez, puis assemblez les formes ainsi obtenues.

3. Collez un morceau de fil de fer de 10 cm de longueur environ entre les deux parties d'un lapin et d'un poussin. (Pour la poule, collez la crête entre les deux éléments de la tête et fixez le fil de fer en bas entre les deux parties du corps.)

4. Pour finir, dessinez les yeux avec des feutres et piquez les animaux dans la prairie.

BRICOLAGE

Nid de lapin

NID DE LAPIN
Age :
à partir de 5 ans
Participants :
seul ou en groupe

Matériel :

• du papier de couleur brune : 50 x 20 cm
• du papier-calque
• un crayon
• des ciseaux
• des chutes de papier noir et blanc
• de la colle
• un feutre noir
• un ravier de margarine ou de fromage blanc vide et propre
• de la ouate
• de la mousse

1. Pliez en deux le papier de couleur brune à mi-longueur.

2. Reportez le lapin sur celui-ci de manière à ce que la ligne pointillée se situe exactement sur le pli du papier. Ne découpez pas le long du pointillé, mais uniquement le long de la ligne pleine.

3. Collez à présent le lapin autour du ravier en plastique, de façon à représenter le ventre.

4. Fixez les surfaces de papier arrière et confectionnez la queue avec de la ouate.

5. Dans les chutes de papier blanc et noir, découpez les yeux, puis collez-les.

6. Dessinez les moustaches, le museau et l'intérieur des oreilles à l'aide d'un feutre noir.

7. Pour finir, placez un peu de mousse au fond du pot.

Lapin culbuteur

Sur un plan incliné, ce lapin peut faire des culbutes.

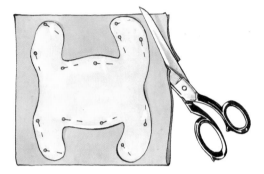

LAPIN CULBUTEUR
Age :
à partir de 6 ans
Participants :
seul

Matériel :

- du papier-calque
- un crayon
- du papier machine à écrire
- de la feutrine brune
- des épingles
- des ciseaux
- une capsule en caoutchouc d'œuf surprise
- une bille
- une chute de feutrine colorée
- de la colle
- des chutes de papier noir et blanc

1. Décalquez tout d'abord le corps et les oreilles du lapin sur le papier, puis découpez-les et piquez-les sur la feutrine pliée en deux. Découpez ensuite celle-ci le long du contour.

3. Collez ensuite la seconde partie du corps du lapin sur la première et pressez fortement la feutrine au niveau du cou. Veillez à ce que la tête soit solidement fixée pour éviter que le lapin ne la perde lors des culbutes !

Découpez les yeux et les moustaches dans des chutes de papier noir et collez-les à l'avant de la tête du lapin, tandis que vous placerez les oreilles à l'arrière.

Découpez une petite écharpe dans la feutrine colorée et fixez-la autour du cou de l'animal.

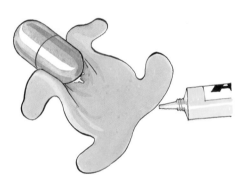

2. Afin d'alourdir la future tête du lapin, placez la bille à l'intérieur de la capsule de plastique, que vous refermerez ensuite. Encollez l'une des moitiés du lapin et disposez la tête à l'endroit approprié.

Avril

En avril, ne te découvre pas d'un fil,
que tu sois à la campagne ou en ville.
Le temps est un farceur.
Prudence, promeneur !
Parasol ou parapluie ?
Les deux seront pris
pour sortir entre amis.

Modelages de printemps

**MODELAGES
DE PRINTEMPS**
*Age :
à partir de 2 ans
Participants :
seul ou en groupe*

Matériel :

• de la pâte à modeler
• un plan de travail rigide

Dehors, s'il pleut encore et que vous ne voulez pas avoir les pieds trempés, occupez-vous donc à la maison. Faites simplement entrer le printemps dans votre chambre et confectionnez des animaux amusants et des fleurs multicolores en pâte à modeler.

Toutes les figurines sont réalisées à partir de boules : coccinelles, abeilles, petits canards, papillons bariolés, petits cochons roses, chenilles vertes, petits lapins à la carotte et fleurs aux couleurs variées.

A cette fin, prenez un morceau de pâte à modeler entre les paumes des mains, gardez les doigts bien tendus et faites tourner la main du dessus et la pâte jusqu'à ce qu'une boule se forme. Si vous bougez la main d'avant en arrière, au lieu d'imprimer un mouvement rotatif, vous obtenez alors une saucisse ou une goutte. Vous pouvez ensuite aplatir entièrement ou en partie ces boules, saucisses ou gouttes, dans la paume des mains, entre les doigts ou sur votre plan de travail et les remodeler à votre gré.

Si une boule est trop plate ou une saucisse trop fine, recommencez l'opération. La pâte à modeler est en effet une matière "patiente" et pouvoir laisser libre cours à sa fantaisie en travaillant procure énormément de plaisir. Bien sûr, si vous utilisez simultanément des pâtes à modeler de différentes couleurs, celles-ci se mélangeront inévitablement. Même si, par la suite, vous démontez aussi soigneusement que possible les figurines que vous avez modelées, des traces d'une couleur subsisteront immanquablement sur l'autre. Vous pouvez bien sûr enlever la couche supérieure mélangée et la presser en une seule petite bille, mais le nombre de tons différents diminuera toujours avec le temps, les morceaux mélangés formant une boule de plus en plus grosse. Cette technique est pourtant la seule façon de conserver le plus longtemps possible une certaine pureté aux coloris choisis.

JEU

Mimes du temps

Que vous jouiez dehors quand le soleil brille ou à l'intérieur lorsque le vent souffle ou qu'il pleut, cela ne change rien aux mimes du temps. En effet, quel que soit l'endroit où il se déroule, ce jeu sera toujours amusant.

Constituez, pour commencer, deux groupes de taille identique : une équipe doit se rendre dans une autre pièce ou se trouver hors de portée de la voix, tandis que l'autre imagine des situations ou activités correspondant à des types de temps donnés : skier, marcher avec un parapluie ou transpirer quand le soleil brille. Chaque participant a le droit de réfléchir un peu. Dessinez alors ces idées sur des fiches individuelles que vous pliez et placez ensuite dans une boîte ou en petit tas sur la table. Les joueurs de l'autre équipe peuvent alors revenir. Chacun d'entre eux tire une fiche et la regarde de façon à ce que personne d'autre ne puisse la voir.

Les enfants essaient maintenant, à tour de rôle, de représenter les situations ou activités en les mimant, donc sans parler. Les autres bruits sont cependant permis.

Si les auteurs de ces différentes idées peuvent rire de bon cœur lors des mimes, les autres doivent quant à eux être très attentifs, afin de pouvoir bien interpréter les gestes.
L'enfant ayant trouvé la solution a le droit de choisir le joueur suivant.
Continuez ainsi jusqu'à ce que chacun ait pu participer au jeu. Les deux groupes échangent alors leurs rôles et de nouvelles idées sont imaginées, puis mimées.

POÈME

Mi-temps

Mon bel arc-en-ciel
Là-haut dans le ciel
Comme un pont de bois
Pose-toi à côté de moi.
Je galoperai sur toi
Avec mon cheval de bois
A travers le ciel
En selle !

MIMES DU TEMPS
Age :
à partir de 4 ans
Participants :
à partir de 6

Matériel :

• des fiches
• des crayons

Horloge météorologique

HORLOGE MÉTÉOROLOGIQUE

Age :
à partir de 5 ans
Participants :
seul ou en groupe

Matériel :

• une assiette en carton
ou un morceau de carton blanc mince et une véritable assiette
• des crayons de couleur
• des ciseaux
• du papier-calque
• une grosse aiguille
• une attache parisienne
• de la gouache et un pinceau
• un crochet autocollant
ou un morceau de fil (6 à 8 cm de long) et du ruban adhésif

Avril est un mois très capricieux, qui ne peut se décider à maintenir le même type de temps durant toute une journée. Asseyez-vous donc pendant une heure de pluie et confectionnez une horloge météorologique. Vous l'accrocherez ensuite au mur et la réglerez toujours sur le temps qu'il fait.

1. Utilisez une assiette en carton ou placez une véritable assiette sur du carton blanc et tracez-en le contour au crayon. Découpez ensuite le cercle ainsi obtenu.

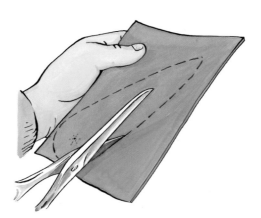

2. Décalquez l'aiguille sur une chute de carton blanc ou de couleur et découpez-la également.

3. A l'aide de la grosse aiguille, percez un grand trou au centre du disque en carton et au travers du repère tracé sur l'aiguille, de manière à pouvoir y passer les tiges fermées de l'attache parisienne. Introduisez celle-ci dans les deux orifices, puis rabattez les tiges au dos du rond de carton. Vous pourrez de cette façon faire tourner l'aiguille.

4. Peignez maintenant différents types de temps sur le pourtour de l'horloge : un soleil rieur, un nuage de pluie gris, des nuages blancs moutonnés et un ciel bleu, un nuage masquant en partie le soleil, un mignon petit bonhomme de neige et des éclairs dans un ciel orageux bleu foncé. Vous pouvez également peindre l'aiguille de carton dans une couleur vive.

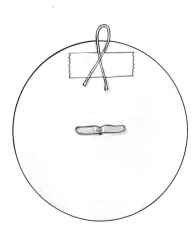

5. Pour pouvoir accrocher l'horloge au mur, apposez un crochet autocollant au dos de celle-ci. Vous pouvez aussi fabriquer ce dernier vous-même en posant le morceau de fil en boucle au sommet du disque et en en fixant les extrémités avec du ruban adhésif.

Si le temps ne s'est pas amélioré pendant ce bricolage, placez l'aiguille sur la pluie et attendez de pouvoir bientôt l'orienter vers le soleil !

Récolter et faire sécher des fleurs

RÉCOLTER ET FAIRE SÉCHER DES FLEURS

Age :
à partir de 5 ans
Participants :
à partir de 2

Matériel :

- une boîte à chaussures
- éventuellement des ciseaux
- du papier journal
- du papier buvard
- un annuaire téléphonique

Une promenade en groupe au cours d'une journée d'avril ensoleillée constitue une belle occasion de chercher les premières fleurs, feuilles et autres graminées de l'année. Que vous vous baladiez dans les champs, dans les bois ou dans un parc, vous dénicherez partout de petites fleurs, très simples qui, une fois séchées, seront du plus bel effet.

Emportez avec vous une boîte à chaussures dans laquelle vous conserverez toutes vos trouvailles. Certaines fleurs et graminées sont difficiles à cueillir, car leur tige est tellement dure que l'on tire également les racines. Vous devrez alors couper ce type de plantes avec des ciseaux, mais soyez prudents. En outre, n'oubliez pas qu'il est interdit de cueillir les espèces protégées. Les myosotis, les violettes et les pensées, toutes des petites fleurs aux pétales délicats, sont très faciles à sécher.

Par contre, toutes les fleurs ne se prêtent pas au séchage : celles qui possèdent de grands pétales ou une tige épaisse contiennent trop d'humidité pour pouvoir sécher dans un livre. Celui-ci serait en effet détrempé et les plantes pourriraient. La pâquerette elle-même est trop épaisse pour subir ce genre de traitement.

Pour les grandes fleurs comme la tulipe par exemple, vous pouvez cependant presser uniquement les pétales. A cet effet, prenez une fleur déjà très ouverte. Les pétales sont alors plus élastiques et plus faciles à lisser.

Mais vous pouvez aussi ramasser des feuilles vertes de différents arbres et arbustes, ainsi que des graminées que vous pourrez par la suite disposer joliment entre les fleurs et les feuilles.

Une fois rentré chez vous, déposez vos plantes sur du papier journal. Pour que le séchage les rende bien lisses, laissez-les d'abord flétrir un peu. Mais attention, cela ne signifie nullement qu'elles doivent se ratatiner jusqu'à en devenir méconnaissables!

Ensuite, étendez soigneusement les plantes dans un annuaire ouvert, entre deux feuilles de papier buvard, et refermez le livre (si l'annuaire est mince, ajoutez un poids sur celui-ci).

A la place du papier buvard, vous pouvez utiliser des mouchoirs en papier, car ils sont aussi doux. En revanche, le papier essuie-tout est trop rugueux et le motif pourrait en outre s'imprimer sur les fleurs. De même, évitez d'employer du papier journal, car l'encre pourrait déteindre. Il suffira de quelques jours pour que les petites plantes sèchent correctement.

BRICOLAGE

Tableaux et signets

TABLEAUX

Il est particulièrement agréable de composer des tableaux en collant de véritables petites fleurs que vous aurez vous-même récoltées et séchées. Et un signet constitue toujours une charmante idée de cadeau.

Lorsque les fleurs et les feuilles sont suffisamment sèches, le mieux est de les placer dans une boîte plate. Vous pourrez ainsi les conserver plus longtemps.

Pour confectionner un tableau, prenez du papier blanc ou de couleur. Enduisez soigneusement le dos des plantes avec un peu de colle et fixez-les sur le papier. Vous pouvez représenter un bouquet de fleurs ou un pré, ou simplement composer un motif selon votre imagination.

SIGNETS

Ce bricolage requiert du carton blanc ou de couleur de faible épaisseur. Réfléchissez à la forme que vous voulez lui donner : rond, ovale, allongé ou en forme de cœur.

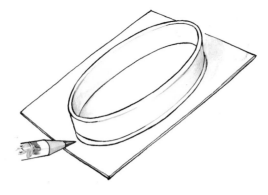

1. Pour tracer facilement le contour choisi, posez sur le carton un objet de forme identique (par exemple un verre, une boîte, une règle) et suivez le pourtour avec un crayon.

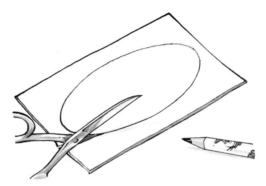

2. Découpez la forme.
3. Faites passer une aiguille avec un brin de laine au centre de l'extrémité inférieure. Faites ensuite un nœud lâche.

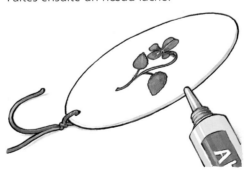

4. Fixez maintenant – comme pour le tableau – vos plantes sur le signet. Attention : la colle devra être bien sèche avant que vous ne posiez le signet dans un livre pour l'aplatir, car sinon il resterait collé aux pages de l'ouvrage.

TABLEAUX ET SIGNETS

Age :
à partir de 5 ans
Participants :
seul ou en groupe

Matériel pour les tableaux :

• du papier blanc ou de couleur
• de la colle

Matériel pour les signets :

• du carton blanc ou de couleur
• des ciseaux
• un crayon
• de la colle
• des brins de laine
• une grosse aiguille

Animaux en papier

ANIMAUX EN PAPIER

Age :
à partir de 3 ans
Participants :
seul ou en groupe

Matériel :

• du papier blanc ou de couleur
• des crayons de couleur

PAPILLONS

Si les papillons ne virevoltent pas encore dehors parce qu'il fait trop froid pour eux, il vous suffit d'en réaliser quelques-uns dans du papier et de les faire voler chez vous. Leur confection est si simple, que même les plus petits pourront y participer.

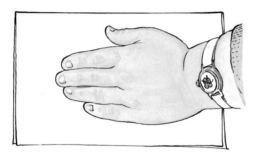

1. Pliez en deux un morceau de papier blanc ou de couleur, de manière à ce que ses dimensions correspondent à environ deux fois la largeur de la main.

2. Dessinez les contours d'un demi-papillon, qui ressemblent à un cœur un peu oblique et sans pointe. Déchirez ensuite la forme en commençant au niveau du pli.

3. Coloriez à présent les deux côtés des ailes du papillon. Si vous tenez ensuite la pliure entre le pouce et l'index et si vous pressez et relâchez alternativement vos doigts, le papillon effectuera de véritables battements d'ailes.
Lorsque vous avez suffisamment joué avec lui, déposez-le sur les feuilles d'une plante verte dans la pièce.

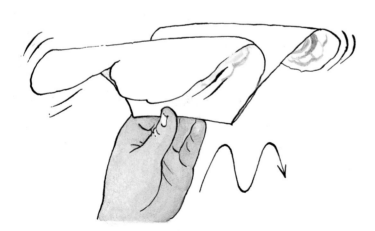

MOUETTES

Vous pouvez fabriquer une mouette de la même manière.

1. Prenez du papier blanc que vous plierez d'abord en deux.

2. En commençant par le pli, déchirez la pointe du bec, puis, en élargissant, la tête, et enfin les ailes, en réalisant une oblique vers le haut puis une autre vers le bas. La forme de ces dernières ressemble un peu à un long bonnet pointu penché vers l'arrière. Pour finir, déchirez la queue qui se terminera en pointe, toujours à l'endroit du pli.

3. Etant donné que les mouettes sont blanches, peignez juste un petit œil noir et un bec orange de chaque côté de la tête.
A présent, vous pouvez également prendre cet animal entre les doigts et lui faire battre des ailes.

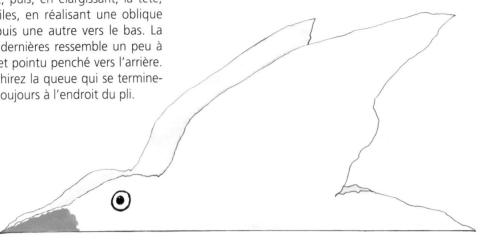

Rallye en ville

RALLYE EN VILLE
Age :
à partir de 5 ans
avec un adulte pour
la préparation
Participants :
à partir de 4
+ un adulte

L'organisation d'un rallye en ville nécessite une préparation minutieuse, à laquelle doit participer un adulte.

Tout d'abord, réfléchissez à un parcours que vous pourrez à la fois couvrir en bus (également en métro ou en tramway) et à pied : soit vous savez déjà exactement où vous voulez aller, soit vous vous aidez d'un plan de la ville. Munissez-vous ensuite d'un papier et d'un crayon et partez préparer le périple sur le terrain.

A l'arrêt d'autobus, notez les horaires dont vous avez besoin. Il est en effet important de les connaître, afin que les enfants n'attendent pas trop longtemps pendant le rallye proprement dit.

Effectuez le trajet sélectionné et notez la durée du voyage ainsi que le prix du billet.

Descendez à l'arrêt préalablement choisi et cherchez des bâtiments frappants et autres points marquants, auxquels vous pouvez rattacher vos épreuves. Vous noterez tout ce qui est important.

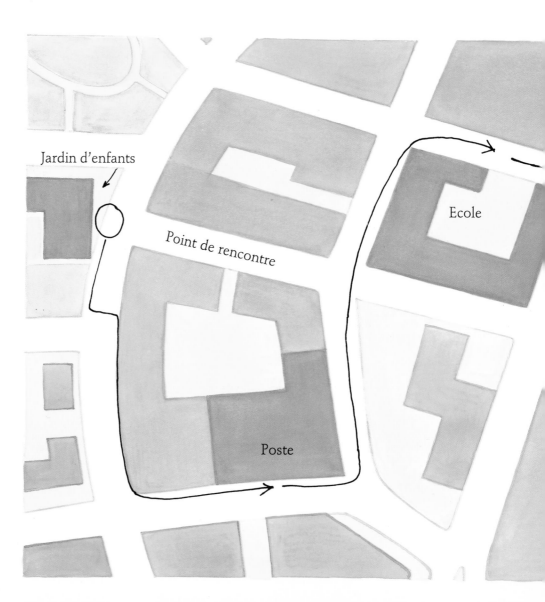

Jardin d'enfants

Point de rencontre

Ecole

Poste

Une fois rentré chez vous, rédigez à partir de vos notes les instructions pour le rallye, puis écrivez et/ou dessinez-les sur des fiches que vous numéroterez dans l'ordre dans lequel les énigmes devront être résolues. En fonction du nombre de participants, chacun se charge d'une à deux épreuves. Le cas échéant, vous pouvez former deux équipes. Elles subiront toutes deux les mêmes épreuves, mais partiront à des moments différents, afin de ne pas pouvoir "copier" l'une sur l'autre en cours de route. Le groupe qui démarrera le premier sera désigné par tirage au sort, tandis que le second partira environ une demi-heure plus tard. Pour la deuxième équipe, vous pouvez modifier l'ordre des énigmes, de manière à ce qu'elle retrouve les autres enfants dans un snack pour y manger des gaufres ou y boire des milk-shakes.

Ensuite, les deux groupes se sépareront de nouveau pour finir le rallye.

Les enfants auront besoin d'argent pour les trajets en transports en commun et pour certaines épreuves. La personne qui les accompagne peut garder cet argent sur elle, mais vous pouvez aussi calculer le montant nécessaire chez vous et donner à chaque participant la somme correspondante.

Et maintenant, amusez-vous !

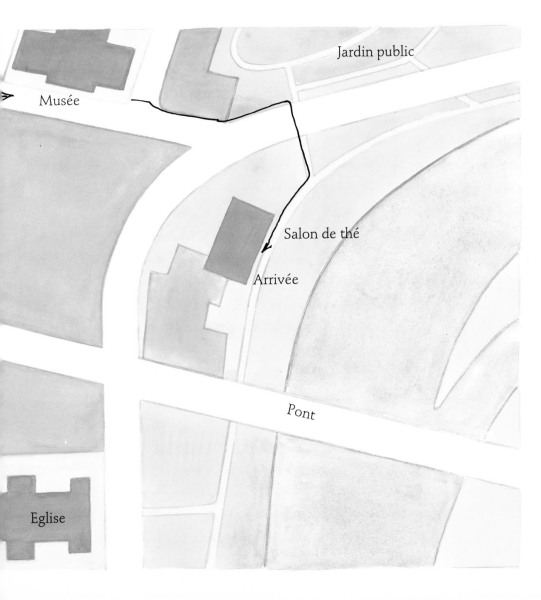

Jardin public

Musée

Salon de thé

Arrivée

Pont

Eglise

Rallye en ville

ÉPREUVE 1

Allez de la station X à la station Y. Un enfant achète les tickets pour tout le groupe auprès du chauffeur ou les prend au distributeur automatique. Il peut demander au contrôleur ou au chauffeur s'il existe un billet de groupe à tarif réduit.

L'accompagnateur peut éventuellement aider les enfants si les tickets doivent être achetés au distributeur automatique.

ÉPREUVE 2

Un des enfants doit entrer dans le bâtiment auquel est accroché un panneau avec un cor de postillon, c'est-à-dire dans le bureau de poste. Il y achète au guichet un timbre à 5 francs et le fait oblitérer.

ÉPREUVE 3

Il s'agit le plus souvent d'un grand bâtiment avec beaucoup d'ornements. A l'intérieur, se trouvent des vitrines contenant des objets anciens ou provenant de pays étrangers. Des tableaux peuvent également y être exposés.

Vous l'avez deviné, l'un de vous se rend au musée et doit y demander à l'entrée un dépliant indiquant les heures d'ouverture. Si le guichet est fermé, notez celles-ci.

ÉPREUVE 4

Cette épreuve vous permettra de reprendre des forces et sera inoubliable !

Le participant est au bon endroit lorsqu'il se trouve devant une vitrine pleine de gâteaux et de tartes. Il entre dans la pâtisserie ou le snack et achète un mélo cake pour chacun. Il conservera l'emballage en guise de preuve.

ÉPREUVE 5

Une petite cabine étroite, dotée de vitres et d'une porte en verre ? C'est une cabine téléphonique !

Il s'agit ici de composer le numéro de l'un des joueurs figurant sur la fiche. Au préalable, vous vous serez bien sûr assuré que quelqu'un sera présent et décrochera. L'enfant ayant formé le numéro communiquera à la personne appelée la position exacte du groupe.

ÉPREUVE 6

Pour cette épreuve, vous devrez rencontrer des personnes se déplaçant à pied dans la ville: grandes, petites, grosses, minces, jeunes et vieilles. Un enfant aborde un passant et lui demande poliment de lui changer une pièce de 5 francs contre 5 pièces de 1 franc.

Si le passant n'a pas de monnaie, il faudra s'adresser à quelqu'un d'autre.

ÉPREUVE 7

Vous cherchez de nouveau un magasin, mais qui, cette fois, ne vend pas de nourriture. Devant sa façade se trouvent parfois des présentoirs chargés de cartes postales ou des caisses remplies de livres. Plusieurs ouvrages figurent également dans la vitrine. Il s'agit d'une librairie. Un joueur y entre et demande un prospectus sur les livres pour enfants.

ÉPREUVE 8

Vous êtes probablement morts de soif ! Le participant responsable de cette mission a emporté des pailles. Il doit maintenant acheter des boissons et conserver le ticket. Où se trouve l'épicerie, le supermarché ou le kiosque le plus proche ? Vous allez sans aucun doute vider immédiatement les bouteilles et n'oubliez pas alors de les reporter au magasin (bouteilles consignées) ou de les jeter dans un conteneur approprié.

Que vous habitiez dans une grande ou une petite ville, toutes ces stations doivent être assez proches les unes des autres, de façon à ce que personne n'ait mal aux pieds à la fin du parcours et que le jeu reste passionnant, chaque participant ramenant fièrement sa "preuve" à l'arrivée. Si vous jouez avec deux groupes, le temps compte, car c'est bien sûr l'équipe qui a passé correctement et le plus rapidement les épreuves qui gagne.

Suggestion : pourquoi l'un d'entre vous n'organiserait-il pas un autre rallye dans un mois ?

CHANSON

Passe, passera

Pass', pass' passe- ra, La der- niè- re, la der- niè- re, Pass', pass', passe-

ra, La der- niè- re res- te- ra. Qu'est-ce qu'elle a donc fait, la p'tite hi- ron-

delle ? Elle nous a vo- lé trois p'tits grains de blé. Nous l'at- trap- pe-

rons, la p'tite hi- ron- delle, nous lui don- ne- rons trois p'tits coups d'bâ- ton.

Passe, passe, passera
La dernière, la dernière,
Passe, passe, passera
La dernière restera.
Qu'est-ce qu'elle a donc fait
La p'tite hirondelle ¿
Elle nous a volé
Trois p'tits grains de blé.
On l'attrapera
La p'tite hirondelle
Nous lui donnerons
Trois p'tits coups de bâton

JEU

Noir ou blanc

Deux enfants forment un arc avec leurs bras. Les autres passent en farandole jusqu'au dernier sur lequel les bras de l'arc sont rabaissés. Les deux enfants geôliers lui posent une question, par exemple "noir ou blanc", et selon sa réponse le prisonnier doit se placer derrière l'un ou l'autre. Ainsi de suite jusqu'à ce que se forment deux chaînes rivales.

CONNAISSANCES

Bon sens paysan

Etant donné que les stations et instituts météorologiques élaborant des prévisions quotidiennes ont à peine cent ans d'existence, les gens devaient autrefois se baser sur leurs propres expériences et observations. Les fermiers, par exemple, organisaient jadis leurs travaux en fonction du temps – une pratique encore perpétuée de nos jours. Pour prédire l'évolution du temps, ils observaient notamment les nuages ou la lumière du soleil couchant. Ils s'intéressaient également au comportement des animaux. Chaque phénomène météorologique faisait ainsi l'objet de petits dictons, transmis de génération en génération.

Le temps de chaque mois revêt une grande importance pour la récolte à suivre. C'est la raison pour laquelle il existe pour chacun des dictons spécifiques, qui viennent compléter les adages plus généraux.

Bien sûr, l'alternance constante des averses et des périodes ensoleillées pendant les labours d'avril ne sera pas très agréable pour le cultivateur, mais elle revêt pourtant une importance capitale pour la levée des semences.

Amusez-vous à inventer des dictons avec les enfants.

Pluie aux Rois, blé jusqu'au toit. (janvier)

Chandeleur couverte, quarante jours de perte. (février)

Avril mouillé, mai en bouquets.

*Flocons en avril,
clochettes en mai.*

*Avril et mai
donnent le temps de l'année.*

*Brouillard en avril et nuages en mai
amènent disette et pauvreté.*

*Avril fait les fleurs
et mai en a les honneurs.*

*Pluie de Sainte-Pétronille change raisins
en grappilles. (mai)*

*Saint-Médard grand pissard, il pleut
quarante jours plus tard. (juin)*

Noël aux tisons, Pâques au balcon.

*Pluie en avril,
le fermier jubile.*

Bouquet de fleurs

BOUQUET DE FLEURS

Age :
à partir de 5 ans
Participants :
seul ou en groupe

Matériel
pour une tulipe :

- une paille coudée verte
- du papier jaune et vert
- du ruban adhésif ou de petits élastiques
- de la gouache
- un pinceau
- des ciseaux
- de la colle
- du vernis incolore (facultatif)
- une coquille d'œuf vidée

TULIPES

Si les jonquilles sont déjà presque fanées, les tulipes commencent seulement à s'ouvrir. Avec des moyens très simples, vous pourrez facilement confectionner un bouquet de ces deux espèces de fleurs, qui, lui, sera impérissable.

1. La forme d'une tulipe fermée rappelle celle d'un œuf. Prenez donc un œuf frais et percez, à la base de celui-ci, un orifice assez grand pour y insérer une paille. Pratiquez-en un deuxième à l'autre extrémité et videz ou gobez l'œuf.

2. Peignez l'œuf d'une seule couleur ou laissez-le en blanc, puisqu'il existe également des tulipes blanches dans la nature.

Si vous le souhaitez, vous pouvez le recouvrir de vernis incolore. A cet effet, suivez attentivement le mode d'emploi qui se trouve sur l'emballage de ce produit. Assurez-vous que la peinture est totalement sèche avant d'appliquer le vernis.

3. Décalquez deux fois les contours des feuilles ou dessinez-les à main levée sur du papier vert, puis découpez-les. Vous avez besoin à cet effet de 2 bandes de 3 à 4 cm de large et de 25 à 30 cm de long. Découpez l'une de leurs extrémités en pointe.

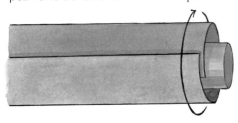

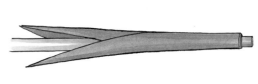

4. Enroulez à présent une feuille autour de la paille, en prenant soin de placer son extrémité rectiligne pratiquement au bord de la paille (du côté opposé au coude). Recouvrez ensuite la première feuille d'une seconde, en veillant cependant à ce que son extrémité pointue se trouve exactement à l'opposé de celle de la première, par rapport à la "tige". Attention : les feuilles doivent rester bien serrées l'une contre l'autre, faute de quoi elles se déchireraient au moment de la fixation de l'ensemble.

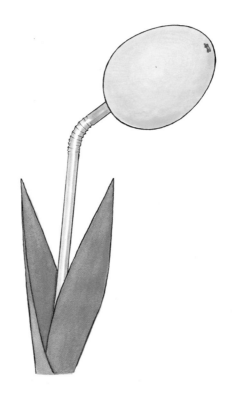

5. Enroulez maintenant un petit élastique autour de l'extrémité inférieure des feuilles ou fixez le tout avec du ruban adhésif.

6. Placez l'œuf peint et sec au sommet de la paille et pliez celle-ci au niveau du coude. Si l'orifice pratiqué dans l'œuf est légèrement trop petit, incisez longitudinalement la paille, ce qui permettra d'en réduire le diamètre afin de l'introduire dans l'œuf. En revanche, si le trou est trop grand, enduisez l'ouverture de la paille d'un peu de colle et placez l'œuf dessus.

Bouquet de fleurs

Matériel pour une jonquille :

- du papier jaune et vert
- du papier-calque
- un crayon
- des ciseaux
- de la colle
- une paille coudée verte

JONQUILLES

La confection des fleurs de jonquille nécessite un peu plus de temps et d'adresse que celle des tulipes. Pour la queue, vous procéderez de la même manière, tandis que les fleurs seront réalisées dans du papier jaune.

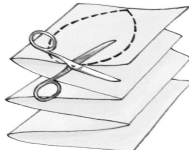

1. Décalquez la fleur (cœur et pétale) à partir du patron. Pliez en accordéon une bande de papier jaune un peu plus large que le pétale de jonquille. Vous pourrez ainsi découper l'ensemble des 6 feuilles en une fois.

2. Collez la partie interne de la fleur en un entonnoir, dont la petite ouverture sera assez grande pour accueillir une paille.

3. Fixez trois pétales symétriquement autour du cœur, de façon à ce qu'ils épousent parfaitement la forme de celui-ci. Apposez de la colle uniquement à la base des pétales. En effet, s'ils étaient également fixés au côté évasé de l'entonnoir, vous ne pourriez plus les ouvrir par la suite. Procédez de la même manière avec les autres pétales, que vous disposerez à nouveau de manière symétrique. Collez leur pointe inférieure aux endroits où les feuilles du dessous se chevauchent. La fleur fermée est à présent terminée.

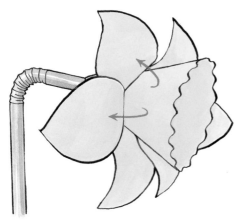

base de la fleur entre les doigts, commencez par recourber prudemment vers l'extérieur les pétales externes, puis les pétales internes, et veillez à ce que leurs côtés ne se déchirent pas.

Vérifiez si l'ouverture du cœur est assez large pour la paille, en faisant passer celle-ci par le haut de l'entonnoir. Si l'orifice est trop étroit, incisez-le légèrement. Fixez ensuite la fleur terminée avec un peu de colle à l'extrémité supérieure de la paille et courbez celle-ci d'un côté.

4. Avant d'ouvrir les jonquilles, laissez sécher la colle un certain temps pour éviter que les feuilles ne se détachent lors de cette opération. Tout en maintenant la

Semences de la cuisine

SEMENCES DE LA CUISINE

Age :
à partir de 4 ans
Participants :
seul ou à deux

Matériel :

• diverses graines des petits pots de fleurs
• des pots de yaourt ou des bacs à germination
• une soucoupe
• un petit arrosoir
• du terreau
• un journal à placer en dessous

D'où proviennent les végétaux ? Quand vous regardez la terre, dehors, des petites plantes dressent partout leurs feuilles vers le ciel, alors que personne ne les a semées. Bon nombre d'entre elles proviennent de semences de fleurs disséminées par le vent. La pluie fait alors pénétrer dans le sol les graines tombées. Lorsque la température s'élève au printemps, elles absorbent l'eau contenue dans la terre et développent des racines et des feuilles.

Pour voir les petites plantes pousser, vous n'avez même pas besoin de sortir. Vous

pouvez en effet trouver dans votre cuisine des graines qui produiront facilement des plantes : des haricots blancs secs, des pois ou des lentilles, des graines de céréales, du maïs pour pop-corn, ou même des grains de moutarde provenant de l'étagère à épices. Cependant, les graines ne doivent en aucun cas avoir perdu leur enveloppe, car elles ne germeraient pas.

1. Prenez quatre graines de chaque sorte que vous trouvez dans la cuisine et placez-en à chaque fois trois dans un verre rempli d'eau. Le mieux est de les laisser tremper toute une nuit afin qu'elles gonflent. Les semences peuvent ainsi bien se gorger d'eau et ne devront plus puiser celle-ci par la suite dans la terre. En outre, elles germeront plus rapidement.

2. Pendant que les graines enflent dans l'eau, préparez des petits pots de fleurs et pour chaque type de graine, un pot supplémentaire avec une soucoupe.

Faites tremper les pots en terre cuite neufs environ une demi-heure afin qu'ils se gorgent d'eau et évitent ainsi de pomper trop d'humidité dans la terre par la suite.

Vous pouvez également employer des petits pots en plastique ou des pots de yaourt. Dans ce cas, percez un trou dans le fond de ceux-ci avec une aiguille, afin que l'excès d'eau puisse s'écouler facilement après les arrosages.

Si vous achetez des bacs à germination, placez-les dans une cuvette plate et arrosez-les. Il se forme alors des petites boules de terre avec un renfoncement pour la graine. Suivez de toute façon attentivement le mode d'emploi qui se trouve sur l'emballage.

3. Remplissez maintenant les pots de fleurs ou de yaourt de terreau jusqu'à 1 cm du bord. Déposez dans chacun d'eux trois graines de la même espèce, pas trop près l'une de l'autre, et enfoncez-les un peu dans la terre jusqu'à ce qu'elles soient recouvertes. Posez ensuite les pots dans des soucoupes sur l'appui de la fenêtre et arrosez légèrement.

4. Afin de connaître les graines contenues dans les différents pots, prenez une petite étiquette en papier pour chacun et collez-y la quatrième graine. Enfichez ensuite l'étiquette sur un cure-dent que vous planterez en terre.

5. Il suffira de quelques jours pour voir sortir de la terre les premières pointes vert clair. Elles n'apparaissent pas toutes en même temps, car certaines espèces germent plus lentement que d'autres. Il peut même exister des différences au sein d'une même espèce.

6. Vous devez bien sûr arroser de temps à autre. Veillez à ce que la terre soit bien humide, mais pas détrempée.
Lorsque les petites plantes ont poussé d'environ 5 cm, enlevez les deux plus petites de chaque pot. De la sorte, les meilleurs plants se développeront beaucoup mieux.

EXPÉRIENCE

Pois secs

Remplissez à ras bord un petit verre de pois secs, placez-le sur une assiette creuse et versez de l'eau jusqu'en haut. Au bout d'une heure seulement, vous constaterez qu'un petit monticule de pois dépassant le sommet du verre s'est formé et après deux heures, vous verrez les premiers pois tomber dans l'assiette.
Lorsque vous comparez un pois gonflé et un pois sec, vous constatez que le premier est beaucoup plus gros. Il a évidemment absorbé une certaine quantité d'eau. Puisque ces pois prennent plus de place que les secs, le verre d'eau devient bientôt trop petit pour les contenir tous, et ceux du dessous pousseront alors les autres hors du verre.

POIS SECS
Age :
à partir de 4 ans
Participants :
seul ou en groupe

Matériel :
• un petit verre
• des pois secs
• une assiette creuse

Félix et les haricots blancs

Iris Prey

Félix fut envoyé par sa mère acheter un paquet de haricots blancs. Elle les avait en effet oubliés et voulait préparer un pot-au-feu.

Le supermarché n'était pas loin. Félix devait seulement traverser un petit parc. En quelques minutes, il y fut déjà. Les haricots se trouvaient sur une étagère, à côté des lentilles et des pois secs. Le garçon prit un paquet et le paya à la caisse. Il ne remarqua pas immédiatement que celui-ci était troué. Il s'en rendit seulement compte lorsque, sur le chemin du retour, quelques haricots tombèrent et roulèrent au bord d'une flaque d'eau. Félix obtura alors le trou et continua son chemin.

"Aïe !" dirent quelques-uns des haricots sortis de leur boîte. "Hé ?" crièrent les autres. Ils se frottèrent les yeux, bâillèrent et se regardèrent ébahis. "Comment sommes-nous arrivés ici ? Que faisons-nous ici ?" se demandèrent-ils en commençant à s'énerver. Ils se mirent à parler tous en même temps, si bien qu'il leur fut impossible de se comprendre. Ce brouhaha dura un long moment. Puis soudain, ils se turent.

Un pigeon volait vers eux, un oiseau géant pour de si petits haricots ! Et, pour leur grand malheur, celui-ci se mit à les picorer et à les manger l'un après l'autre.

Ceux qui le pouvaient se sauvèrent aussi vite que possible et s'enfouirent dans la terre molle. Le pigeon, effrayé, s'envola, car il n'avait encore jamais de sa vie vu des haricots courir.

Sous la terre, on murmura et chuchota encore de longues heures, jusqu'à ce que tous les haricots se soient endormis dans leur cachette. Il faut bien dire qu'une telle frayeur fatigue beaucoup.

Les haricots blancs dormirent longtemps, très longtemps. Et un jour, à l'endroit où ils s'étaient cachés, des petites feuilles vertes sortirent de terre. Celles-ci se transformèrent bientôt en petites plantes. Elles grandirent et grandirent encore, et commencèrent même à fleurir. Cependant, les fleurs tombèrent et de petites cosses jaillirent, toutes plates et vertes. Les plantes elles-mêmes avaient cessé de croître. Les gousses devinrent toujours plus longues et épaisses et brunirent quelque peu. Chacune d'elles avait autant de petits ventres que l'homme a de doigts à la main. Il n'était donc pas étonnant que les cosses éclatent peu à peu.

A cette époque, Félix traversait encore bien souvent le parc. Il n'avait toutefois pas encore remarqué les plantes qui se trouvaient au bord du chemin. Pourtant, il lui sembla un jour entendre un murmure. Il s'arrêta, écouta attentivement, se dirigea vers les plantes et vit quelque chose de blanc tomber sur le sol. C'était un haricot.

Il prit une des cosses éclatées dans sa main et trouva dedans cinq haricots blancs. Il pensa alors qu'il mangerait bien volontiers du pot-au-feu au déjeuner !

Animaux
en mélo cakes

A partir du patron, décalquez sur du carton blanc ou de couleur oreilles, becs, queues et autres parties du corps des animaux, puis découpez-les pour les piquer ensuite sur les mélo cakes.

Pour dessiner les yeux, museaux et nez, utilisez du fondant. Servez ensuite les mélo cakes sur un plateau.

ANIMAUX
EN MÉLO CAKES

Age :
à partir de 6 ans
Participants :
seul ou en groupe

Ingrédients :

• des mélo cakes
• de l'eau chaude,
• du sucre en poudre et un petit sac en papier (ou du fondant tout prêt en tube)

Matériel :

• du carton fin
• du papier-calque
• un crayon
• des ciseaux
• un couteau de cuisine

Ils constitueront une surprise particulièrement amusante lors d'un goûter d'anniversaire. Chaque enfant en reçoit un et pourra le manger par la suite.

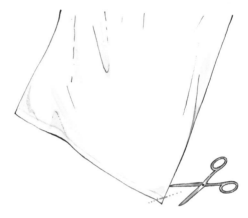

jours préparer à nouveau du fondant ultérieurement.

Versez le sucre en poudre dans un petit saladier, ajoutez-y un peu d'eau et mélangez jusqu'à obtenir une pâte homogène, sans grumeaux. Celle-ci doit avoir la consistance du miel. Si elle est trop liquide, rajoutez un peu de sucre. Dans le cas contraire, augmentez la quantité d'eau.

1. Préparez une tasse ou un petit pot rempli d'eau chaude. Trempez-y un couteau de cuisine, puis tracez, avec la pointe chauffée, des fentes dans les mélo cakes, dans lesquelles vous introduirez les parties du corps en carton.

Si vous utilisiez un couteau dont la lame est froide, le nappage en chocolat éclaterait.

3. Remplissez de fondant le fond d'un sac en papier et découpez-en un coin, afin d'y pratiquer un petit orifice. Vous obtenez ainsi une poche de pâtissier et, en la pressant doucement, le fondant coulera en un fin filet.

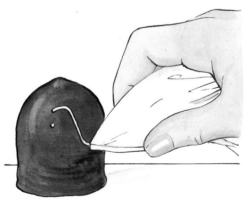

2. Pour dessiner les têtes, vous avez besoin de fondant, dont la quantité est fonction du nombre de mélo cakes à décorer et du type d'animal à représenter. Deux à trois cuillers à soupe de sucre en poudre suffisent pour commencer. Vous pourrez tou-

Avant de commencer à décorer les mélo cakes pour la fête, faites des essais sur un autre support.

LE CANARD

Entaillez la petite queue jaune trois fois avant de la placer sur le mélo cake. Le bec est orange et les yeux sont représentés par un point.

LE PINGOUIN

Découpez les ailes dans du carton noir et la queue dans du carton orange. Pour les yeux, dessinez juste un point.

LE LAPIN

Le lapin a les oreilles ocre ou brunes. Pour les yeux et le nez, tracez des petits ronds et, en partant du nez, trois traits droits pour les moustaches.

LE SINGE

Prenez du carton brun. Dessinez au crayon, sur les extrémités rondes des bras du singe, trois petits traits pour représenter les mains. Au-dessus des yeux, dessinez au fondant un 3 renversé. Représentez la bouche par un large demi-cercle.

LA SOURIS

Dessinez la tête de la souris de la même façon que celle du lapin. Découpez les oreilles dans du carton gris.

LE COCHON

Le petit cochon a bien sûr les oreilles roses. Dessinez ensuite deux petites narines rondes et un grand ovale pour le groin. Tracez deux très petits points pour les yeux.

L'OURS

Le nounours ressemble au petit cochon, si ce n'est qu'il a les oreilles rondes et ocre et une bouche rieuse sous le nez.

LE POISSON

Découpez la gueule du poisson dans du carton rouge. Pour la queue, prenez une couleur de votre choix. Dessinez l'œil grand et rond. Vous pouvez réaliser les écailles de fondant dans des couleurs aussi diverses que vous le souhaitez.

LE CHAT

Prenez, pour les oreilles, du carton gris, noir ou ocre. Pour les yeux, dessinez des cercles avec un trait vertical au milieu. Les moustaches sont identiques à celles du lapin. Dessinez en dessous une fine bouche.

L'ÉLÉPHANT

La trompe et les oreilles de l'éléphant sont grises. Dessinez juste deux petits yeux et la bouche.

Le train fantôme

LE TRAIN FANTÔME
*Age :
à partir de 5 ans
(plus jeune, en tant
que participant
uniquement)
Participants :
à partir de 4*

Matériel :

• des chaises sous
lesquelles les joueurs
ramperont
(ou des petites
tables)
• des couvertures
• des ballons
gonflables
• du carton
• des peintures aux
doigts ou de la
gouache
• des pinceaux
• des ciseaux
• de la ficelle
• de la colle

Pour les bruits :
• des bouteilles vides
• un capuchon de
stylo à bille
• des bouchons
• une boîte et des
pois secs ou des
boutons
• un ballon
gonflable

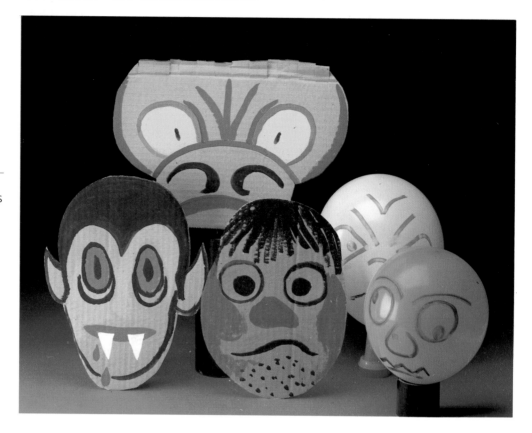

Que vous fêtiez un anniversaire ou que
vous jouiez simplement entre amis, dehors
ou à l'intérieur, vous pouvez facilement
fabriquer un train fantôme avec un matériel très simple.

La longueur de votre train dépend du
nombre de chaises (ou de petites tables)
disponibles ainsi que de la quantité de
couvertures.

1. Placez les chaises l'une à côté de l'autre
de manière à former un tunnel, qui peut
comprendre des virages ou un coude. Sa
forme dépendra en fait de l'espace dont
vous disposez.

Vérifiez ensuite si l'on peut facilement ram-
per sous les chaises. Sinon, modifiez quelque peu le "parcours".

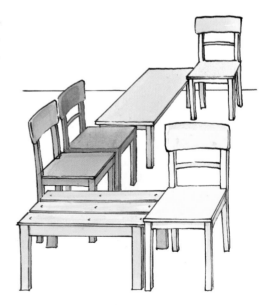

2. Vous pouvez également suspendre entre deux chaises des serpentins ou des brins de laine, qui chatouilleront le visage des joueurs lors de leur passage. Si vous installez votre train fantôme dehors, vous pouvez aussi avoir recours au pistolet à eau.

3. Installez les couvertures sur les chaises, de manière à ce qu'elles touchent le sol. Certes, le tunnel sera sombre, mais vous pourrez y voir suffisamment.

4. Pour décorer le train fantôme, vous avez besoin de figures grimaçantes. Fabriquez-les avec des ballons gonflés sur lesquels vous dessinerez des grimaces lugubres ou découpez des visages en carton, que vous colorierez avec des peintures aux doigts ou de la gouache. Fixez les ballons décorés avec de la ficelle ou du ruban adhésif à l'entrée du tunnel et disposez-en également à l'intérieur.

5. Un train fantôme sans bruits n'en est pas un : vous pouvez prendre une bouteille vide ou le capuchon d'un stylo à bille et souffler vigoureusement dans l'ouverture. Vous produirez ainsi un son très grave (avec la bouteille) ou un sifflement aigu (avec le capuchon). En frottant un bouchon légèrement humide sur une bouteille, vous produirez un grincement aigu. Vous pouvez également obtenir un son tout aussi fantomatique en étirant l'ouverture d'un ballon gonflé. Le sifflet d'une bouilloire peut également convenir. Vous pouvez enfin imiter les claquements d'un squelette en secouant une boîte remplie de pois secs ou de boutons.

Pensez également à utiliser votre propre voix et à effrayer d'un lugubre "Hou ! hou !" les passagers du train fantôme !

Mai

Au mois de mai,
fais ce qu'il te plaît.
Le temps le permet.
Le muguet renaît.
Le pissenlit se pare d'or.
Fané, il apprendra à voler.
Et l'on verra dans le ciel
des milliers d'ombrelles.

CHANSON

Voici le mois de mai

Voi- ci le mois de mai Où les feuill's vol'nt au vent

Où les feuill's vol'nt au vent Si jo- lie mi- gnon- ne.

Où les feuill's vol'nt au vent Si mi- gnon- ne- ment.

Voici le mois de mai
Où les feuill's vol'nt au vent
Où les feuill's vol'nt au vent
Si jolie mignonne.
Où les feuill's volent au vent
Si mignonnement.

DEVINETTE

L'arbre magique

Les arbres fruitiers sont à présent en fleurs. Habillés de blanc ou de rose, on les dirait presque couverts de neige.

Ce pommier aussi est en fleurs. Cependant, en l'observant attentivement, vous remarquerez qu'il n'est pas ordinaire. Toutes ces fleurs sont-elles effectivement des fleurs de pommier ? Non, car dix d'entre elles sont des fleurs des prés ou du jardin. A vous de les découvrir !

Pensée, tulipe, pâquerette, perce-neige, églantine, liseron, campanule, bouton d'or, violette, camomille.

POÈME

Pique-nique

Rondin rondinette
Allons faire la dînette
au bord du petit ruisseau
Avec les petits oiseaux
Pi dans l'eau

NATURE

Découvrir les fleurs

DÉCOUVRIR LES FLEURS

Age :
à partir de 3 ans
Participants :
à partir de 3

Matériel :

- différentes fleurs
- une loupe
- de la peinture
- du papier

Le soleil brille, tous dehors ! A présent, la nature est toute verte et fleurie. Regardez un peu autour de vous !

Sortez dans le jardin et cueillez un bouquet de fleurs, toutes différentes. Vous pouvez également vous promener et chercher les fleurs les plus diverses à l'orée de la forêt ou dans les prés. Mais attention : certaines plantes sont protégées et il est absolument interdit de les cueillir !

A la maison, placez votre bouquet dans un vase rempli d'eau. Vous pouvez à présent tranquillement observer les fleurs qui le composent et admirer la diversité de leurs formes et de leurs couleurs.

Respirez les fleurs et vous découvrirez que certaines ont un parfum, tandis que d'autres sont inodores et que quelques-unes ont même une odeur désagréable.

Palpez avec précaution les fleurs et les feuilles et remarquez que certaines sont douces et veloutées et que d'autres sont en revanche rugueuses ou chatouillent les doigts. Placez-les ensuite sous une loupe afin de regarder leurs fines nervures ou leur minuscule duvet.

Après avoir bien observé, touché et respiré vos fleurs, prenez des crayons de couleur ou des gouaches et dessinez certaines d'entre elles. Vous pouvez également vous contenter de reproduire leurs couleurs.

EXPÉRIENCE

Colorer des fleurs

COLORER DES FLEURS

Age :
à partir de 3 ans
Participants :
seul ou en groupe

Matériel :

- un verre rempli d'encre
- un verre rempli d'eau
- une fleur blanche

Lorsque vous placez une fleur blanche dans un verre rempli d'encre, elle prend progressivement une couleur bleue. Observez comme l'encre s'écoule dans les fines nervures des feuilles. Ici aussi, il est intéressant de regarder la fleur avec une loupe.

Encore plus excitant, apprenez à colorer en bleu la moitié d'une fleur. Faites-vous aider avant par un adulte qui fendra la tige de la fleur dans le sens de la longueur avec un couteau bien aiguisé.

Placez une moitié de la tige dans le verre contenant de l'encre et l'autre moitié dans un récipient de même hauteur contenant de l'eau. Etant donné que l'encre n'est absorbée que par une moitié de la fleur, seule cette moitié devient bleue.

CHANSON

Duo dansant

Un, deux, trois, je danse avec toi
Quatre, cinq, six, je te fais la bise
Sept, huit, neuf, faisons le Pont-Neuf
Dix, onze, douze, je te prends pour épouse

DUO DANSANT
Age :
à partir de 4 ans
Participants :
à partir de 2

Deux à deux et face à face, debout, vous vous frapperez joyeusement dans les mains : "un, deux, trois…", puis vous vous embrassez : "quatre, cinq, six". Vous tendez les bras en arc : "sept, huit, neuf" et enfin, vous croisez les bras enlacés et vous faites le moulin : "dix, onze, douze !"

Pour corser le tout – et surtout pour vous amuser – vous pouvez par exemple recommencer la chanson à plusieurs reprises en accélérant le rythme à chaque fois. Au bout d'un moment, il est pratiquement impossible de ne pas se tromper !

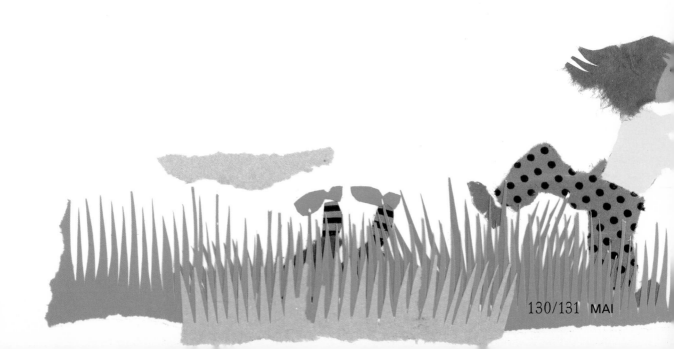

BRICOLAGE
Félicitations

yeux, le nez, la bouche, ainsi que trois petites lignes sur chaque patte, symbolisant les griffes. Tracez les moustaches avec un feutre fin.

FÉLICITATIONS
Age :
à partir de 2 ans
Participants :
seul ou en groupe

Matériel :

• du papier
• de la couleur à doigts
ou du rouge à lèvres

Peu avant la fête des mères, on s'active fébrilement et en secret dans de nombreuses chambres d'enfants. On y peint et on y bricole afin d'offrir à Maman un cadeau particulièrement réussi.
Pour les petits, une activité toute simple mais très graphique et toujours réussie.
Prenez une grande feuille. Mettez la main grande ouverte dans la peinture à doigts et appliquez-la sur le papier. Changez ensuite de couleur !
Un grand mettra un joli titre : "Bravo, maman". Voici un applaudissement coloré qui fera sûrement plaisir à sa destinataire.
On peut faire la même chose avec du rouge à lèvres appliqué à la bouche sur une feuille : ce seront mille baisers en images qui donneront chaud au cœur : "Bons baisers, maman."

2. Rectifiez le format de la photo ou du petit dessin, de façon à ce que le chat puisse le tenir entre ses deux pattes.

CHAT CADEAU
Age :
à partir de 5 ans
Participants :
seul ou par deux

Matériel :

• du carton fin
• des ciseaux
• du papier-calque
• un crayon
• deux feutres noirs :
un à mine épaisse et
un à mine fine

Chat cadeau

Ce petit chat tout mignon servira de présentoir pour une photo ou un dessin que vous réaliserez vous-même.

1. Prenez du carton fin de couleur et décalquez sur celui-ci le chat figurant sur le patron. Découpez-le ensuite à l'aide de ciseaux et détachez soigneusement deux demi-cercles dans le carton en suivant la ligne pointillée. Ce sont les pattes du chat. Avec un feutre à grosse mine, dessinez les

Cœur en feuille

Ce petit cadeau tout simple fera certainement très plaisir à Maman.

Pour le réaliser, vous avez besoin d'une feuille de tilleul, d'un peu de peinture rouge et d'un ruban d'emballage cadeau. Comme il faut quelques jours pour que la feuille sèche dans un livre, veillez à préparer ce cadeau à temps.

Où trouver des feuilles de tilleul et à quoi ressemblent-elles ? Peut-être y a-t-il un tilleul dans votre rue ? Si oui, vous le reconnaîtrez sans difficulté à ses feuilles en forme de cœur. S'il n'en existe pas dans les environs immédiats, allez faire une belle promenade au cours de laquelle vous observerez attentivement tous les arbres. Tous ont une forme et des feuilles spécifiques. Souvent, les arbres se distinguent par leur forme et par leur couleur. Leurs couronnes sont généralement vertes, mais leur feuillage peut prendre des teintes plus claires ou plus foncées, être rougeâtre ou, au soleil, devenir argenté. C'est dans une forêt mixte ou dans un parc que vous trouverez les arbres les plus divers.

Au cours de votre promenade, récoltez une feuille de chaque essence d'arbre. Cueillez les feuilles avec le pétiole et placez-les dans un sac ou dans une boîte.

De retour à la maison, observez de nouveau attentivement toutes les feuilles, car vous avez certainement trouvé une feuille de tilleul en forme de cœur. Pressez les feuilles en suivant les instructions fournies à la page 102 et patientez quelques jours afin de leur laisser le temps de sécher.

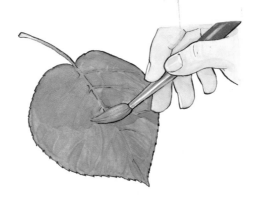

Après cette opération, peignez la feuille de tilleul avec de la gouache et une fois la peinture sèche, replacez-la encore une journée entière dans le livre entre deux feuilles de papier buvard. En effet, la feuille s'est imprégnée d'humidité lorsque vous l'avez peinte et gondolerait si vous ne la pressiez pas.

Nouez enfin un ruban autour du pétiole et voilà un cadeau qui vient tout droit du cœur.

Placez les autres feuilles dans une boîte ou collez-les sur une feuille de papier. Avec ce petit attirail, repartez en promenade et essayez d'associer feuilles et arbres.

CŒUR EN FEUILLE

Age :
à partir de 3 ans
Participants :
seul ou en groupe

Matériel :

• une feuille de tilleul pour le cadeau
• d'autres feuilles pour constituer une collection
• de la peinture rouge
• un pinceau
• du papier buvard
• un livre épais
• un petit ruban d'emballage cadeau

Jeu de puce

Ce jeu peut se dérouler sur le sol ou sur une table. Vous devez d'abord réaliser un plateau de jeu et confectionner les pions.

JEU DE PUCE

Age :
à partir de 5 ans
Participants :
de 2 à 6

Matériel :

• un panneau
en carton
• deux crayons
• du fil
• une règle
• de la peinture
• un pinceau
• douze boutons de
taille identique
• des chutes de
papier de couleur
• des ciseaux

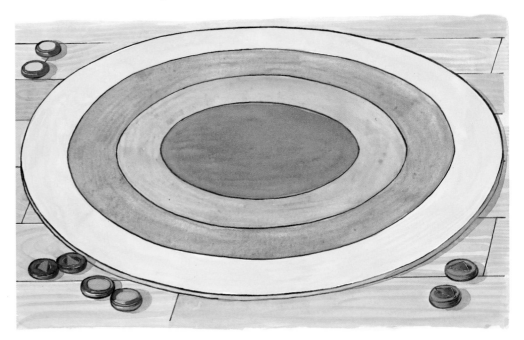

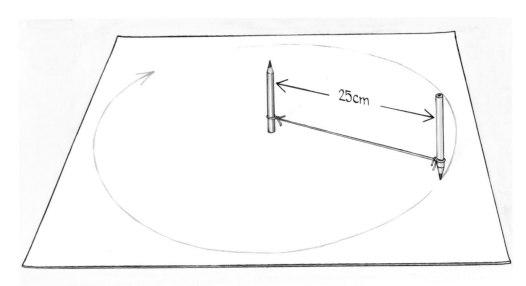

1. Nouez un fil d'environ 30 cm à un crayon. A l'autre extrémité du fil, attachez un deuxième crayon. La distance entre les deux crayons doit être à présent de plus ou moins 25 cm. A l'aide d'une règle, localisez et marquez d'un point le centre du panneau en carton.

Un enfant tient ensuite fermement l'un des crayons, côté sans pointe, sur le repère, tandis qu'un autre trace un cercle avec le crayon opposé. Attention : pendant cette opération, le fil doit toujours rester bien tendu !

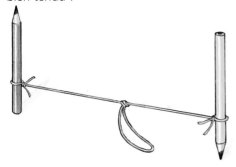

2. Raccourcissez à présent le fil d'environ 7 cm en y faisant un nœud, puis tracez un deuxième cercle de la même façon qu'au point 1. Répétez l'opération deux fois encore, de sorte que le plus petit des quatre cercles présente un diamètre d'environ 8 cm.

3. Peignez les anneaux ainsi obtenus avec de la gouache de différentes couleurs. Si vous le souhaitez, inscrivez sur chaque anneau un nombre de points déterminé (le plus élevé dans l'anneau central et le moins élevé dans l'anneau extérieur).

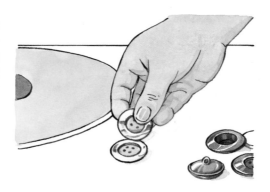

4. Pendant que la peinture sèche, cherchez douze boutons de forme identique, de 1,5 à 2 cm de diamètre, qui peuvent "sauter". Pour les tester, tenez fermement un bouton entre le bout des doigts et appuyez sur le bord d'un deuxième bouton. Si ce dernier fait un bond, les boutons conviennent au jeu.

5. Découpez à présent dans du papier de couleur douze petits triangles ou cercles, dont la taille est fonction de celle des boutons. Il vous en faut deux de chaque couleur, c'est-à-dire deux jaunes, deux verts et ainsi de suite. Collez un de ces petits repères de couleur sur chaque bouton et vos pions seront prêts. Vous pourrez commencer à jouer dès que le plateau de jeu sera sec.

RÈGLES DU JEU

Chaque joueur se voit remettre deux pions de même couleur. Pour commencer, déposez un bouton sur le bord extérieur du plus grand anneau. Faites-le sauter comme décrit ci-dessus. Le but est évidemment d'atteindre l'anneau central, mais le joueur qui enverra son bouton sur l'un des anneaux extérieurs marquera tout de même des points. Les enfants jouent à tour de rôle, dans le sens des aiguilles d'une montre et chaque participant fait sauter son pion une fois par tour.

Si un bouton sort du plateau, le joueur doit passer une fois son tour. Vous pouvez soit fixer une durée déterminée pour la partie et compter les points obtenus à l'issue de celle-ci, soit définir un score à atteindre, le premier enfant qui y parvient remportant alors la partie.

Classeur pour recettes de cuisine

CLASSEUR POUR RECETTES DE CUISINE

*Age :
à partir de 3 ans
Participants :
seul ou en groupe*

Matériel :

- du papier-calque
- un crayon
- du papier
- de la colle
- des ciseaux
- des chutes de feutrine
- un classeur à anneaux d'une seule couleur

Un beau classeur pour recettes de cuisine constituera un cadeau épatant pour les féru(e)s des fourneaux. Bien sûr, vous pouvez aussi le garder pour vous et y ranger vos recettes préférées.

1. Décalquez à partir du patron sur du papier les différents motifs du domaine de la cuisine et découpez-les en laissant un petit bord autour des dessins.

2. Fixez provisoirement ces dessins par un point de colle sur des chutes de feutrine présentant les couleurs suivantes : jaune pour un citron, rouge pour une fraise et une tomate, vert pour les tiges et les feuilles. Pour une casserole, un coquetier ou un poisson, choisissez n'importe quel ton.

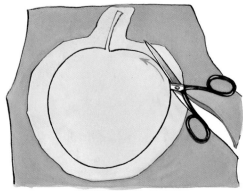

3. Découpez à présent le papier avec la feutrine le long de la ligne tracée, puis éliminez celui-ci.

Placez tous les motifs sur la couverture d'un classeur et déplacez-les jusqu'à ce que l'effet vous satisfasse. Il ne vous reste plus ensuite qu'à coller les divers éléments sur la couverture.

Fraises aux biscottes

Lait fraise

Lorsque le mois de mai a été très ensoleillé, vous pouvez déjà récolter des fraises, les premiers fruits qui mûrissent dans votre jardin. Voici deux recettes simples à réaliser, mais néanmoins délicieuses.

1. Emiettez les biscottes dans un saladier.

2. Dans un autre plat, placez les fraises nettoyées et équeutées, que vous écraserez à la fourchette jusqu'à obtention d'une mousse.

3. Coupez un citron en deux, pressez-en une moitié et versez une cuillerée à soupe rase de jus sur les fruits.

4. Ajoutez le sucre et la cannelle.

5. Mélangez bien le tout et versez dans le saladier contenant les biscottes émiettées. Patientez 30 minutes afin que le mélange soit bien imprégné. Versez pour terminer votre préparation à la fraise dans de petits raviers. Et maintenant, "bon appétit !"

1. Mettez les fraises dans une passoire et lavez-les soigneusement à l'eau courante.

2. Réservez quatre belles fraises et ôtez la queue des autres fruits. Placez ces derniers dans un plat et saupoudrez-les de sucre.

3. Ecrasez avec une fourchette jusqu'à obtention d'une fine mousse.

4. Ajoutez 1/2 verre de lait et mélangez le tout.

5. Versez la préparation dans un grand shaker, ajoutez-y le reste de lait et secouez le tout vigoureusement.

6. Remplissez quatre verres de ce lait fraise.

7. Garnissez-les chacun d'une fraise piquée sur une baguette à brochettes par exemple, que vous appuierez en diagonale sur le bord du verre.

FRAISES AUX BISCOTTES

Age :
à partir de 4 ans
Participants :
de 2 à 4

Ingrédients pour 4 personnes :

- 8 biscottes
- 1 kg de fraises
- 4 cuillers à soupe de sucre
- 2 cuillers à café de cannelle
- 1 cuiller à soupe de jus de citron

Matériel :

- une passoire
- 2 grands saladiers
- 4 petits raviers
- une fourchette
- un couteau
- un presse-citron

LAIT FRAISE

Age :
à partir de 4 ans
Participants :
de 2 à 4

Ingrédients pour 4 personnes :

- 1 l de lait
- 250 g de fraises
- 1 cuiller à soupe de sucre

Matériel :

- une passoire
- un saladier
- une fourchette
- un shaker
- 4 verres
- 4 baguettes à brochettes

BRICOLAGE

Cartons d'invitation

CARTES D'INVITATION

Age :
à partir de 4 ans
Participants :
seul ou par deux

Matériel :

• un fin carton rouge d'environ 22 cm sur 10 cm
• une chute de fin carton vert
• du papier-calque
• un crayon
• des ciseaux
• de la colle
• un feutre

Si vous voulez organiser une petite fête de la fraise avec des amis, invitez-les au festin avec une carte que vous aurez confectionnée vous-même. A cet effet, vous aurez besoin de la fraise et des feuilles figurant sur le patron.

1. Pliez le carton rouge en deux à mi-longueur (11 x 10 cm) et décalquez la fraise de manière à ce que la ligne pointillée se trouve exactement sur le pli.

2. Utilisez le carton vert pour réaliser la tige et les feuilles.

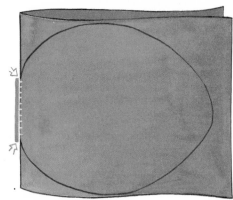

3. Découpez ensuite tous les éléments. Pour la fraise, veillez à ce qu'il reste 2 cm de pli, sans quoi la carte se démantibulera et ne pourra plus être refermée.

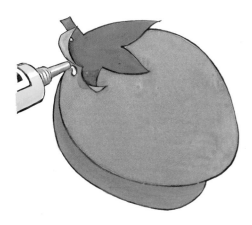

4. Posez la carte devant vous et collez les feuilles en haut de la fraise, en laissant dépasser les deux pointes supérieures d'un demi-centimètre environ par rapport au fruit proprement dit.

5. Avec un feutre fin noir, dessinez de petits "v" sur la surface rouge afin d'imiter l'aspect d'une fraise.
Pour rédiger l'invitation sur la face interne de la carte, faites-vous simplement aider par un enfant plus grand ou un adulte.

Ballons fraises

Des décorations représentant des fraises géantes créeront l'ambiance idéale pour la fête des fraises.

1. Gonflez des ballons rouges, nouez-en l'ouverture et dessinez de petits "v" sur toute la surface avec le feutre noir. Pour ce faire, tenez le ballon avec le nœud vers le haut.

2. Dans le papier crépon vert, découpez trois bandes de 2 cm de large par ballon et coupez leurs extrémités en pointe. Pliez ces bandes en deux et fixez-les avec du ruban adhésif autour du nœud (comme le montrent le dessin et la photo).
Vous pouvez fixer une feuille de papier crépon au mur ou au plafond à l'aide d'une punaise ou attacher un fil au nœud du ballon et le suspendre ainsi.

BALLONS FRAISES
Age :
à partir de 4 ans
Participants :
seul ou en groupe

Matériel :

• des ballons rouges
• 1 feutre noir
• du papier crépon vert
• du ruban adhésif
• des punaises ou du fil

Pompons en forme de fraise

POMPONS EN FORME DE FRAISE

Age :
à partir de 4 ans
Participants :
seul ou en groupe

Matériel :

• de la laine rouge et verte
• du carton fin
• un crayon
• des ciseaux
• une aiguille à repriser

Confectionnez ces fraises, que vous ne mangerez pas, avec de la laine rouge et verte et du carton. Chaque invité pourra emmener chez lui cette décoration de table.

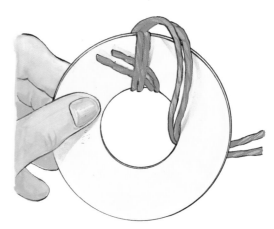

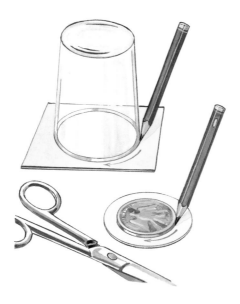

1. A l'aide d'un verre (ou d'une tasse), tracez deux cercles d'environ 6 cm de diamètre sur un fin carton, puis découpez-les. Placez au centre une grande pièce de monnaie, tracez-en le contour et évidez ce cercle intérieur. Vous obtenez ainsi deux anneaux en carton.

2. Superposez les deux anneaux et enfilez un long fil de laine rouge sur une aiguille à repriser de manière à ce qu'il soit double. Commencez à présent à recouvrir l'anneau avec la laine, comme le montre le dessin.

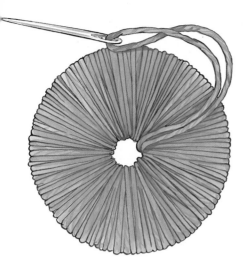

3. Enveloppez l'anneau de laine sur plusieurs épaisseurs. S'il n'y a plus de fil, prenez-en un nouveau. L'orifice central se rétrécit progressivement, mais il faut un certain temps avant qu'il soit complètement bouché.

5. Glissez un fil de laine verte en quatre épaisseurs entre les deux anneaux et nouez-le. Découpez ensuite le carton et ôtez-le du pompon.

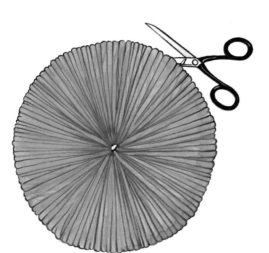

4. Lorsque l'opération est terminée, coupez la laine avec des ciseaux pointus tout le long du bord extérieur. Tous les fils de laine se déploient alors pour former un pompon.

6. Un des quatre brins verts dépassant du pompon servira d'attache, tandis que les autres seront noués en petites boucles représentant les feuilles de la fraise.
Taillez maintenant la moitié inférieure du pompon de manière à obtenir une pointe conique et à donner au pompon la forme d'une fraise.

Les trois papillons

Adapté d'un récit d'Ursula Barff

Il était une fois trois papillons : un blanc, un jaune et un rouge. Par un beau jour de printemps, ils dansaient et jouaient dans la grande prairie et se cachaient dans les buissons. Ils étaient tellement absorbés par leur jeu qu'ils ne remarquèrent pas l'apparition de nuages sombres qui masquaient peu à peu le soleil. Soudain, des éclairs strièrent le ciel, le tonnerre gronda et les premières gouttes de pluie se mirent à tomber.

Les trois papillons durent rapidement trouver un endroit où se protéger de la pluie. Ils volèrent vers une tulipe blanche et lui dirent : "Laisse-nous nous cacher dans ta fleur, sinon nous allons être tout mouillés !" La tulipe répondit : "Je veux bien accueillir le papillon blanc, mais en aucun cas le rouge ou le jaune." Le papillon blanc dit alors : "Je ne resterai pas chez toi sans mes amis." Et ils s'envolèrent plus loin.

Ils arrivèrent auprès d'une tulipe jaune et lui demandèrent : "Veux-tu bien nous prendre chez toi?" La tulipe répondit : "Le papillon jaune qui me ressemble, je l'accepte, mais le blanc et le rouge, non." Le papillon jaune ne voulut pas non plus rester et ils poursuivirent ensemble leur chemin.

Entre-temps, la pluie s'était mise à tomber de plus en plus fort et les papillons pouvaient à peine voler. Ils virent alors une tulipe rouge et lui demandèrent : "Acceptes-tu de nous abriter chez toi ?" Ce à quoi elle répondit : "Je veux bien abriter le papillon rouge, mais pour le blanc et le jaune, je n'ai pas de place." Les papillons répliquèrent : "Alors nous préférons être mouillés tous ensemble !"

Le soleil, masqué par les nuages, entendit cela et eut pitié des trois amis qui s'étaient montrés si solidaires. Il envoya ses rayons qui percèrent les nuages et eurent vite fait de sécher les ailes des trois papillons.

De joie, les trois amis exécutèrent pour le soleil leur plus belle danse.

C'est depuis ce jour que le coucher du soleil est rouge, le lever jaune et les rayons du midi blancs en souvenir de trois papillons qui étaient de bons compagnons.

JARDINAGE
Mini-potager

MINI-POTAGER
Age :
à partir de 4 ans
Participants :
à partir de 2

Matériel :

• des plants
(que vous avez
éventuellement
cultivés vous-même)
• une gousse d'ail
• une échalote
• un cageot
• une feuille de
plastique
• de la terre
• des ciseaux
• une petite pelle
• un arrosoir

La mi-mai, lorsqu'il ne gèle plus la nuit, est la période idéale pour aménager un carré de jardin. Si vos parents ont un potager, ils vous en laisseront certainement une petite surface, que vous pourrez cultiver vous-même. Mais même sur un balcon, vous pouvez aménager un mini-jardin.

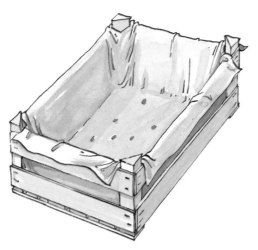

1. Il vous faut un cageot à fruits haut et stable, que vous garnissez d'une feuille de plastique. Vous pouvez par exemple utiliser une feuille plastique de protection épaisse ou pliée en deux, que vous obtiendrez auprès d'un magasin de peintures et de papiers peints. Vous pouvez également vous servir d'un sac poubelle solide dont vous fendrez un côté et le fond pour obtenir une feuille suffisamment grande. Placez cette feuille dans le cageot en laissant dépasser un peu les quatre bords pour qu'ils se replient vers l'extérieur. Fixez-les avec quelques punaises.

Pratiquez une série de trous sur le fond de la feuille afin que l'excès d'eau puisse s'écouler. Remplissez à présent la caisse avec du terreau jusqu'à deux ou trois doigts du bord supérieur.

2. Avant d'aménager votre parterre ou votre mini-potager, rendez-vous au marché hebdomadaire. Vous pourrez vous y procurer des plants. C'est le nom que l'on donne aux plantes lorsqu'elles sont encore toutes petites. Vous pouvez par exemple acheter des plants de différentes sortes de salades. Pour le potager, vous pouvez en prendre trois, mais pour le cageot, n'en prenez qu'un ou deux, car après un certain temps la salade va se développer et atteindre une taille considérable. Si vous plantez trop de plants ou s'ils sont trop serrés, ils s'enchevêtreront rapidement les uns dans les autres.

Vous trouverez en outre sur le marché des plants de presque toutes les sortes de légumes et de beaucoup de fleurs. C'est à vous de décider si vous voulez récolter un chou-rave ou si vous préférez des tomates ou encore des fleurs.

Le mieux est de demander conseil au marchand. Celui-ci pourra en effet vous dire à quelle distance placer les différents plants, vous indiquer la quantité d'eau dont ils auront besoin et préciser s'ils préfèrent un endroit ensoleillé ou ombragé.

3. Creusez un petit trou dans la terre pour y insérer les plants. Versez-y un peu d'eau. Ensuite, tenez le plant d'une main en faisant pénétrer les racines dans le trou jusqu'à la naissance du feuillage. Rebouchez le trou avec de la terre et tassez doucement autour de la tige. Le plant sera ainsi soutenu et ne retombera plus. Saisissez de préférence la plante par le milieu, c'est-à-dire là où les racines et les feuilles se rejoignent.

Il est possible que, dans un premier temps, les feuilles des plants venant d'être remis en terre pendent lamentablement. Mais ne vous faites aucun souci, car dès le lendemain, elles auront repris de la vigueur grâce aux substances nutritives contenues dans la terre.

Si vous avez cultivé vous-même des semences, n'hésitez pas à repiquer les petites plantes dehors, en pleine terre, où elles pourront mieux se développer qu'à l'intérieur, dans un pot. Peut-être obtiendrez-vous ainsi des fleurs et plus tard des fruits que vous pourrez récolter.

Dans votre cuisine, vous trouverez probablement aussi des gousses d'ail, des échalotes ou des petits oignons. Avec un bâtonnet, pratiquez un trou dans la terre, placez-y une gousse d'ail, une échalote ou un oignon le plus petit possible, puis rebouchez le trou avec la terre. Selon la météo, il faudra de quelques jours à une semaine pour voir les premières pousses vertes surgir de la terre. Elles vont grandir et prendre la forme de feuilles allongées, que vous pourrez manger, hachées comme de la ciboulette, sur une tranche de pain beurré.

Bien évidemment, n'oubliez surtout pas d'arroser votre carré de jardin ou votre potager miniature sur le balcon. Lorsqu'il fait très chaud, les plantes ont elles aussi soif et ont besoin d'eau tous les jours. Il se peut par ailleurs que l'une de vos plantes ne pousse pas ou se flétrisse. Dans ce cas, ne vous découragez surtout pas, car ce problème peut se poser même au jardinier le plus expérimenté qui apporte le plus grand soin à ses cultures.

Vous pouvez également construire dans votre potager un petit abreuvoir pour les oiseaux. Enterrez à ras bord une vieille assiette à potage ou une grande soucoupe à pot de fleur et placez au centre une pierre sur laquelle les oiseaux pourront se tenir. Remplissez ensuite cet abreuvoir d'eau.

Le village des Indiens

LE VILLAGE DES INDIENS

Age :
à partir de 2 ans
Participants :
à partir de 2

Matériel :

• des branches
• des élastiques

Jouer aux Indiens est une activité qui amuse autant les filles que les garçons.
Les petits Indiens du bac à sable peuvent construire un village entier à partir de simples branches et fabriquer les habitants et les animaux avec des bouchons et des cure-dents. Au pied des arbres, vous trouverez suffisamment de branches mortes qui conviendront parfaitement à la construction d'une tente d'Indien. Il est donc inutile d'en couper sur les arbres.

1. Pour réaliser un tipi, rassemblez cinq branches droites d'environ 25 à 30 cm de long.

2. Tassez-les en les maintenant ensemble, de manière à ce que les extrémités d'un côté soient toutes au même niveau.

3. Enroulez un élastique autour des autres extrémités jusqu'à ce que les branches ne puissent plus glisser.

4. Pour dresser le wigwam sur le sable ou sur l'herbe, écartez les extrémités inférieures et disposez-les en cercle.

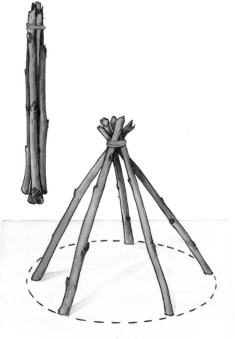

Indiens et chevaux

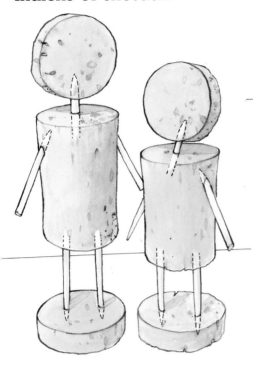

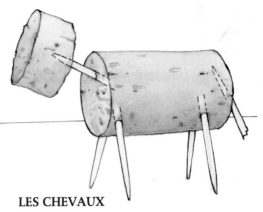

INDIENS ET CHEVAUX

Age :
à partir de 4 ans
Participants :
seul ou en groupe

Matériel :

• des bouchons
• un couteau de cuisine
• des cure-dents
• une planche à découper servant de plan de travail
• une grosse aiguille à repriser

LES CHEVAUX

1. Pour confectionner un cheval, prenez un bouchon entier et un morceau de bouchon d'environ 2 cm de long.

2. Coupez également trois cure-dents en deux parties égales,

3. Enfichez quatre moitiés de cure-dent en biais sur la longueur du bouchon pour former les pattes du cheval.

4. Pour la queue, enfoncez en biais et vers le bas une moitié de cure-dent à l'arrière du bouchon.

5. Une autre moitié de cure-dent, plantée en biais vers le haut à l'avant du bouchon, forme le cou.

6. Piquez-y la rondelle de bouchon pour représenter la tête du cheval.

Si vous souhaitez réaliser un cheval avec son cavalier, celui-ci doit posséder un corps un peu plus petit qu'un Indien debout, et les jambes doivent être enfoncées en biais vers l'extérieur. Fixez le cavalier sur le dos du cheval à l'aide d'un petit morceau de cure-dent.

LES INDIENS

1. Pour fabriquer un Indien, découpez dans un bouchon deux rondelles d'environ 1 cm d'épaisseur.

2. Brisez trois cure-dents en deux parties égales.

3. Piquez l'extrémité non pointue du cure-dent dans le bouchon; pratiquez d'abord un trou avec une grosse aiguille à repriser.

4. Pour les jambes, piquez deux moitiés de cure-dent dans l'extrémité inférieure du bouchon et sur la face plate de la deuxième rondelle de bouchon qui représente les pieds.

5. Pour réaliser les bras, plantez une moitié de cure-dent en biais sur les côtés supérieurs gauche et droit du corps.

Réalisez les enfants indiens de la même manière, si ce n'est que pour le corps, vous utiliserez soit un bouchon plus petit, soit un bouchon plus grand dont vous aurez coupé un morceau.

Voilier et animaux flottants

VOILIER ET ANIMAUX FLOTTANTS

*Age :
à partir de 4 ans
Participants :
seul ou en groupe*

Matériel pour le bateau à voile et le canard :

• un morceau de papier blanc
• un morceau de papier jaune
• des ciseaux
• une règle
• un crayon
• 2 cure-dents
• 2 bouchons
• 2 vis
• du papier-calque
• un couteau de cuisine
• une planche à découper servant de plan de travail

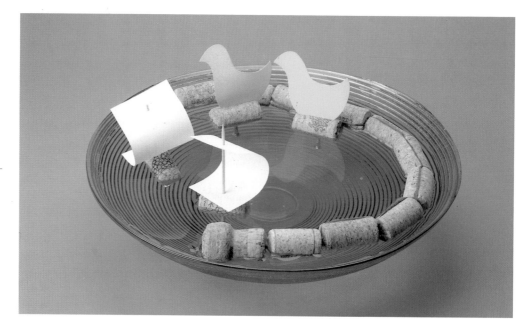

VOILIER

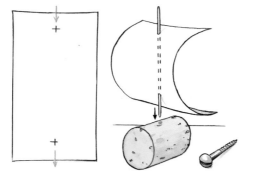

CANARD

1. Pour la voile du bateau, découpez un rectangle de 5 x 9 cm dans du papier blanc.

2. A environ 1 cm de chaque bord étroit, percez, à l'aide d'un cure-dent, un orifice dans le papier que vous hisserez le long du cure-dent de manière à former un arc.

3. Fixez ce mât au milieu du bouchon.

4. Pour empêcher le bateau de chavirer, enfoncez une vis en dessous de la coque, qui servira de quille.

1. Décalquez le canard sur du papier jaune à partir du patron et découpez-le.

2. A l'aide d'un couteau de cuisine, pratiquez une fente d'environ 1 cm de profondeur sur toute la longueur d'un bouchon.

3. Insérez-y le canard jusqu'à la ligne pointillée.

4. Afin qu'il ne culbute pas dans l'eau, enfoncez également une vis sous le bouchon. Elle agira comme un contrepoids si elle est fixée bien droite. Si le canard a malgré tout tendance à se renverser, utilisez une vis plus grosse.

SERPENT DE MER

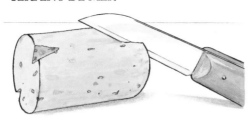

Pour réaliser le corps du serpent de mer, il vous faut entre huit et dix bouchons, et pour la tête, un bouchon de champagne.

1. A l'aide d'un couteau de cuisine, pratiquez quatre entailles, l'une en face de l'autre, dans chaque bouchon.

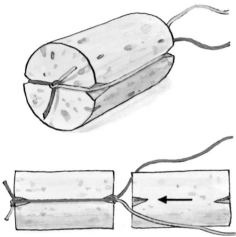

2. Nouez deux longs brins de laine de couleurs différentes à une extrémité et placez-les autour du premier bouchon de manière à ce que le nœud se trouve au milieu d'une des deux faces plates du bouchon. Faites passer les fils dans les entailles de façon à ce qu'ils ne puissent pas glisser.

3. Faites de nouveau un nœud à l'autre extrémité du bouchon.

4. Accolez-y ensuite le deuxième bouchon et placez de nouveau les fils de laine dans les entailles de celui-ci, jusqu'à l'autre extrémité où vous nouez une fois de plus les deux fils.

5. Lorsque tous les bouchons sont ainsi reliés, placez le bouchon de champagne qui représente la tête. Nouez une dernière fois les fils et coupez les brins dépassants.

6. Fixez à la laine un fil de nylon assez long qui servira à guider le serpent de mer. Lorsque vous agitez ce serpent dans l'eau avec ce fil, il semble nager tout seul.

SERPENT DE MER

Matériel :

- 8 à 10 bouchons de bouteilles de vin
- 1 bouchon de champagne
- un couteau de cuisine
- une planche à découper servant de plan de travail
- du fil de laine
- 1 long fil de nylon pour tirer le serpent

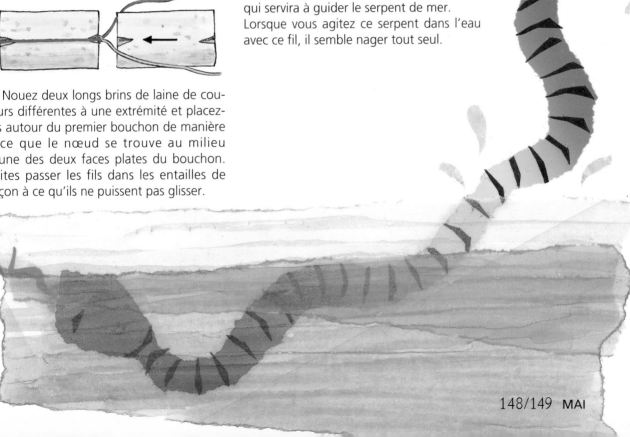

LA FÊTE DE L'ÉTÉ À GUIGNOLVILLE

Age :
acteurs, à partir
de 6 ans
spectateurs,
à partir de 3 ans

Participants :
1 montreur de
marionnettes pour
les actes 1 à 4
1 montreur de
marionnettes
supplémentaire
pour l'acte 5

Matériel
pour le public :

• 1 ballon gonflable
par spectateur
(à offrir)

Personnages :

Guignol
Le gendarme
Margot
Le voleur

Accessoires :

• acte 4 : 1 carton
• acte 5 : 1 carton
• quelques ballons
non gonflés et
quelques ballons à
moitié gonflés
accrochés à une
ficelle
• 1 clou à droite et à
gauche du bord
supérieur de la scène

Décors :

• acte 1 : un rideau
fermé
• acte 2 : un rideau
fermé ou un village
• acte 3 : un village
• acte 4 : la forêt
• acte 5 : un village

Instructions
de jeu :

les principales
instructions
figurent dans le
texte
sous la forme
d'indications
de mise en scène.

THÉÂTRE

La fête de l'été
à Guignolville

Adaptation d'Ursula Lietz

ACTE 1ᴱᴿ

• **Guignol :** Bonjour, les enfants ! Le saviez-vous ? C'est aujourd'hui la fête de l'été chez nous à Guignolville. Tous les habitants y sont invités. Il y aura des concours, des gâteaux, des saucisses. Mais qu'est-ce je raconte ? Je n'ai pas une minute à perdre, car je dois encore décorer toute la place du village avec Margot et Gnafron. En plus, Monsieur Mariolle, notre maire, a commandé une grande caisse pleine de ballons, 1000 ballons de toutes les couleurs. Nous devons encore tous les gonfler et les suspendre. Tout doit être prêt pour deux heures. Au revoir, les enfants, à tout à l'heure ! *(S'en allant :)* Il faut aussi que j'aille voir si Mamie a terminé le gâteau aux fraises.

ACTE 2

• **Le gendarme :** *(Parlant en courant dans tous les sens et gesticulant avec les bras, tellement excité et énervé qu'il parvient à peine à parler)* Aïe, aïe, aïe ! Il ne manquait plus que cela ! Quel toupet ! Notre belle fête qui devait commencer à deux heures. Maintenant tout va sûrement tomber à l'eau !
• **Margot :** *(Arrivant de l'autre côté)* Mais, mais qu'est-ce qui va tomber à l'eau ? Vous êtes bien mal luné pour la fête de l'été !
• **Le gendarme :** La fête de l'été ? Parlons-en !
• **Margot :** Quoi ? Comment ? Je ne comprends pas. Et vous, les enfants ? Mais que se passe-t-il donc ?
• **Le gendarme :** La caisse a disparu !

• **Margot** : Quelle caisse ? Bon, moi, je vous laisse, j'ai rendez-vous avec Guignol et Gnafron sur la place du village, pour la décorer !

• **Le gendarme** : *(Se couvrant le visage avec les mains)* Oh la la la la, mais c'est justement ça !

• **Margot** : *(Perdant patience)* Quoi donc encore ? Je ne comprends pas un mot à ce que vous dites.

• **Le gendarme** : La caisse avec les ballons a disparu ! Elle a été volée ! *(Il s'assied, épuisé et haletant.)*

• **Margot** : Quoi ? Mais c'est affreux ! Qui a bien pu faire une chose pareille ? Il faut que j'aille tout de suite avertir Guignol. Vous, prévenez Monsieur le Maire. *(Ils courent chacun dans des directions opposées et quittent la scène. On entend encore Margot en coulisse)* Comment allons-nous donc faire ?

ACTE 3

• **Guignol** : Que me racontes-tu là ? Une fête de l'été sans ballons ? Impossible !

• **Margot** : Qui peut bien avoir pris cette caisse ? Les enfants, avez-vous une idée ?

• **Guignol** : Voyons, tous les habitants du village sont invités. Ça ne peut donc pas être l'un d'entre eux. Attends, je sais ! C'est Jojo l'affreux, le voleur ! Il est vexé, car personne n'a pensé à l'inviter et il veut se venger. Naturellement ! Je vais de ce pas me rendre chez lui pour voir si j'ai raison. Peut-être pourrais-je encore arranger les choses.

• **Margot** : Penses-tu que cela va servir à quelque chose ? Si c'est vraiment lui qui les a, il ne les rendra sûrement pas spontanément !

• **Guignol** : Tu vas voir ! J'ai une idée. A tout de suite ! *(Il s'en va en faisant un signe d'adieu.)*

• **Margot** : *(S'en allant lentement en hochant la tête).* Quelle histoire ! Et à deux heures, les premiers invités arrivent !

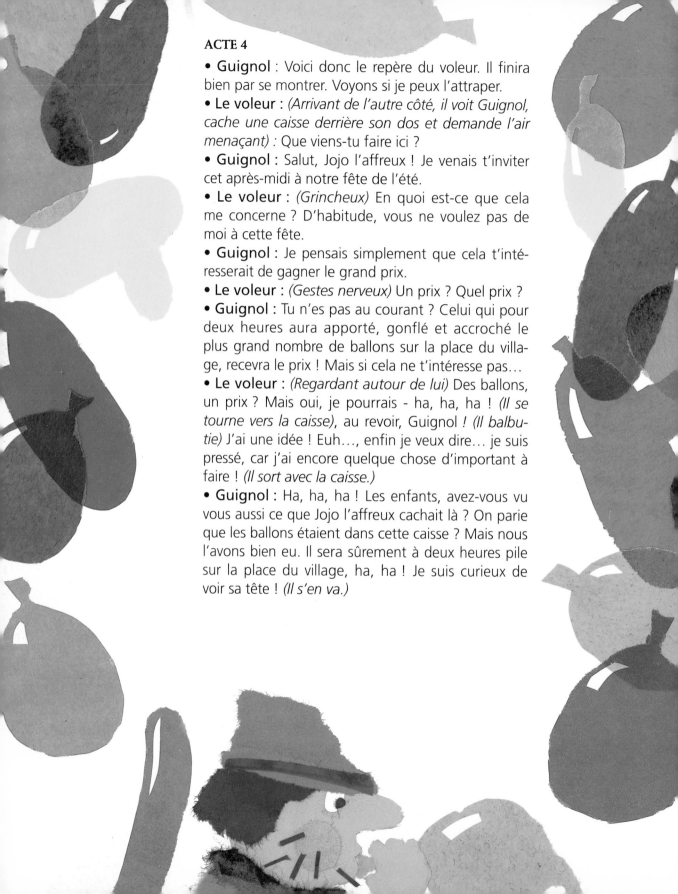

ACTE 4

• **Guignol** : Voici donc le repère du voleur. Il finira bien par se montrer. Voyons si je peux l'attraper.

• **Le voleur** : *(Arrivant de l'autre côté, il voit Guignol, cache une caisse derrière son dos et demande l'air menaçant)* : Que viens-tu faire ici ?

• **Guignol** : Salut, Jojo l'affreux ! Je venais t'inviter cet après-midi à notre fête de l'été.

• **Le voleur** : *(Grincheux)* En quoi est-ce que cela me concerne ? D'habitude, vous ne voulez pas de moi à cette fête.

• **Guignol** : Je pensais simplement que cela t'intéresserait de gagner le grand prix.

• **Le voleur** : *(Gestes nerveux)* Un prix ? Quel prix ?

• **Guignol** : Tu n'es pas au courant ? Celui qui pour deux heures aura apporté, gonflé et accroché le plus grand nombre de ballons sur la place du village, recevra le prix ! Mais si cela ne t'intéresse pas…

• **Le voleur** : *(Regardant autour de lui)* Des ballons, un prix ? Mais oui, je pourrais - ha, ha, ha ! *(Il se tourne vers la caisse)*, au revoir, Guignol *! (Il balbutie)* J'ai une idée ! Euh…, enfin je veux dire… je suis pressé, car j'ai encore quelque chose d'important à faire ! *(Il sort avec la caisse.)*

• **Guignol** : Ha, ha, ha ! Les enfants, avez-vous vu vous aussi ce que Jojo l'affreux cachait là ? On parie que les ballons étaient dans cette caisse ? Mais nous l'avons bien eu. Il sera sûrement à deux heures pile sur la place du village, ha, ha ! Je suis curieux de voir sa tête ! *(Il s'en va.)*

ACTE 5

• **Margot** : Salut, Guignol, tu es déjà de retour ! Sans les ballons ?

• **Guignol** : Ils débarqueront à deux heures.

• **Margot** : Mais ce sera trop tard ! Il faut encore tous les gonfler et les accrocher. Et qui donc va les apporter ?

• **Guignol** : Attends, tu vas avoir une surprise.

• **Margot** : *(Secouant la tête)* Je ne comprends pas.

• **Guignol** : *(Montrant du doigt le voleur qui apparaît sur la scène avec la caisse).* Là, regarde. Voilà les ballons qui arrivent… et même bien à l'avance !

• **Le voleur** : *(Il court jusqu'au centre de la place, dépose la caisse, donne l'impression de gonfler les ballons en se baissant sous la scène et en soufflant. Il est de plus en plus haletant et gémit de plus en plus fort. Finalement, il fixe les ballons, préalablement attachés à une corde, aux deux clous situés au-dessus de la scène)* Voilà, terminé !

• **Guignol** : *(Qui a chuchoté à l'oreille de Margot pendant que le voleur travaillait, se dirige à présent vers lui)* Voilà, maintenant nous savons que c'est toi qui as volé les ballons ! Puisque tu nous as si bien aidés à décorer la place, tu ne seras pas puni et, si tu veux, tu peux même faire la fête avec nous.

• **Le voleur** : Qu'est-ce que cela signifie ? Je ne reçois pas de prix ? Tu m'as donc roulé ! Tu m'as menti et trompé, espèce de vilain gredin ! *(Il s'en va)* Suis-je bête ! Quelle fripouille ! J'aurais dû m'en douter…

• **Guignol** : A présent, tout est rentré dans l'ordre et la fête peut commencer. Voulez-vous faire la fête avec nous, les enfants ? Alors, venez prendre chacun un ballon. Jojo l'affreux en a gonflé suffisamment pour tout le monde. Allons-y !…

En juin commence l'été,
Venez avec nous le fêter.
Les coccinelles se sont faites belles.
Les cerises pendent aux oreilles.
Pas un nuage dans le ciel.
La nature nous appelle.

Juin

Impression à la pomme de terre

IMPRESSION À LA POMME DE TERRE

LA COCCINELLE

Age :
à partir de 5 ans
Participants :
seul ou à deux

Matériel :

• des pommes
de terre
• un couteau
de cuisine
• un pinceau

Pour les cartes ou
pour les rubans :

• de la gouache
rouge
• un feutre noir
• du fin carton blanc
• des ciseaux

Pour les tee-shirts :

• de la couleur
rouge pour tissu
• un feutre noir
pour tissu
• des chiffons blancs
• une feuille
de papier
• des tee-shirts
blancs

LA COCCINELLE

Les coccinelles apparaissent… et pas seulement dans l'herbe. A vous maintenant d'en imprimer sur des cartes, des rubans et des tee-shirts amusants.

LES CARTES

1. Prenez une pomme de terre ovale, la plus symétrique possible, et coupez-la en deux dans le sens de la longueur.
2. Avec un gros pinceau, étalez uniformément la gouache rouge sur la surface de l'un des deux morceaux
3. Pressez l'ovale sur du fin carton blanc.
4. Enduisez la pomme de terre avant chaque nouvelle impression.
5. Lorsque la couleur est bien sèche, tracez avec un feutre noir une ligne courbe pour la tête et une verticale pour représenter la séparation des ailes.

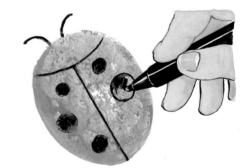

6. Dessinez en outre deux petites antennes ainsi que deux ou trois points sur chacune des ailes.
7. Découpez les coccinelles terminées pour en faire des cartes à envoyer ou des cartons de table.

RUBANS

Il est également très simple d'imprimer un large ruban en tissu. A cet effet, utilisez soit une toute petite pomme de terre, soit le bout d'une plus grosse.

Vous pouvez employer le ruban imprimé pour un paquet cadeau, mais aussi comme nœud à mettre dans les cheveux ou comme collier pour un animal en peluche ou une poupée.

Le ruban ne pourra cependant être lavé que si vous avez utilisé pour le confectionner de la peinture pour textile.

TEE-SHIRTS

Vous avez besoin de tee-shirts blancs – ils ne doivent pas être neufs – que vous imprimerez à l'aide de peinture rouge pour tissu. Celle-ci se travaille de la même façon que la gouache. Vous aurez juste à la repasser, une fois séchée, afin qu'elle ne se délave pas par la suite. Mais de toute façon, lisez auparavant le mode d'emploi qui figure sur l'emballage.

Etant donné que le tissu n'absorbe pas la peinture de la même manière que le papier, vous devez impérativement faire un essai sur un chiffon blanc.

Vous ne commencerez à imprimer le tee-shirt qu'une fois satisfait du résultat obtenu.

1. Posez le tee-shirt à plat sur votre plan de travail.

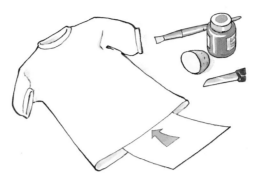

2. Glissez une feuille de papier sous les endroits à imprimer afin d'éviter que le dos du vêtement n'absorbe également de la peinture.

3. Vous pouvez aligner les coccinelles ou les disposer à votre guise sur le tee-shirt.

L'effet sera particulièrement réussi si vous imprimez avec une petite et une grosse pomme de terre, car vous obtiendrez ainsi toute une famille de coccinelles.

4. Enlevez ensuite prudemment la feuille de papier et suspendez le tee-shirt.

5. Attendez que la peinture soit vraiment tout à fait sèche avant de dessiner les points et les lignes avec le feutre pour tissu. Pour ce faire, appuyez très légèrement afin de ne pas faire bouger le tissu et insérez également une feuille de papier entre les deux parties du vêtement pour ne pas tacher le dos.

FARCE

Cartes postales truquées

CARTES POSTALES TRUQUÉES

Age :
à partir de 5 ans
Participants :
seul ou à deux

Matériel :

• une carte postale
• des ciseaux

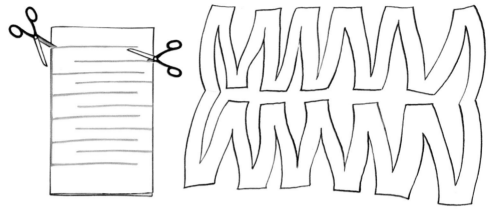

Pour épater vos amis avec un truc magique, munissez-vous d'une carte postale et de ciseaux et notez bien la manière de découper.

1. Montrez la carte postale et affirmez que vous pouvez passer la tête au travers. Ceux qui ne connaissent pas ce truc ne vous croiront pas.

2. Pliez maintenant la carte en deux et découpez-la comme indiqué ci-dessus.

3. En la dépliant doucement, vous obtenez une bande continue en zigzag, dans laquelle même la plus grosse des têtes pourrait passer !

LA PETITE VALISE

Age :
à partir de 4 ans
Participants :
seul, face à de nombreux spectateurs

Matériel :

• une petite valise

La petite valise

Même le plus jeune des comédiens peut jouer la pièce de théâtre la plus courte du monde.
Vous avez juste besoin, pour ce solo, d'une petite valise.

L'enfant "entre en scène" la valise à la main, la dépose, s'incline et commence :
"La petite valise. Interprété par … (Nom de l'enfant).
La petite valise … euh … La …".
L'enfant fait semblant d'avoir oublié son texte et semble très ennuyé. Mais soudain, il devient rayonnant, ramasse la valise et dit :
"La petite valise. Emportée par … (Nom)" et s'en va, tout simplement.

JEU

C'est vert

*A la queue leu leu
Mon petit chat est bleu.
S'il est bleu
Tant mieux;
S'il est gris,
Tant pis !
Quelle couleur a-t-il ¿
— Vert
— As-tu du vert sur toi ¿
— Si tu en as, montre-le-moi !*

Le maître du jeu chante la comptine et pose la question à l'un des participants. Si celui-ci porte la couleur demandée, il continue à faire partie de la farandole. S'il n'a aucun habit ou accessoire de ladite couleur, il doit faire un gage.

C'EST VERT !
*Age :
à partir de 3 ans
Participants :
à partir de 3*

BRICOLAGE

Le kamishibaï

LE KAMISHIBAÏ
Age :
à partir de 2 ans
Participants :
à partir de 3 ou en
groupe

Matériel :

• 5 à 10 feuilles de
papier de taille
identique
• des crayons de
couleur
• du ruban adhésif
transparent
• du bristol
• un coupe-papier
• une règle
• des ciseaux
• un carton

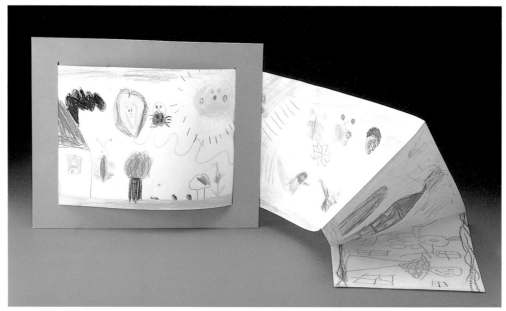

Peut-être rentrez-vous d'une visite au zoo ou d'une excursion et avez-vous envie de peindre vos impressions ?

Afin de pouvoir par la suite enchaîner facilement vos images – environ 5 à 10 – en "film", dessinez-les sur des feuilles de la même taille dans le sens de la longueur.

1. Alignez deux images dans le sens de la longueur. Déposez sur chacune d'entre elles un objet lourd afin qu'elles ne glissent pas, puis fixez-les l'une à l'autre par une large bande de ruban adhésif, dont vous rabattrez les extrémités au dos des feuilles. Fixez de la même manière les autres images aux deux premières.

2. Confectionnez à présent l'écran. Placez à cet effet une feuille de papier au dos du bristol en ménageant un espace de 4 à 5 cm sur les bords gauche et inférieur de celui-ci.

Mesurez la même distance sur les côtés supérieur et droit du bristol et marquez-les de traits de crayon. Indiquez également sur le carton les quatre coins de la feuille.

3. Otez la feuille du carton et commencez par relier à la règle les repères extérieurs, puis intérieurs, de façon à obtenir deux rectangles. Découpez ensuite le plus grand des deux.

4. Tracez une ligne parallèle aux petits côtés du rectangle intérieur, à une distance de 3 mm de celui-ci.
Découpez ensuite prudemment, aux ciseaux ou au cutter, les quatre lignes verticales de manière à créer deux fines bandes. Ouvrez-les ensuite avec la pointe des ciseaux et vous obtiendrez ainsi deux fentes.

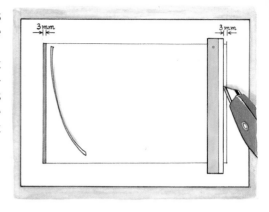

5. Lorsque vous faites passer votre série d'images par l'arrière dans la fente de droite, puis par l'avant dans celle de gauche, vous pouvez les tirer sur toute leur longueur à travers l'écran et ainsi regarder votre propre programme pour enfants.

6. Afin que l'écran tienne mieux, fixez-le avec du ruban adhésif sur un carton ou sur une surface lisse, par exemple une armoire.

Qu'est-ce que c'est ?

On la voit toujours lorsque le soleil brille.
A midi, elle est petite et courte.
Elle grandit au coucher du soleil
Et s'allonge alors presque autant qu'un
arbre.

(Une ombre)

Je connais une maison multicolore,
Un animal avec des cornes y regarde au
dehors.
Il emporte à chaque occasion
Sur le dos sa petite maison.
Si toutefois ses cornes l'on effleure,
Il se referme comme une petite fleur.
Quel est cet animal étrange
que sa lourde maison ne dérange ?

(Un limaçon)

POÈME

Il était une fois

Il était une fois
Une marchande de foie
Qui vendait du foie
Dans la ville de Foix
Elle se dit : ma foi
C'est la dernière fois
Que je vends du foie
Dans la ville de Foix.

A répéter à qui mieux mieux !

JEUS

Lancer de balle

LANCER DE BALLE

Age :
Confection, à partir
de 4 ans
Jeu, à partir de
3 mois
Participants :
à partir de 4

Matériel
pour une balle :

• un reste de pelote
de laine
• une chaussette
usée (bas)
• de la ficelle
• des ciseaux
• des seaux ou
autres récipients en
plastique de 3 tailles
différentes
• six boîtes de
conserve vides et
propres

Vos balles ne seront certes pas très rondes, mais elles seront si molles que même les tout-petits pourront jouer avec elles. Pour les enfants un peu plus grands, elles conviendront particulièrement bien pour viser une cible.

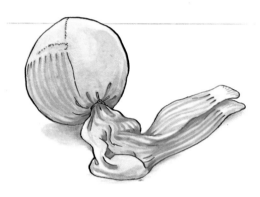

1. Fourrez un reste de pelote de laine dans une chaussette que vous lierez ensuite avec un fil. Coupez ce qui reste de la chaussette.

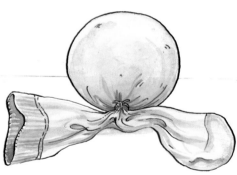

2. Si vous utilisez un bas nylon, vous pouvez lier la pelote où vous le désirez, car le nylon est très extensible.

LE JEU DES SEAUX

Pour ce jeu, alignez les seaux (ou récipients) l'un à côté de l'autre. Si vous disposez uniquement de récipients de la même taille, placez-les l'un derrière l'autre.
Tracez une ligne à environ 1 mètre des cibles. A partir de celle-ci, chaque joueur essaie, pour commencer, de lancer la balle dans le seau le plus grand (ou le plus proche), puis dans celui du milieu et enfin dans le plus petit (ou le plus éloigné).
Si un enfant rate son tir, la main passe au joueur suivant. Le premier à avoir atteint tous les seaux a gagné. Les autres continuent à jouer pour les deuxième, troisième et quatrième places.

TIR AUX BOÎTES

Ce jeu peut uniquement se dérouler en plein air, car à l'intérieur les bibelots de maman risqueraient de souffrir !
Disposez les boîtes de conserve en forme de pyramide au bout d'une table : une rangée de trois boîtes aiignées, surmontée d'une de deux, et enfin d'une seule boîte pour terminer.
Vous avez besoin de trois balles, car chaque joueur a le droit de tenter trois fois de suite de renverser toutes les boîtes.
Ici aussi, les autres continuent à jouer pour les deuxième, troisième et quatrième places.

Course d'animaux

Les animaux se déplacent de différentes manières : un chien court à quatre pattes, un cheval galope ou trotte. Une grenouille avance à grands bonds, et certains oiseaux sautillent sur leurs deux petites pattes, tandis qu'une cigogne, en revanche, marche à grandes enjambées dans l'herbe et se tient parfois sur une seule patte. Quant au crabe, il se déplace exclusivement de travers.

Essayez donc d'imiter ces mouvements :

Avancez – comme un chien – à quatre pattes.

A deux, imitez un cheval. Un enfant – qui représente la tête et les pattes antérieures – marche en se tenant droit, et l'autre se plie derrière le premier pour former le dos et les pattes postérieures.

Accroupissez-vous et sautez comme une grenouille.

Debout, les jambes serrées, imitez les sautillements d'un oiseau ou progressez à grands pas comme une cigogne.

Accroupi, allez de travers comme un crabe.

Rampez comme un ver.

Après avoir essayé toutes les façons de marcher, déterminez une ligne de départ et d'arrivée pour la "course" et un animal à imiter : tous des grenouilles ? A vos marques !

COURSE D'ANIMAUX
Age :
à partir de 3 ans
Participants :
de 2 à 4

Le temps des fruits rouges

La période des fraises touche à sa fin, les framboises et groseilles mûrissent et quelques cerisiers portent déjà leurs premiers fruits.

Préparez de savoureuses pâtisseries avec tous ces fruits.

PRÉPARATION DES FRUITS

Lavez tous les fruits avec leur queue, sinon ils perdraient trop de jus. Mettez-les dans une passoire et passez-les sous l'eau. Ensuite, laissez-les égoutter sur un plat ou au-dessus de l'évier.

Pour les fraises et les framboises, enlevez juste la queue et les petites feuilles qui l'entourent.

Tenez les groseilles au-dessus d'un plat et détachez-les à l'aide d'une fourchette, comme si vous les "peigniez".

Arrachez la queue des cerises. Cette opération laissera un petit trou. Placez les cerises, ce côté vers le bas, sur la partie ronde d'un dénoyauteur, et enfoncez la pointe. Vous extrairez ainsi le noyau.

PETITS GÂTEAUX AUX FRUITS

Prenez des petits fonds de tarte tout prêts en pâte feuilletée que vous garnissez de différentes sortes de fruits rouges.

1. Le mieux est de commencer par l'extérieur. Disposez par exemple une rangée de cerises, une rangée de framboises et au centre une fraise ou un petit tas de groseilles. Tout dépend bien évidemment des fruits que vous utilisez.

2. Pour couvrir le gâteau, préparez un nappage.

La poudre, rouge ou blanche, se vend en petits sachets. Utilisez, pour vos tartelettes aux fruits rouges, du nappage rouge et préparez-le en suivant les indications figurant sur l'emballage.

Lorsque le nappage est prêt, laissez-le refroidir quelques minutes à part. Afin de bien le répartir sur vos tartelettes, versez-le goutte à goutte en partant du centre. Vous devez maintenant attendre que le nappage se soit solidifié.

Servez alors vos tartelettes avec ou sans crème fouettée en fonction du goût de vos invités.

LE TEMPS DES FRUITS ROUGES

Age :
à partir de 4 ans
Participants :
à partir de 2

PETITS GÂTEAUX AUX FRUITS

Ingrédients :

• une ou deux petites tartelettes en pâte feuilletée par personne
• différentes sortes de fruits, rouges et autres
• du glaçage rouge pour tarte
• de la crème fouettée
• deux cuillers à soupe de sucre

Ustensiles :

• une cuiller
• une mesure graduée
• une casserole contenant de l'eau

COMPOTE DE FRUITS ROUGES AU GRUAU

Ingrédients pour 4 à 6 personnes :

• 1 kg de fruits rouges mélangés et lavés (également des cerises)
• 1 tasse de sucre
• 2 cuillers à soupe rases de fécule
• 1/2 l d'eau
• une tasse de fruits rouges
• du lait froid ou de la crème fraîche liquide

Ustensiles :

• une casserole
• une cuiller en bois
• un grand plat ou 4 à 6 raviers

COMPOTE DE FRUITS ROUGES AU GRUAU

1. Mettez les fruits, l'eau et le sucre dans une casserole .

2. Portez le tout à ébullition sur feu vif. Il est indispensable de mélanger de temps à autre. Mettez ensuite la casserole de côté.

3. Mélangez la fécule avec de l'eau jusqu'à obtention d'une masse homogène.

4. Versez celle-ci dans la casserole avec les fruits cuits, mélangez énergiquement.

5. Portez de nouveau à ébullition.

6. Retirez ensuite la casserole du feu.

7. Ajoutez le reste de fruits frais à la compote.

8. Remplissez-en de petits raviers ou un grand plat et laissez refroidir.

Vous pouvez, suivant vos goûts, accompagner la compote de lait froid ou de crème fraîche liquide.

CONFITURE DE FRUITS ROUGES

Vous pouvez préparer de la confiture comme surprise pour un petit déjeuner de dimanche. L'opération sera très facile si vous travaillez avec de petites quantités.

1. Mélangez les fruits (coupez les fraises en petits morceaux) dans une casserole avec le sucre gélifiant.

2. Portez ensuite le tout à ébullition et mélangez de temps en temps.

3. Lorsque les premiers bouillons apparaissent, réglez la minuterie sur quatre minutes, continuez à mélanger vigoureusement.

4. Retirez ensuite la casserole du feu.

5. A l'aide d'une petite louche à bec, versez la confiture encore chaude dans un bocal à couvercle à visser ou dans un pot à couvercle et laissez refroidir.

CONFITURE DE FRUITS ROUGES

Ingrédients :

• 250 g de fruits rouges
• 250 g de sucre gélifiant

Ustensiles :

• une casserole
• une cuiller en bois
• une minuterie
• une petite louche à bec
• un bocal avec couvercle à visser

Culture de boutures

CULTURE DE BOUTURES

Age :
à partir de 5 ans
Participants :
seul ou en groupe

Matériel :

• un verre
• des ciseaux ou
1 couteau de cuisine
bien aiguisé
• un pot de fleurs
avec du terreau

Vous pouvez facilement, à partir de nombreux arbustes à fleurs ou même de buissons, réaliser des boutures que vous repiquerez ensuite dans des pots ou directement en pleine terre. Le fuchsia ou le géranium, par exemple, conviennent parfaitement à cette opération. Mais attention : cette technique ne donne pas des résultats avec toutes les plantes en phase de floraison.

2. Vous devez maintenant attendre plusieurs jours, voire une semaine et parfois même plus longtemps. Pendant ce temps, vous observerez la façon dont se forment peu à peu un nombre croissant de petites racines blanches.

N'oubliez surtout pas de remplacer l'eau régulièrement.

Vous pouvez également prélever des boutures de buissons. Lorsque vous coupez une petite branche, veillez bien à ce qu'elle ne soit pas ligneuse, mais encore verte. Vous pouvez alors la placer dans l'eau tout comme les autres boutures afin de permettre à ses racines de pousser.

1. La plante dont vous voulez prélever une bouture doit elle-même être robuste. Coupez une branche latérale en oblique sous la base d'une feuille. Placez celle-ci dans un verre contenant de l'eau.

3. Lorsque vos "bébés plantes" ont développé un faisceau de racines, placez chaque bouture dans un petit pot de fleurs que vous remplirez à moitié de terre. Placez la plante au centre, de manière à ce que la naissance des racines se trouve à environ deux doigts de largeur sous le bord du pot.

Ajoutez ensuite suffisamment de terre pour que celle-ci parvienne à environ 1 cm du bord et pressez-la doucement tout autour du végétal.

Si vous remplissiez entièrement le pot de terre, l'eau d'arrosage déborderait.

4. Arrosez bien la bouture repiquée dont vous avez placé le pot sur une soucoupe. Elle ne doit en aucun cas se trouver en plein soleil durant les premiers jours, car la plante n'est pas encore capable de supporter la chaleur de ses rayons. Ses feuilles pendraient alors tristement.

Vous pourrez uniquement l'exposer au soleil lorsque vous aurez constaté la formation de nouvelles feuilles.

Vous pouvez également, si vous avez un parterre, y trouver une place pour vos boutures, mais elles devront alors être déjà un peu plus grandes.

JEU

Labyrinthe

LABYRINTHE

Age :
à partir de 3 ans
Participants :
à partir de 3

Matériel :

• du papier
• du papier-calque
• un crayon
• des petits bâtons
en bois
• des pierres
• des coquillages
• un bouchon
• de la ficelle

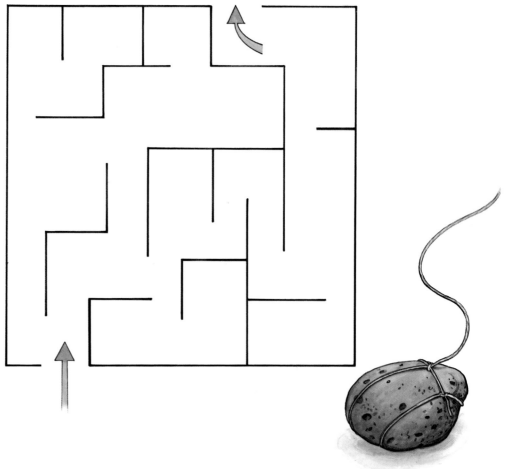

Vous connaissez certainement le labyrinthe en tant que casse-tête. Mais vous n'avez probablement encore jamais été confronté à un labyrinthe plus grand, fait de barrières ou de parois en bois.
Vous pouvez en construire un et organiser une course avec vos amis.

1. Tout d'abord, décalquez le dessin sur une feuille de papier et prenez-le pour aller dehors.
La taille du labyrinthe dépendra de l'endroit où vous voulez l'installer et de la quantité de matériel rassemblé pour ses "murs" : des branches trouvées sur le sol, des graminées et des petites pierres ou, si vous êtes à la plage, des coquillages.

2. Délimitez ensuite un carré. Vous pouvez le mesurer par un même nombre de pas des quatre côtés. Indiquez les quatre coins avec des pierres ou des coquillages, puis fermez le périmètre.

3. Construisez ensuite le labyrinthe de l'extérieur vers l'intérieur. Les allées doivent être suffisamment longues et larges pour que vous puissiez les parcourir à l'aise, sans vous heurter à un "mur" à chaque pas.

Le labyrinthe peut être un peu tordu ou de travers, ce n'est pas grave. L'important est que les allées soient bien délimitées et qu'il n'y ait pas d'ouvertures que l'on pourrait confondre avec une issue. Une fois le labyrinthe terminé, faites un essai pour voir si tout fonctionne bien.

4. Attachez ensuite un bouchon (il peut également s'agir d'une pierre ou d'un coquillage) à une ficelle : c'est votre souris, que vous tirerez derrière vous dans les allées, afin d'atteindre – si possible sans détour – le "fromage" avec elle. Celui-ci peut être une petite surprise que chaque enfant pourra emporter chez lui ou manger à l'arrivée.

5. Pour rendre la recherche du fromage un peu plus passionnante, les enfants spectateurs peuvent compter à haute voix le temps que mettra chaque joueur pour trouver son chemin dans le labyrinthe. Le premier arrivé sera "la souris la plus rapide du jour".

JEUS

Jeux avec une corde

Vous pouvez acheter une corde solide au mètre dans une quincaillerie, dans un magasin de bricolage ou dans une boutique d'accessoires pour bateaux.

JEUX AVEC UNE CORDE
Age :
à partir de 5 ans
Participants :
à partir de 3

Matériel :

• une corde : environ 3 m de long

BALANÇOIRE DE SINGE

Si vous vous trouvez dans les bois, dans un parc ou au jardin, cherchez, pour votre balançoire de singe, une grosse branche accessible et lancez sur celle-ci une extrémité de la corde. Amenez ensuite les deux morceaux de celle-ci à la même longueur et nouez-les l'un avec l'autre.
Faites vérifier votre montage par un adulte. Vous pouvez maintenant jouer les petits singes en vous balançant ou en grimpant à la corde.

Jeux avec une corde

SAUT À LA CORDE

Pour que ce jeu soit très amusant, trois enfants ou plus doivent y participer. Cependant, il est possible d'y jouer à deux seulement en nouant quelque part une extrémité de la corde, à environ 1 m de hauteur.

Deux enfants tiennent chacun un bout de la corde et la font tourner en un grand arc de cercle. Les autres participants essaient de passer au travers en courant, sans la freiner. Le joueur qui rate son coup remplace l'un des deux enfants qui tiennent la corde. Vous pouvez également sauter dans le cercle décrit par la corde : chaque fois que la corde arrive près de vos pieds, sautez au-dessus. Et pourquoi ne pas sauter sur une jambe ou tour à tour sur une jambe puis sur les deux. Les enfants qui tiennent la corde accéléreront le rythme progressivement. Et de nouveau : celui qui échoue tient la corde.

CERCLES À LA CORDE

Ce jeu nécessite beaucoup plus de place, car vous faites tourner la corde en cercle au ras du sol. A cet effet, un enfant tient une extrémité de la corde et tourne sur lui-même. Les autres enfants courent en sens inverse dans le cercle ainsi couvert par la corde et sautent au-dessus de celle-ci à chaque tour. L'enfant au centre tourne de plus en plus vite et lève la corde un peu plus à chaque fois. Lorsque l'enfant qui saute échoue, il tient la corde à son tour.

TIR À LA CORDE

Pour ce jeu, il est préférable de se rendre dans un pré, car les enfants qui tombent à la fin se feront moins mal au "derrière" en atterrissant dans l'herbe. Le tir à la corde ne peut se dérouler dans le sable, car les pieds n'y ont pas suffisamment d'appui. Formez deux groupes comprenant le même nombre de participants et veillez à ce que les enfants plus forts et plus faibles soient équitablement répartis entre les deux équipes.

Chaque groupe attrape un bout de la corde et, au signal de départ, tire de toutes ses forces. Le jeu se poursuit ainsi jusqu'à ce qu'une des deux équipes tombe à la renverse.

SAUT EN HAUTEUR

Ce jeu nécessite un grand bac à sable possédant un bord aussi bas que possible. Deux enfants se placent devant celui-ci et tendent la corde sans la serrer trop fort dans la main.

Commencez par tenir la corde à hauteur des genoux et relevez-la de 5 à 10 cm à chaque nouveau saut.

Le joueur qui rate son saut est éliminé. Les deux enfants qui ont sauté le plus haut tiennent la corde au tour suivant.

Eventails

ÉVENTAILS

Age :
à partir de 4 ans
Participants :
seul ou en groupe

Matériel
pour un éventail :

- une feuille de papier cadeau de couleur, blanc, peint ou multicolore : environ 30-35 x 40-45 cm
- une grande assiette
- un crayon
- des ciseaux
- de la colle
- un brin de laine
- du ruban adhésif

Pendant les chaudes journées d'été, vous pouvez vous rafraîchir en utilisant un éventail que vous aurez vous-même fabriqué.

1. Prenez le rectangle de papier. Il ne doit pas être plus épais qu'une feuille de papier machine, car il serait alors trop difficile à plier par la suite.

2. Posez une grande assiette sur la feuille, face plate vers le bas, comme le montre le dessin. Tracez ensuite un quart de cercle le long du bord de l'assiette et recommencez l'opération sur le coin opposé. Vous obtenez ainsi un arc de cercle symétrique.

3. Eliminez aux ciseaux le bord de papier situé à l'extérieur du demi-cercle.

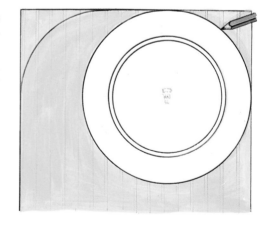

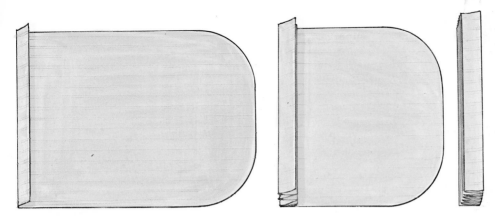

4. Pliez maintenant le papier en accordéon vers l'arrière, à chaque fois sur 1,5 à 2 cm de largeur, alternativement sur le recto et le verso, jusqu'à ce que toute la feuille soit pliée.

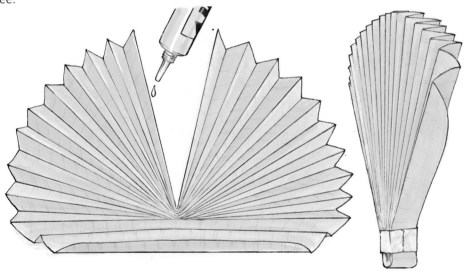

5. Vous obtenez alors une espèce de baguette en papier que vous pliez ensuite en deux, de façon que les quarts de cercle se trouvent à l'extérieur et que les côtés rectilignes se ferment correctement en haut au centre. Collez les deux plis qui se touchent. Vous constatez qu'un trou s'est formé en bas du pli. Passez-y un double fil de laine que vous nouez. Vous pouvez alors, grâce à ce fil, suspendre l'éventail et en faire ainsi une décoration d'intérieur.

6. Pour créer une poignée à la base de l'éventail, pressez les deux moitiés de papier l'une contre l'autre et fixez-les par du ruban adhésif transparent (deux tours).

BRICOLAGE
Animaux visières

Lorsque vous êtes ébloui par le soleil, vous protégez bien souvent vos yeux de la main. Il serait bien plus pratique de porter un animal visière comme celui que vous allez maintenant confectionner.

ANIMAUX VISIÈRES

Age :
à partir de 5 ans
Participants :
seul ou en groupe

Matériel :

• du fin carton de couleur
• du papier-calque
• un crayon
• des ciseaux
• du papier coloré ou des crayons de couleur
• un feutre
• une grosse aiguille
• de l'élastique à chapeau

1. Décalquez le contour sur le carton à partir du patron et découpez-le.
2. A l'aide d'un feutre noir, dessinez un amusant visage d'animal sur la tête et le corps sur la visière.
3. Décorez-la ensuite avec des chutes de papier de couleur ou peignez-la.

4. Pliez la tête au niveau du cou de manière à ce que le visage soit vertical lorsque vous porterez la visière.

5. Avec une grosse aiguille, percez un trou dans chaque repère. Coupez ensuite un morceau d'élastique à chapeau à la bonne longueur, enfilez-le dans les trous et nouez-en les extrémités en dessous de la visière.

PEINTURE
Tableaux en relief

**TABLEAUX
EN RELIEF**
*Age :
à partir de 3 ans
Participants :
seul ou en groupe*

Matériel :

• du papier
de couleur
• une feuille
de papier blanc
• de la colle

En juin aussi, il arrive qu'il pleuve. Ces jours-là, mieux vaut rester chez vous pour bricoler ou peindre plutôt que de jouer dehors. Même les tout-petits peuvent réaliser les tableaux de boulettes multicolores. Vous avez besoin de chutes de papier aussi fin que possible ou de pages colorées de magazines illustrés, que vous déchirerez en petits morceaux. Chiffonnez-les pour former de petites billes. Prenez ensuite une feuille de papier blanc, enduisez les petites boules d'un peu de colle et disposez-les de façon à représenter un motif. Vous pouvez créer vos propres dessins et réaliser par exemple un animal ou une fleur, ou tout simplement un fouillis bariolé de boulettes de papier pour lequel vous laisserez libre cours à votre imagination.

Mahommed et Lalo

Il était une fois un bédouin nommé Mahommed qui, depuis sa jeunesse, cheminait dans le désert d'oasis en oasis.

Depuis des années et des années, Lalo, son chameau, était son fidèle compagnon de route.

Ne rechignant jamais, portant et supportant son maître avec docilité, la bête était bien soignée par Mahommed. Il lui donnait à manger quand il le fallait et l'abreuvait dès qu'il le pouvait.

Il s'arrêtait de temps en temps pour que l'animal puisse se reposer, le brossait et le caressait.

Leur entente était la meilleure du monde et tout entre eux n'était que bonheur. Mahommed parlait de tout à Lalo et Lalo montrait à Mahommed mille recoins non visités encore.

Mais un jour, Lalo vit passer une gazelle. Et comme son maître se reposait à l'ombre, le chameau commença à converser avec la belle dame.

— Bonjour, demoiselle, que faites-vous par ici ?

— Cher monsieur, je me promène.

— Et où se trouve votre maître ?

— Ah, mon pauvre ami, moi, je n'ai pas de maître. Je suis libre de faire ce que je veux quand je veux. Je ne suis pas l'esclave d'un voyageur ! Vous devriez faire comme moi, d'ailleurs. La vie serait mille fois plus belle.

Lalo n'avait jamais songé à quitter son maître, mais la gazelle tout à coup lui faisait miroiter une autre vie, plus belle sans doute, et il répondit :

— Vous avez sans doute raison, il est temps que je trace mon propre chemin.

Non loin de là, Mahommed avait tout entendu. Le cœur brisé, il décida de parler à Lalo.

— Tu m'as beaucoup aidé. Et nous avons cheminé de belles heures ensemble. Mais si tu veux partir, je ne te retiendrai pas. Va. Je chercherai un autre compagnon de route.

Le chameau partit donc tout seul, un peu de regret au cœur mais surtout beaucoup d'espoir en tête. Enfin il allait pouvoir faire les mille et une choses dont il avait envie. Les premiers jours furent heureux, il fit la grasse matinée, se promena sans but précis au gré de son envie.

Mais après une semaine, il se demanda : Où vais-je aller ? A qui vais-je faire partager mes découvertes ? Qui va me brosser ? A quoi vais-je servir ?

De son côté, Mahommed n'avait pas encore trouvé bête à dresser. Il se morfondait, regrettant sans cesse son ancien ami. Il attendit la vente annuelle de chameaux qui devait avoir lieu deux jours plus tard sur la place du village de Bekamir.

Ayant pris connaissance des projets du bédouin, la gazelle eut pitié du chameau et lui conseilla de se rendre au marché.

— Si Mahommed est aussi brave que tu le dis, il te reconnaîtra parmi tous les autres chameaux et te reprendra. S'il est ingrat, il t'abandonnera comme tu l'as abandonné. Laisse le destin décider.

Lalo se hâta et arriva juste à temps pour la vente aux enchères.

Mahommed crut voir un mirage devant lui. La fatigue lui faisait-elle perdre la tête ?

Mais quand Lalo vint lui lécher le visage, il sut qu'une telle amitié n'était pas un rêve…

La gazelle commença alors à douter des bienfaits de la solitude.

BRICOLAGE

Visage aux mille nez

**VISAGE
AU MILLE NEZ**
*Age :
à partir de 5 ans
Participants :
seul ou à deux*

Matériel :

- du papier-calque
- un crayon
- du fin carton blanc
format carte postale
- un feutre noir
- une fine chaînette :
6 cm de long
(magasin de bricolage)
- une aiguille
- du fil

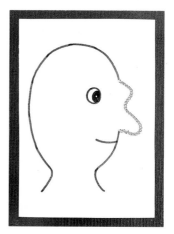

Un petit jeu de créativité sans fin.
1. A partir du patron, décalquez le visage sans nez sur un carton et repassez les lignes avec un feutre noir.

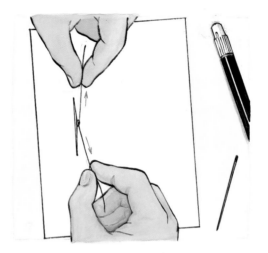

2. Dans chaque repère, percez un petit orifice avec l'aiguille. Faites ensuite passer l'aiguille et le fil par le dessous dans le premier trou, puis dans le premier maillon de la chaînette et repassez dans le même trou. Passez alors, toujours à partir du dessous, dans le deuxième trou, puis dans le dernier maillon et repassez l'aiguille par le second trou.

3. Enfin, nouez ensemble les deux extrémités du fil au dos du visage aux mille nez. Voilà, c'est prêt !
Si vous tenez ensuite le visage au mille nez horizontalement et le secouez doucement, ou si vous faites bouger la chaîne avec les doigts, vous pourrez ainsi former de nombreux nez amusants.

Juillet

Juillet, c'est le temps des vacances.
Quelle chance !
Les uns partent à la campagne.
Les autres vont à la montagne.
Vite, vite, faisons nos bagages.
Vive les voyages !

Tous mes petits doigts

TOUS MES PETITS DOIGTS
Age :
à partir de 3 ans

Un petit cochon
qui franchit le perron.
Un vilain taureau
qui plonge dans l'eau
Une grosse vache
qui a des moustaches
Un petit mouton
qui fait des bonds
Un vieux mouflon
qui monte au plafond.

Les jeux de doigts peuvent être recommencés indéfiniment pour la plus grande joie des petits.
Le pouce touche le menton. L'index entre dans la bouche. Le majeur montre les moustaches. L'annulaire frotte le bout du nez. Et le petit doigt pointe le front.

Il est même amusant de peindre les doigts en y mettant des yeux, un groin, un langue, etc.

Pigeon vole

Le meneur de jeu crie : "Pigeon vole".
Les joueurs doivent alors lever les bras car
cette affirmation est exacte.
Mais s'il dit : "Table vole", les enfants doivent rester sans bouger.
Pas si facile quand les mots proposés se succèdent à une vitesse d'enfer !

PIGEON VOLE
Age :
à partir de 5 ans

JEU

La vache
fait meuh !

Ce jeu amusant peut se dérouler soit au
grand air, soit à l'intérieur de la maison.
Le meneur de jeu chuchote un nom d'animal à l'oreille de chaque enfant. Mais en
fait, deux ou trois joueurs, suivant la taille
du groupe, recevront le même nom d'animal et le garderont secret.

Au signal du meneur de jeu, tous les participants se déplacent au travers de la pièce (ou
à l'extérieur) en imitant à haute voix le cri de
leur animal, afin de trouver leurs congénères.
Lorsque des enfants ont réussi, ils se prennent par la main et continuent à chercher.
Le jeu se poursuit jusqu'à ce que plus aucun
participant ne soit seul.
Pour compliquer le jeu, il est possible de
bander les yeux des enfants ou, simplement, de leur demander de les fermer.

**LA VACHE
FAIT MEUH !**
Age :
à partir de 3 ans
Participants :
*à partir de 6, mais
ce jeu convient aussi
à un groupe plus
important*

Animaux en bouchons

ANIMAUX EN BOUCHONS

TECKEL
Age :
à partir de 5 ans
Participants :
seul ou en groupe

Matériel
pour un animal :

• deux bouchons
• un couteau
de cuisine
• une planche
à découper
• de la colle
• des chutes
de feutrine
• des ciseaux

TECKEL

Ces animaux en bouchons ne sont pas très difficiles à confectionner. Il suffit de manier le couteau avec prudence et de faire preuve d'un peu de patience en attendant que les différents éléments collent entre eux.

1. Le bouchon constituant le corps ne doit subir aucune modification. Placez l'autre sur la planche à découper et coupez-le en deux à mi-longueur.
Une des deux moitiés constituera la tête. L'autre permettra de réaliser les pattes. A cet effet, posez le demi-bouchon verticalement sur la planche et sectionnez-le en deux parties égales. Divisez à nouveau en deux ces deux parties et vous obtiendrez ainsi les quatre pattes.

2. Collez la tête sur le corps de manière à ce qu'elle repose seulement à moitié sur celui-ci. Fixez les pattes environ à mi-hauteur du corps.

3. Pendant que les éléments sèchent, réalisez, dans la chute de feutrine, deux oreilles tombantes, deux petits cercles pour les yeux, une langue et une petite queue.
Pour que le teckel puisse également haleter, découpez la gueule en pratiquant deux incisions en biais dans la tête et collez-y la langue. Fixez ensuite les yeux et les oreilles sur la tête.
Réalisez une entaille sur le dos, dans laquelle vous introduirez la queue préalablement encollée.

Votre teckel est terminé et serait tout à fait ravi d'avoir une compagne.

PONEY

PONEY
Age :
à partir de 6 ans
Participants :
seul ou en groupe

Matériel
pour un animal :

• 4 bouchons
de liège de taille
identique
• de la colle
• un couteau
de cuisine
• une planche
à découper
• des chutes
de feutrine
• des ciseaux
• un mince disque
de liège

1. Trois bouchons peuvent être utilisés tels quels : collez tout d'abord, suivant le dessin, le corps et le cou du poney en pressant quelques secondes les deux éléments l'un contre l'autre. Collez ensuite de la même manière le troisième bouchon pour la tête.

2. Laissez sécher la colle et pendant ce temps, fabriquez les pattes. Pour ce faire, prenez le quatrième bouchon, un couteau de cuisine et une planche à découper et réalisez les pattes de la même façon que pour le teckel. Attention, veillez à les fixer toutes à la même hauteur.

3. Prenez maintenant une chute de feutrine d'environ 6 cm de long et 3 cm de large pour la crinière et découpez des franges sur l'un des grands côtés. Collez l'autre le long du cou du poney, à l'arrière de la tête et sur le front. Vous devez également faire preuve de patience et attendre que la colle sèche, car c'est seulement à ce moment que vous pourrez égaliser la frange sur le front.

4. Pour les oreilles, prenez un mince disque de liège dont vous prélèverez deux huitièmes. Collez-les sur la tête, à droite et à gauche de la crinière.

5. Pour les yeux, fixez deux petits cercles de feutrine sur le côté arrondi du bouchon, dans le prolongement des oreilles.

6. Il ne manque plus que la queue. Découpez quelques bandes étroites de feutrine et collez-les sur l'arrière-train.

**LE LAMA
CRACHEUR**
Age :
à partir de 3 ans
Participants :
à partir de 2

Matériel :

• un vaporisateur
• de l'eau

JEU

Le lama cracheur

Ce jeu convient parfaitement lors d'une journée d'été chaude et ensoleillée, où les enfants peuvent gambader nus ou en maillot de bain. Prenez un vaporisateur comme celui que vous utilisez pour le linge ou les plantes et remplissez-le d'eau.

Un enfant joue le rôle du lama. Il tient le vaporisateur plein d'eau en main et se place dans la pelouse. Les autres enfants s'approchent de lui et l'agacent en lui lançant de l'herbe, en le chatouillant ou en lui faisant des grimaces. A un moment, le lama en a assez. Il bondit et "crache" en aspergeant d'eau avec son vaporisateur les enfants qu'il peut atteindre. Lorsqu'il en touche un, c'est celui-ci qui devient lama à son tour.

**LE BRIGAND
DANS LA FORÊT**
Age :
à partir de 4 ans
Participants :
à partir de 5

Le brigand dans la forêt

L'un des enfants joue le rôle du brigand, un autre celui du coucou et les autres figurent les arbres. Ceux-ci se placent de manière à ce que le brigand puisse circuler facilement entre eux. Il fait nuit. Tous les arbres et le coucou dorment, les enfants ferment donc les yeux. Le brigand veut traverser la forêt. Mais le coucou veille. Lorsqu'il entend le brigand, il crie "coucou" et réveille ainsi toute la forêt. Tous les arbres commencent à frémir. Les enfants lèvent les bras, les agitent et imitent le souffle du vent.

Le brigand découvert doit revenir à l'orée du bois et tenter sa chance une nouvelle fois. S'il parvient à traverser la forêt sans être découvert, il choisit le brigand et le coucou suivants. Sinon, le coucou choisit son successeur et le brigand le sien.

CHANSON

Dans la forêt lointaine

Dans la fo-rêt loin-tai-ne, On en-tend le cou-cou.

Du haut de son grand chê-ne Il ré-pond au hi-bou :

Cou-cou, cou-cou On en-tend le cou-cou.

Dans la forêt lointaine,
On entend le coucou.
Du haut de son grand chêne
Il répond au hibou :
Coucou, coucou
On entend le coucou.

Ce canon pourra accompagner la fin du jeu. Il sera d'autant plus amusant s'il est chanté à trois voix.

JEU

Course
d'obstacles

**COURSE
D'OBSTACLES**
*Age :
à partir de 2 ans
Participants :
nombre quelconque*

Pour ce jeu, vous devez connaître à la fois le terrain et les capacités physiques des participants. Vous pourrez adapter le degré de difficulté à ces deux éléments, de manière à ce que tous prennent plaisir à ce jeu.

Indiquez et expliquez avec précision le départ, l'itinéraire et l'arrivée. Les obstacles peuvent consister à sauter au-dessus d'un tronc d'arbre, marcher en équilibre d'un bout à l'autre de celui-ci, traverser un ruisseau ou sauter de pierre en pierre. Il peut également s'agir de dévaler un talus ou tourner deux fois autour d'un arbre. Si les enfants sont d'âges très différents, les plus âgés devront réaliser une partie du parcours en sautant à cloche-pied.

**L'ESCARGOT DANS
SA COQUILLE**
*Age :
à partir de 4 ans
Participants :
à partir de 6*

**Matériel
par enfant :**

• 2 pinces à linge

L'escargot dans sa coquille

Plus les enfants sont grands, moins l'adulte doit intervenir. Il se contente de diviser les enfants en deux équipes de taille identique et de surveiller le jeu.

L'une des équipes, les escargots, se couche à plat ventre dans l'herbe et ferme les yeux. Les membres de l'autre, les "chasseurs d'escargots", se voient remettre chacun deux pinces à linge et s'approchent prudemment d'un escargot afin de tenter d'accrocher celles-ci sur lui. Si l'escargot le remarque, il se retire dans sa coquille : il s'accroupit. Il s'étend à nouveau lorsque le chasseur a ôté sa pince. Celui-ci doit alors retenter sa chance avec un autre escargot. Lorsque tous les escargots ont été attrapés, les équipes inversent les rôles. Si le jeu se prolonge sans que tous les escargots aient été attrapés, il convient d'échanger malgré tout les rôles.

POÈME

Farandole
de l'escargot

Une troupe de nigauds
Va chasser un escargot
Même le plus courageux
N'ose pas toucher sa queue

Haut les cornes ! haut les cornes !
Haut les mains ! dit l'escargot.

**FARANDOLE
DE L'ESCARGOT**
Age :
à partir de 3 ans
Participants :
jeu destiné à un
groupe important

Ce petit poème se déclame à la manière d'une litanie lente sans cesse recommencée. Pour le jeu, les enfants forment un cercle et se tiennent par la main. Puis ils chantent la première partie de la chanson.
L'un des enfants représente la tête de l'escargot. Il se déplace vers le centre du cercle en formant une spirale. Les autres enfants le suivent lentement. Ils chantent la chanson jusqu'à ce que la coquille d'escargot soit formée.

Ensuite l'escargot sort de sa coquille. Sans que les enfants ne se lâchent les mains, la tête de l'escargot passe entre les bras et emmène les autres enfants derrière lui jusqu'à ce que le cercle initial se reforme. A ce moment, l'enfant qui se trouve en queue crie : "Haut les cornes ! haut les cornes !" La tête de l'escargot répond : "Haut les mains ! haut les mains !" et chacun saute sur place en levant les bras.

BRICOLAGE
Boîtes échasses

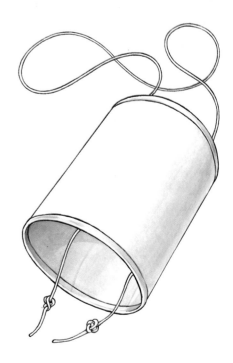

BOÎTES ÉCHASSES

Age :
réalisation à partir
de 6 ans
marche à partir
de 4 ans
Participants :
à partir de 2

Matériel
par enfant :

• deux boîtes de
conserve vides
• un poinçon pour
percer les trous
• deux morceaux
de ficelle de 1 m
• des ciseaux

Avant de réaliser ces échasses, assurez-vous
que les bords des boîtes ne présentent
aucune bavure, pour éviter de vous blesser.

1. Placez la boîte sur un support solide,
ouverture vers le bas. Sur le fond, percez
deux trous situés exactement l'un en face
de l'autre.

2. Passez ensuite les deux extrémités de la
ficelle par ces deux trous (cf. dessin) et
faites un gros nœud au bout de chacune
d'entre elles, de manière à ce qu'elles ne
puissent pas glisser par le trou. Réalisez la
deuxième échasse de la même manière.

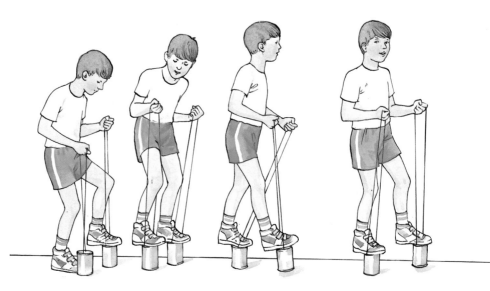

3. Vous pouvez maintenant commencer à
marcher sur ces échasses. Pour ce faire, placez les deux boîtes l'une à côté de l'autre et
tendez chaque ficelle avec la main.

4. Montez sur les boîtes et commencez à
marcher lentement et prudemment (cf. dessin). Mais ne vous inquiétez pas, tous les
enfants y parviennent généralement du
premier coup.

DESSIN

Le dessin musical

Fixez le papier sur le sol avec le ruban adhésif de papier et placez les crayons et les pastels de manière à ce qu'ils soient accessibles à tous. Un enfant plus âgé ou un adulte se tient un peu à l'écart avec le magnétophone et observe les enfants en train de dessiner.

Au bout de quelques minutes, il envoie la musique. Les enfants doivent relever leurs crayons et se déplacer autour du papier. Soudain, la musique s'arrête et chacun continue le dessin devant lequel il se trouve. Un peu plus tard, la musique retentit à nouveau et les enfants changent encore de place.

La personne responsable du magnétophone doit veiller, au moment où elle arrête celui-ci, à ce que les enfants se trouvent toujours devant un dessin auquel ils n'ont pas encore participé. Cette technique donnera naissance à des œuvres comiques qui réjouiront aussi les adultes.

LE DESSIN MUSICAL
Age :
à partir de 5 ans
Participants :
à partir de 4

Matériel :

• un grand morceau de papier (papier peint)
• du ruban adhésif en papier
• des pastels ou des crayons de couleur
• une cassette de musique
• un magnétophone

JEU

Petit Poucet

Les bandes de papier utilisées pour ce jeu ne doivent pas être particulièrement jolies. Vous pouvez par exemple les découper dans des journaux, des boîtes en carton ou des prospectus de voyage.

Choisissez un point de départ. Si vous restez dans la maison, il peut par exemple se trouver dans la chambre des enfants. Si le jeu se déroule à l'extérieur, il peut s'agir d'un arbre déterminé ou de la porte de la terrasse. A partir de cet endroit, chaque enfant peut concevoir son chemin en le balisant avec les bandes de papier ou les sous-bocks. C'est lui-même qui détermine la direction à prendre, les obstacles à franchir, le nombre de déviations à emprunter et l'endroit où se trouve le point d'arrivée, dans la salle de bain par exemple. Il doit simplement s'arrêter à un point identifiable. Ensuite, parcourez ensemble les trajets.

Les enfants plus âgés pourront organiser le jeu de façon un peu plus compliquée. Aucun participant ne doit connaître le point d'arrivée choisi par le concepteur du parcours. Par ailleurs, les distances doivent être suffisamment grandes pour qu'il ne soit pas aisé de trouver le chemin. Au signal de départ, les autres enfants commencent à chercher le chemin et l'arrivée.

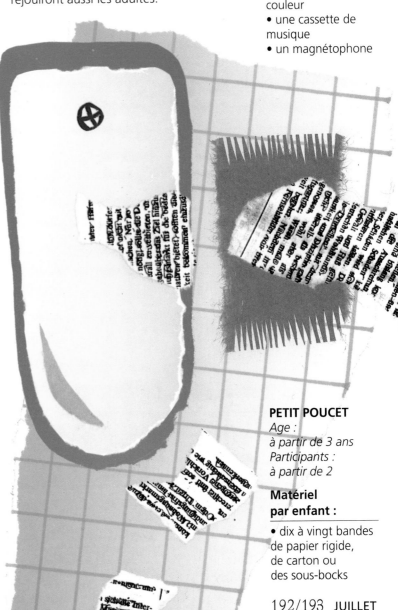

PETIT POUCET
Age :
à partir de 3 ans
Participants :
à partir de 2

Matériel par enfant :

• dix à vingt bandes de papier rigide, de carton ou des sous-bocks

Grenouille pantin

GRENOUILLE PANTIN

Age :
à partir de 5 ans
Participants :
seul ou en groupe

Matériel :

• du carton rigide
de couleur verte
• du papier-calque
• un crayon
• des ciseaux
• de la colle
• un morceau de
papier noir
• un morceau de
papier blanc
• une petite pièce
de monnaie
• une perforatrice
• 4 attaches
parisiennes par
grenouille
• une aiguille
• du fil solide (25cm)
• un feutre noir
• un crochet
autocollant

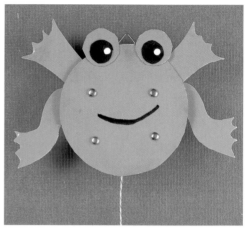

La pluie réjouit à coup sûr quelqu'un : la grenouille. Celle-ci saute à travers les prairies gorgées d'eau. Vous pouvez vous aussi confectionner une joyeuse grenouille.

1. A partir du patron, décalquez tous les éléments et reportez-les sur du carton rigide vert. Le grand cercle, le corps, avec les quatre repères (une fois), la courte patte avant et la patte arrière pliée avec les cercles et les points (deux fois) ainsi que le petit cercle de l'œil (deux fois également). Découpez tous les éléments avec soin.

Procédez de même manière pour le second iris. Pour les pupilles, collez un petit cercle de papier blanc obtenu avec la perforatrice.

3. A l'aide de la perforatrice, percez les quatre endroits du corps de la grenouille et des pattes marqués par un cercle.

Dans ces dernières, percez en plus des petits trous à l'aide d'une aiguille aux points que vous avez décalqués.

2. Encollez la moitié des yeux et appliquez-les sur le bord du grand cercle. Pour que la grenouille ait un beau regard, réalisez les deux iris. A cet effet, prenez la chute de papier noir et posez sur celle-ci la petite pièce de monnaie. Tracez le contour au crayon et découpez le cercle obtenu. Collez ensuite celui-ci à l'intérieur de l'œil.

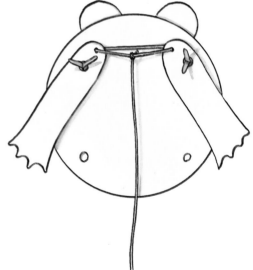

4. Enfilez le fil dans une aiguille et passez celle-ci successivement dans chaque orifice des pattes avant, puis placez celles-ci à hauteur correcte à l'arrière du corps de la grenouille, posé face contre la table.

5. Insérez par le dessous (face avant du corps) une attache parisienne par le gros orifice du corps et de la patte. Rabattez alors les deux brins des attaches.

6. Nouez le fil de manière à ce que les pattes avant pendent librement. Laissez tomber le fil vers le bas.

8. Nouez le fil des pattes avant au nœud des pattes arrière.

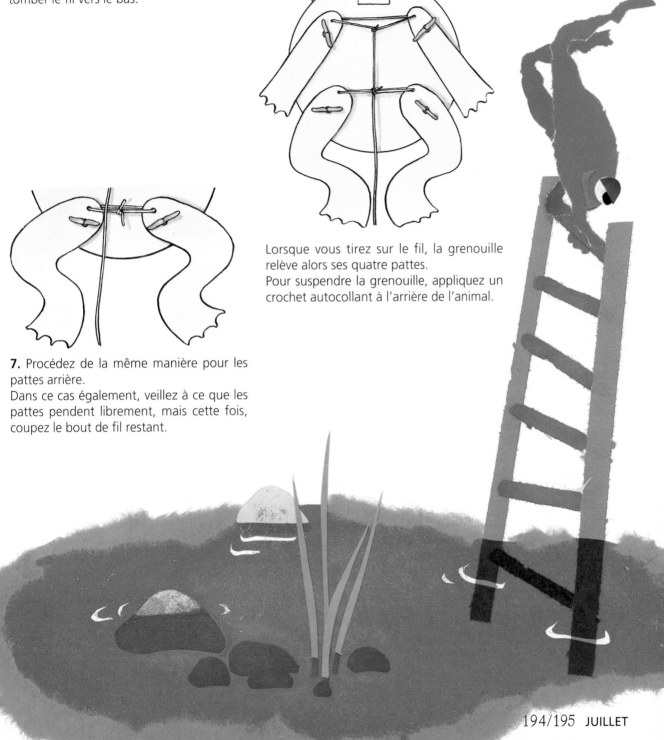

Lorsque vous tirez sur le fil, la grenouille relève alors ses quatre pattes.

Pour suspendre la grenouille, appliquez un crochet autocollant à l'arrière de l'animal.

7. Procédez de la même manière pour les pattes arrière.

Dans ce cas également, veillez à ce que les pattes pendent librement, mais cette fois, coupez le bout de fil restant.

Le cheval
à bascule

**LE CHEVAL
À BASCULE**
*Age :
à partir de 3 ans
Participants :
2 ou plus*

Formez des couples de même poids et taille. Ceux-ci s'accroupissent dos à dos et se tiennent par les bras.

L'un lève les pieds tandis que l'autre baisse légèrement le dos, et inversement. Le cheval à bascule peut se balancer.

Tout à coup, au signal du meneur de jeu, le cheval se métamorphose en crabe; les enfants alors avancent chacun d'un même côté et doivent atteindre un but le plus rapidement possible.

Cataclop

CATACLOP
*Age :
à partir de 1 an*

*Cataclop, Cataclop
Nous montons le poney Pop
Puis nous grandissons, et hop !
Nous trottons sur le cheval Esope
Le cheval s'emballe, cataclop, cataclop
Ohé, cavalier, stop !*

Ces vers contiennent une progression : de la marche prudente du petit poney au galop effréné, en passant par le trot du cheval, et puis arrêt brusque !

JEUX
Cherche le fil

Ce jeu peut se dérouler à l'intérieur ou à l'extérieur de la maison. Le nombre de fils à chercher est fonction de l'âge des participants.

Expliquez aux enfants comment vous cachez les fils : non pas dans une poche, un tiroir, une caisse de jouets, mais de façon visible sur les vêtements des enfants assis en cercle. Pour bien leur faire comprendre cette règle du jeu, placez par exemple un fil blanc sur une manche blanche. Le fil n'est pas vraiment caché, mais est tout de même difficile à voir.

Demandez à l'enfant qui doit chercher de s'éloigner. Répartissez ensuite les fils sur des pièces de vêtements de couleurs correspondantes. L'enfant doit ensuite retrouver tous les fils grâce à son sens de l'observation.

Si le nombre de participants est élevé, désignez deux enfants. Pour le tour suivant, désignez deux enfants qui cherchent les fils et un qui les cache.

CHERCHE LE FIL
Age :
à partir de 4 ans
Participants :
à partir de 5,
mais ce jeu convient
également à
un groupe plus
important

Matériel :

• deux à cinq brins de fil dont les couleurs correspondent à celles des vêtements des participants

Football à deux

Ce jeu requiert peu de préparatifs et sera aussi amusant à l'intérieur qu'à l'extérieur.

Si le jeu se déroule dans la maison, dessinez la surface de jeu sur du papier.

A l'extérieur, tracez-la sur le sol avec une craie ou un bâton.

La surface de jeu a la forme d'une échelle comprenant 21 échelons. Placez le palet au milieu de celle-ci. Les enfants lancent le dé chacun à leur tour. L'enfant A commence, avance le palet vers la ligne de but de l'enfant B du nombre d'échelons tiré au dé. C'est ensuite le tour de l'enfant B qui pousse le même palet en direction de la ligne de but A. Le joueur parvenant à dépasser la ligne de son adversaire a marqué un but.

Dans ce cas, replacez le palet au centre et le perdant a la main.

FOOTBALL À DEUX
Age :
à partir de 5 ans
Participants :
2

Matériel :

• du papier (DIN A3)
• un crayon (de la craie ou un petit bâton)
• un palet (bouton, petit caillou)
• un dé

CHANSON

Ah ! tu sortiras, Biquette

Refrain

Bi-quett' ne veut pas sor- tir du chou Ah ! tu sor-ti-ras, Bi- quet-te, Bi-quet-te

Ah ! tu sor-ti- ras de ce choux- là ! 1. On en- voie cher-cher le chien A- fin

de mor-dre Bi- quett' Le chien ne veut pas mordre Biquett', Bi- quett' ne veut pas sor-tir du

chou Ah ! tu sor-ti-ras, Bi- quet-te, Bi-quet-te Ah ! tu sor-ti- ras de ce chou- là !

On envoie chercher le chien
Afin de mordre Biquett'
Le chien ne veut pas mordre Biquett'

On envoie chercher le loup
Afin de manger le chien
Le loup ne veut pas manger le chien
Le chien ne veut pas mordre Biquett'

On envoie chercher l'bâton
Afin d'assommer le loup
Le bâton n'veut pas assommer le loup
Le loup ne veut pas manger le chien

On envoie chercher le feu
Afin de brûler l'bâton
Le feu ne veut pas brûler le bâton
Le bâton ne veut pas assommer le loup

On envoie chercher de l'eau
Afin d'éteindre le feu
L'eau ne veut pas éteindre le feu
Le feu ne veut pas brûler le bâton

On envoie chercher le veau
Pour lui faire boire de l'eau
Le veau ne veut pas boire l'eau
L'eau ne veut pas éteindre le feu

On envoie chercher le boucher
Afin de tuer le veau
Le boucher n'veut pas tuer le veau
Le veau ne veut pas boire l'eau

On envoie chercher le diabl'
Pour qu'il emport'le boucher
Le diable veut bien emporter le boucher
Le boucher veut bien tuer le veau
L'eau veut bien éteindre le feu
Le feu veut bien brûler le bâton
Le bâton veut bien assommer le loup
Le loup veut bien manger le chien
Le chien veut bien mordre Biquett'
Biquett'veut bien sortir du chou
Ah ! tu es sortie de ce chou-là

COMPTINE

Je te tiens

Tu me tiens   De nous deux
Par la barbichette   Qui rira
Le premier   Aura une tapette

BRICOLAGE

Petits cochons

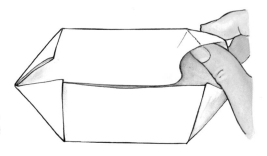

PETITS COCHONS
Age :
à partir de 5 ans
Participants :
seul ou en groupe

Matériel par cochon en papier :

• un carré de papier rose de 15 x 15 cm
• des ciseaux
• un feutre

Ce cochon est très facile à confectionner. Vous pouvez donc en réaliser plusieurs que vous placerez ensuite sur un peu de paille.

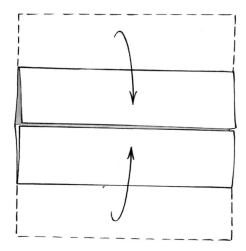

1. Pliez le papier en deux dans le sens de la longueur et rouvrez-le. Sur ce pli, ramenez les deux côtés de manière à ce qu'ils se touchent, mais ne se recouvrent pas. Vous pouvez maintenant aplanir les plis.

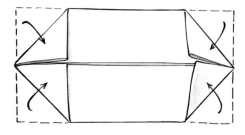

2. Rabattez les quatre coins vers la ligne médiane.

3. Ouvrez à nouveau les plis. Comme indiqué sur le dessin, passez un doigt dans le triangle et rabattez-en le coin supérieur sur le fond du papier. Lissez ensuite les plis ainsi formés.

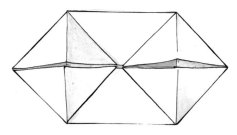

4. Ramenez vers l'intérieur les quatre pointes supérieures et lissez le pli des nouveaux triangles ainsi obtenus. De chaque côté, votre pliage présente donc maintenant deux pointes orientées vers l'extérieur et deux autres vers l'intérieur. Ce sont ces dernières qui serviront à confectionner les pattes.

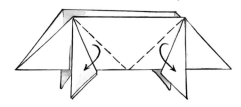

5. Après avoir plié le futur petit cochon en deux dans le sens de la longueur (pointes visibles), prenez une des pointes intérieures et rabattez-la de manière à ce que le long côté s'aligne sur le pli médian entre les pointes intérieures et extérieures. Procédez de la même manière avec les trois autres pointes intérieures.

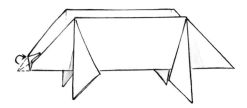 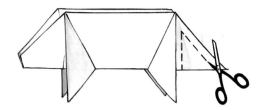

6. Décidez à présent quelle pointe extérieure sera la queue et quelle pointe sera le groin. Pour celui-ci, il suffit de rabattre la petite pointe vers l'arrière. Pour ce faire, ouvrez le cochon le long du dos et poussez la pointe du groin vers l'intérieur.

7. La ligne pointillée figurant sur le schéma indique l'endroit où il faut couper pour obtenir la queue. Tournez-la ensuite prudemment de manière à ce qu'elle se tortille. Dessinez à présent les yeux, la bouche et les narines avec un feutre.

La ferme de Firmin

**LA FERME
DE FIRMIN**
*Age :
à partir de 4 ans
Participants :
à partir de 5,
mais ce jeu convient
également à
un groupe plus
important*

Deux enfants sont désignés pour être fermier et fermière.
Le fermier doit être isolé un moment durant lequel les autres joueurs se choisiront un rôle dans la ferme.
La fermière aidera à faire le choix.
Qui sera poule, qui sera cochon, qui sera cheval, etc ?

Le fermier vient alors visiter la fermière et lui demande si elle possède tel ou tel animal.
Si tel est le cas, l'animal désigné doit faire le tour de la pièce, du jardin ou de la cour sans se faire attraper par le fermier.
S'il est fait prisonnier, on échange les rôles.

Les animaux du cirque

**LES ANIMAUX
DU CIRQUE**
*Age :
à partir de 4 ans
Participants :
à partir de 6,
mais ce jeu convient
également à
un groupe plus
important*

Matériel :

• des sièges pour
chaque enfant

Une variante du jeu précédent. Les enfants s'assoient en cercle et le meneur de jeu se place au milieu de celui-ci.
Deux enfants à chaque fois reçoivent ou choisissent le même nom d'animal.
Tous les animaux du cirque attendent que le dompteur crie deux noms.
Ces animaux doivent échanger leurs places aussi rapidement que possible, car le dompteur va essayer de s'asseoir à la place de l'un d'eux. S'il y parvient, l'enfant sans chaise doit se placer au centre du cercle et essayer de retrouver une place.
Le jeu peut se prolonger tant qu'il amuse les enfants.

JEU

Où partons-nous
en voyage ?

Les enfants s'asseyent en cercle autour du meneur de jeu qui n'a pas de chaise. Tous cherchent un nom de ville qu'ils citeront chacun à leur tour.

Le mieux est d'expliquer les règles de ce jeu par quelques "voyages d'essai".

Le meneur de jeu crie par exemple : "Nous voyageons de Lille à Marseille - Attention au départ !" Au signal de départ, les enfants qui ont choisi ces villes échangent leurs places. Le meneur de jeu déclare alors qu'il voudrait également être du voyage. Attention : il veut prendre une place ! S'il y réussit, l'enfant qui a perdu la sienne doit choisir le prochain itinéraire et tenter à son tour de retrouver une place.

Si les participants sont un peu plus âgés, vous pouvez compliquer quelque peu les règles : "Nous voyageons de Lille à Marseille en passant par Paris et Lyon - Attention au départ !" Au signal, tous les enfants appelés échangent leurs places.

Si un enfant ne parvient pas après plusieurs essais à retrouver une place, il crie : "Tout le monde descend !" Et tous les enfants doivent changer de place.

**OÙ PARTONS-NOUS
EN VOYAGE ?**

*Age :
à partir de 5 ans
Participants :
à partir de 5,
mais ce jeu convient
également à
un groupe plus
important*

Matériel :

• des sièges pour
chaque enfant

Cassette souvenir

CASSETTE SOUVENIR
Age :
à partir de 5 ans
Participants :
2 à 4

Matériel :

• un magnétophone
à cassette
• une cassette

Cette activité peut commencer par une surprise. Offrez une cassette aux enfants. Lorsque les petits curieux voudront savoir si elle contient des chansons ou des histoires, expliquez-leur qu'elle est vierge.

Il faudra qu'ils l'emmènent en vacances et qu'ils enregistrent le plus grand nombre de bruits possible pour conserver des souvenirs. Par exemple, les voix des enfants avec lesquels ils se sont liés d'amitié, celles du fermier et de la fermière, les cris des animaux, mais aussi le clapotis du ruisseau, la pétarade du tracteur et le murmure du vent dans les branches. Chacun aura sûrement une proposition à faire : quelqu'un racontera peut-être une histoire comique ou tous chanteront une chanson.

Cette cassette pourra également servir de cadeau pour des proches. Dans ce cas, l'enfant peut fournir sur la bande des explications relatives aux bruits enregistrés.

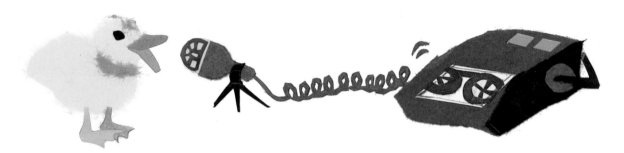

VISITE À LA FERME
Age :
à partir de 5 ans
et plusieurs adultes
Participants :
à partir de 16

Visite à la ferme

Ce jeu de rôles peut se jouer dans une grande ronde. Il convient par exemple aux écoles maternelles, à une fête d'anniversaire ou lors d'une après-midi de jeu à laquelle sont également conviés des adultes. Comme il est très amusant, il aide à surmonter les difficultés initiales et à détendre l'atmosphère.

Pour la famille Delaville, vous avez besoin d'au moins deux participants. Il vous faudra également un invité pour tous les autres personnages et animaux. Si plus de 16 personnes participent à ce jeu, agrandissez la famille de 5 à 6 membres. Les animaux peuvent eux aussi apparaître trois à quatre fois. Plus vous serez de fous, plus vous rirez !

Chacun choisit lui-même son rôle et il suffit de veiller à ce que tous les rôles soient attribués. Expliquez ensuite qui doit dire quoi.

Vous pouvez également préparer des petites fiches sur lesquelles figureront les rôles et les textes ou cris correspondants.

Précisez à présent le déroulement du jeu : le meneur de jeu lit une histoire. Tous les participants doivent être particulièrement attentifs. En effet, chaque fois que le nom d'un joueur est cité, celui-ci doit "dire" son texte.

Le jeu peut maintenant commencer. Tous attendent avec impatience le signal. Le texte est lu lentement et intelligiblement, le lecteur ménageant des pauses pour les phrases et les bruits.

Les acteurs et leurs rôles

Famille Delaville : *Bonjour, nous voilà !*
Fermier : *Comme je suis content que vous soyez arrivés !*
Fermière : *Entrez donc, il y a du lait frais et des gâteaux !*

Chat : *miaou, miaou*
Souris : *psitt, psitt*
Chèvre : *bèèèè*
Cochon : *grr, grr*
Tas de fumier : *pffff*
Coq : *cocorico*
Chien : *wou, wou*
Tracteur : *ratatata, ratatata*
Chevaux : *hihihihihi*
Vaches : *meuh, meuh*
Ane : *hi han, hi han*

Le meneur de jeu lit le texte :
Aujourd'hui, par un beau dimanche, la **famille Delaville** se rend en visite à la ferme. Le **chat** est allongé au soleil. Il veut attraper une **souris**, mais elle passe près de la **chèvre** et du **cochon** et se cache derrière le **tas de fumier**, un endroit où le **chat** ne veut pas aller. Le **coq** se tient sur le **tas de fumier**.

La **fermière** et le **fermier** saluent la **famille Delaville**. Le fermier, la **famille Delaville** et le **chien** sortent avec le **tracteur** dans la prairie. Les **chevaux** et les **vaches** y paissent. Le **chien** est le premier à sauter du **tracteur** et à saluer son ami, l'**âne**. La **famille Delaville** descend elle aussi du **tracteur** et donne des carottes et des pommes à manger aux **chevaux** et aux **vaches**. La **famille Delaville** rentre à la ferme à **cheval**. Le **fermier** suit en **tracteur** avec le **chien**.

La **fermière** a déjà mis la table pour la **famille Delaville**, elle donne une écuelle de lait au **chat**. Le soir chez elle, la **famille Delaville** pense volontiers à tous : au **fermier**, à la **fermière**, au **chat**, au **coq**, à l'**âne**, au **cochon**, au **chien**, aux **chevaux**, à la **chèvre**, au **tracteur**, au **tas de fumier**, à la **souris** et aux **vaches**.

6

Paneton à l'étable

Frederik Vahle

Il était une fois une grande tortue qui s'appelait Emma et une petite qui n'était pas plus grosse qu'un petit pain. C'est d'ailleurs la raison pour laquelle on l'avait appelée Paneton. Nos deux amies habitaient dans un grand aquarium. Un beau jour, Emma grimpa sur un morceau de bois qui flottait dans l'aquarium et prit un bain de soleil. Paneton escalada à son tour le morceau de bois, monta sur le dos d'Emma et voulut elle aussi se faire bronzer. Mais Emma se fâcha et se secoua. Boum ! Paneton tomba de l'aquarium et atterrit sur le tapis. Comme elle était très curieuse, elle rampa jusqu'au balcon, tendit la tête au travers de la grille et tomba, paf-boum!, au milieu du parterre de fraisiers.

Paneton commença par se régaler en mangeant des fraises. Ensuite, elle marcha encore et arriva sur un tas d'herbe. Elle voulut s'y installer pour dormir quand le fermier Raymond arriva sur son tracteur. Il chargea l'herbe dans sa remorque, rentra au village et l'apporta dans l'étable. "Tiens, Lise, voilà ton repas. Bon appétit !"

La vache commença à manger, quand elle vit soudain devant elle un animal qu'elle n'avait encore jamais rencontré de toute sa vie. Et Paneton écarquillait également les yeux devant cette énorme bête inconnue.

"Qui es-tu ?" demanda la vache.

"Je suis une tortue et je m'appelle Paneton", répondit Paneton. "Et toi, qui es-tu ?"

"Je suis une vache, tout le monde le sait !" rétorqua la vache.

"Et pourquoi as-tu deux portemanteaux sur la tête ?" s'étonna Paneton.

"Mais ce ne sont pas des portemanteaux, ce sont mes cornes !" dit la vache.

"Et pourquoi as-tu un chiffon si comique dans la gueule ?" poursuivit Paneton.

"Ce n'est pas un chiffon, c'est ma langue !" répondit la vache.

"Et pourquoi as-tu deux brosses noires à côté des portemanteaux ?"

"Ce ne sont pas des brosses noires, ce sont mes oreilles !" dit la vache.

"Et pourquoi as-tu un gros gant entre les pattes ?" demanda Paneton

"Ce n'est pas un gant, c'est mon pis. C'est grâce à lui que je donne du lait !" dit la vache.

"Et pourquoi as-tu une corde sur le derrière ?" interrogea Paneton.

"Mais c'est ma queue, c'est avec elle que je chasse les mouches", dit la vache.

"Et pourquoi t'es-tu enroulé une descente de lit noire et blanche autour du ventre ?" demanda Paneton.

"Ce n'est pas une descente de lit, c'est ma peau", répondit la vache. "Et toi tu en as une drôle de peau ! On dirait un vieux morceau de pain !"

"Ce n'est pas une peau, c'est ma carapace de tortue", dit Paneton. "Et même une vache pourrait se tenir dessus !"

"Que dis-tu ?" s'étonna la vache. "C'est incroyable ! Je dois essayer tout de suite."

Et elle essaya de monter avec ses quatre pattes sur Paneton. Mais elle glissa, roula dans l'étable, alla jusqu'à la porte et atterrit au milieu de la ferme.

"Mon Dieu !", s'écria la fermière qui, de peur, jeta sur le tas de fumier la tarte aux prunes qu'elle venait de préparer. Elle monta l'escalier, ouvrit la porte de la maison, courut dans le corridor, ouvrit la porte de la cuisine et dit au fermier :

"Il y a un monstre qui a jeté la vache hors de l'étable !"

"Quoi ?" cria le fermier effrayé.

Pourtant, n'écoutant que son courage, il mit son casque de pompier, se glissa à pas de loup jusqu'à l'étable, regarda prudemment par la fenêtre… et que vit-il ?

Une tortue qui n'était pas plus grosse qu'un petit pain.

"Ah, ah", se dit le fermier, "je sais d'où tu viens !"

Et il nous ramena Paneton qui, depuis, se trouve toujours dans notre aquarium.

"Existe-t-il d'autres animaux que nous dans le monde ?" questionna Emma.

"Oui", répondit Paneton, "les vaches !"

Ont-elles une carapace comme nous ?" poursuivit Emma.

"Non, elles ont des cornes, des oreilles, une langue, un pis, une queue et une peau noire et blanche", déclara fièrement Paneton.

"Je ne comprends absolument rien à ce que tu me racontes", déclara Emma.

"Si tu ne comprends pas, je vais t'expliquer", dit Paneton. "Les vaches sont de très gros animaux. Elles ont deux portemanteaux et une brosse noire sur la tête … (Paneton décrivit Lise à sa manière.) Elles habitent dans un immense aquarium. Sur le sol, il y a de la paille et des épinards."

"Incroyable !" dit Emma qui, longtemps encore, pensa avec effroi à l'histoire de Paneton.

Août

Août est le mois le plus chaud.
Tous à la mer, sur la plage !
Les uns construisent des châteaux
Les autres font des colliers de coquillages.
C'est le temps des loisirs
C'est le temps des plaisirs.
Tous à l'eau, il fait beau !
C'est le temps du repos.

Lignes
dans le sable

LIGNES DANS LE SABLE

Age :
à partir de 2 ans
Participants :
à partir de 2

Matériel :

• des petits bâtons

Etant donné que ce jeu requiert beaucoup de place, le mieux est de l'organiser sur la plage. Il est également possible d'y jouer sur une surface asphaltée ou sur un trottoir. Dans ce cas, pour dessiner les lignes, prenez de la craie. Si vous êtes sur la plage, tracez avec un petit bâton une ligne ondulée. Si vous répétez l'opération à plusieurs reprises, les lignes se coupent et forment des boucles. Il sera donc plus difficile de suivre la bonne trace. C'est pourtant le but du jeu ! En effet, chaque joueur devra courir le long d'une ligne dont le meneur aura précisé le point de départ.

Vous pouvez également modifier un peu le jeu : sautez à cloche-pied le long d'une ligne, sautez avec une jambe ou les deux au-dessus de celle-ci ou marchez à quatre pattes comme un chien le long de la ligne. Lorsque vous n'avez plus envie de jouer, rampez sur le sable afin d'effacer toutes les traces.

Dessiner
dans le sable

DESSINER DANS LE SABLE

Age :
à partir de 4 ans
Participants :
à partir de 2

Matériel :

• des petits bâtons

Ce jeu se déduit du précédent. Vous êtes un peu fatigués et un peu plus calmes; le sable vous invite à tracer des cercles et des traits. Si un enfant plus âgé ou un adulte commence à dessiner avec un bâton ou l'index, les plus jeunes s'approcheront et tenteront de deviner de quoi il s'agit. Rapidement, ils dessineront à leur tour.

Suivant l'âge, les dessins peuvent par exemple être : le soleil, un cœur, une maison, un nuage, une souris, un bateau, un papillon, une ombrelle, une chaise longue et des fleurs. Les enfants de cinq à sept ans seront très contents d'écrire en capitales leur nom ou d'autres mots courts dans le sable et seront tout à fait enthousiastes si un enfant plus âgé leur apprend de nouveaux mots.

JEUX

Courir
dans le sable

C'est sur une plage de sable chaud que ce jeu sera le plus amusant, mais il peut également se dérouler dans un grand bac à sable, pour autant que d'autres enfants n'y jouent pas. Mais après tout, si le bac à sable n'est pas libre, pourquoi ne pas inviter tous les enfants à participer au jeu ?

Otez chaussures et chaussettes et commencez à courir. Les petits remarqueront très vite qu'il est beaucoup plus difficile de courir dans le sable que sur une surface plane et ferme. On s'y enfonce et le sable ruisselle sur le pied et le chatouille.

Après ces expériences, déterminez un but pour la course. Les plus petits partent les premiers, tandis que les plus grands comptent jusqu'à cinq avant de s'élancer.

**COURIR
DANS LE SABLE**
Age :
à partir de 2 ans
Participants :
à partir de 2

Dissimuler
des petits cailloux

Cherchez ensemble des coquillages et des cailloux. Ceux-ci doivent pouvoir tenir sous les coquillages.

Placez les coquillages sur le sable et répartissez équitablement les cailloux entre les enfants. L'un d'entre eux se retourne jusqu'à ce qu'un autre ait caché un caillou sous un coquillage. L'enfant doit deviner où il se trouve. S'il y parvient, il peut conserver le caillou et en cacher un à son tour. S'il s'est trompé, il doit à nouveau se retourner, tandis qu'on cache un autre caillou.

Mais vous pouvez également appliquer la règle suivante : les enfants changent de rôle après chaque tour, que le caillou ait été trouvé ou non. Le vainqueur est celui qui a le plus grand nombre de cailloux à la fin du jeu.

**DISSIMULER DES
PETITS CAILLOUX**
Age :
à partir de 3 ans
Participants :
à partir de 2

Matériel :

• trois à quatre coquillages
• six à huit cailloux

Le serpent de mer

Condition : un littoral plat ou une piscine peu profonde.

Plus il y aura de participants, plus le jeu sera amusant. La tête du serpent est jouée par un adulte ou un enfant plus âgé.

Ensuite, tous les enfants se prennent par la main et forment un long serpent de mer. Il se déroule dans l'eau à hauteur du genou. Parfois, le rythme change. Plus il fait de contours, plus les participants auront de plaisir.

**LE SERPENT
DE MER**
Age :
à partir de 3 ans
Participants :
à partir de 3

Sable multicolore

Age :
à partir de 3 ans
Participants :
de 1 à 4

Matériel :

• une blouse
• des journaux
(pour protéger
le plan de travail)
• des peintures
aux doigts ou
• de la gouache
• des pots de yaourt
vides
• du sable
• des pinceaux
• de l'eau
• un plateau
• du papier
essuie-tout
• une assiette plate
par couleur
• par enfant :
un bocal avec
un dispositif de
fermeture
• de la colle
• du papier rigide
(DIN A5)

Le sable coloré permet de réaliser des motifs très intéressants et même des paysages complets. Cependant, même si vous vous contentez simplement d'empiler des couches de sable de couleurs différentes, le résultat sera très joli.

1. Le sable peut être coloré avec de la peinture au doigt et/ou de la gouache.

Les peintures au doigt sont très épaisses. Si vous les mélangez avec le sable dans un pot de yaourt vide, vous obtiendrez une pâte consistante et vous pourrez réaliser avec celle-ci toutes sortes de motifs, par exemple des stalactites, des animaux extraordinaires et d'autres êtres bizarres, ou encore des formes abstraites et fantastiques.

Prenez un plateau lavable, recouvrez-le de plusieurs couches d'essuie-tout et faites tomber sur celles-ci des gouttes de sable coloré qui mettront un à deux jours pour sécher.

2. Pour obtenir des grains séparés après coloration, délayez la peinture au doigt avec un peu d'eau ou employez de la gouache.

Pour chaque couleur, utilisez un pot de yaourt propre et remplissez-le à moitié d'eau. Avec un pinceau, délayez la couleur jusqu'à ce que vous obteniez la nuance souhaitée. Ajoutez-y une grande quantité de sable et mélangez le tout.

Lorsque vous avez réalisé tous les mélanges d'eau colorée et de sable, prenez une assiette pour chacun et recouvrez-la d'essuie-tout. Versez le mélange dans celle-ci. Il faudra laisser le sable sécher un à deux jours, suivant le temps, avant de pouvoir l'utiliser.

Si le récipient possède une ouverture étroite, le plus simple est d'empiler les différentes couleurs de sable. Ne secouez surtout pas le bocal afin de ne pas mélanger les couleurs.

Remplissez le verre à ras bord. Si nécessaire, fixez la fermeture avec un peu de colle.

Dans un bocal avec un orifice plus grand, il est très simple de réaliser des vagues, des collines et des vallées. A cet effet, prenez un morceau de papier rigide, mettez un peu de sable sur celui-ci et maintenez-le comme indiqué sur le dessin. Laissez tomber le sable à l'intérieur. De cette manière, vous pouvez le diriger et le doser avec précision. Remplissez complètement le bocal de sable, de manière à ce que le couvercle appuie fermement sur le contenu et maintienne celui-ci en place. Vous avez ainsi réalisé un joli souvenir ou un beau cadeau pour une personne que vous aimez.

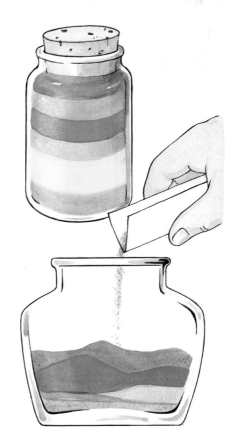

Tableau
de coquillages

TABLEAU DE COQUILLAGES

Age :
à partir de 5 ans
Participants :
1 à 2 enfants
et 1 adulte

Matériel :

• un plat en plastique
• un gobelet d'eau
• du plâtre
• une cuiller
• de la ficelle :
15 cm de long
• une boîte à
fromage ronde
(Ø 15,5 cm)
• des graminées
• des coquillages
• de petites pierres
• du sable

Ce tableau est très simple à confectionner et constituera un joli souvenir de jours de vacances reposants. Offert en cadeau, il sera également très apprécié. Pour vous souvenir longtemps après de la date à laquelle il a été réalisé, apposez au dos un autocollant avec la date et le lieu.

1. Versez un gobelet d'eau dans le plat et ajoutez deux gobelets de plâtre. Mélangez le tout avec la cuiller et versez le plâtre ainsi gâché dans le fond de la boîte à fromage.

2. Nouez les extrémités de la ficelle et imprimez-les dans le bord supérieur de la masse de plâtre. Vous pourrez ainsi suspendre votre tableau par la suite.

3. Secouez la boîte prudemment et laissez-la tomber sur la table d'une faible hauteur. De la sorte, la surface de plâtre sera parfaitement lisse.
4. Dans la moitié inférieure de la masse, disposez les coquillages, les petites pierres et les graminées et pressez-les légèrement. Saupoudrez ensuite un peu de sable au-dessus de votre tableau.
5. Le plâtre est maintenant suffisamment sec pour que vous puissiez ôter le bord de la boîte.
6. Mouillez vos doigts et lissez le bord du plâtre.
7. Laissez encore sécher votre œuvre quelques heures sur un support plat et enlevez le reste de la boîte à fromage. Votre tableau doit maintenant durcir en profondeur.

JEU

Les oiseaux
dans le nid

**LES OISEAUX
DANS LE NID**

*Age :
à partir de 4 ans
Participants :
à partir de 4,
mais ce jeu convient
également à
un groupe plus
important*

Matériel :

• un bâton, de la
craie ou de la ficelle

Ce jeu requiert beaucoup de place. Les enfants sont les oiseaux et, à l'exception d'un seul, ont tous un nid.

Dessinez celui-ci à la craie ou à l'aide d'un bâton – suivant la nature du sol – ou encore délimitez-le avec une grosse ficelle.

L'oiseau sans nid reste au centre du jeu et crie : "Où est mon nid ?" Les autres répondent : "Ici !" et changent rapidement de place. Pendant ce temps, l'oiseau au centre doit s'efforcer d'en occuper un. Le joueur n'ayant plus de nid va à son tour se placer au milieu.

JEU DE DOIGTS

Cinq amis
dans un nid

Le poing fermé représente les oiseaux dans le nid. L'autre main, le soleil, se tient en l'air, les doigts totalement écartés.

Jouez avec la "main des oiseaux" ce qu'indique le texte. Le premier oisillon est le pouce, le second l'index. Lorsque le dernier oisillon est éveillé, tous les doigts de cette main vont vers le soleil.

**CINQ AMIS
DANS UN NID**

*Age :
à partir de 3 ans
Participants :
1 à 5*

*Cinq petits oisillons dormaient blottis
les uns contre les autres dans un nid.
Le soleil arrive et dit :
" Debout, assez dormi !"
Un premier oisillon s'éveille.
Il s'étire et s'écrie :
"Bonjour, monsieur Soleil,
Il fait beau aujourd'hui.
Je n'ai plus sommeil.*

*Je vais réveiller le nid."
Il tapote le dos de ses quatre amis :
"1, 2, 3, 4,
Levez-vous, camarades.
Saluons le soleil,
Profitons de ses merveilles."*

Poissons transparents

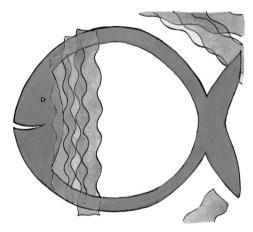

POISSONS TRANSPARENTS

*Age :
à partir de 5 ans
Participants :
1 à 4 enfants
et 1 adulte*

Matériel :

• du carton rigide (DIN A4)
• du papier-calque
• un crayon
• des ciseaux
• du papier de soie de différentes couleurs
• de la colle
• du fil et une aiguille

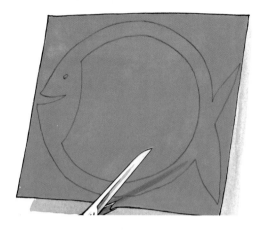

1. Décalquez à partir du patron le cadre du poisson sur du carton rigide.

2. Evidez d'abord l'intérieur, puis découpez le contour.

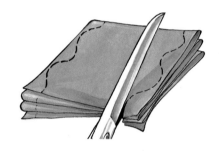

3. Pour les écailles de couleur, vous avez besoin de bandes de papier de soie de 5 cm de large et 20 cm de long environ. Pliez-les en accordéon et découpez-les en forme de vagues.

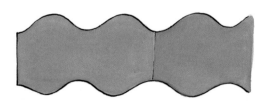

4. Ouvrez ensuite les bandes; leurs côtés longitudinaux seront ondulés.

5. Fixez sur le poisson les bandes de papier transparent les unes à côté des autres, en commençant par la tête. A cet effet, encollez le bord du cadre en papier de couleur, disposez les bandes et pressez-les. Veillez à ce qu'il n'y ait aucun trou.

6. Lorsque vous avez terminé, découpez tous les bords qui dépassent. Si vous le désirez, vous pouvez également ajouter une nageoire dorsale et ventrale.

7. Dessinez les yeux à l'aide de crayons de couleur et tracez quelques lignes dans la nageoire caudale.

Si vous souhaitez accrocher votre poisson à la fenêtre, collez-le directement ou suspendez-le à l'aide d'un fil. A cet effet, prenez-le par le dos entre deux doigts et maintenez-le de façon très souple, afin de déterminer où se trouve le point d'équilibre. Si la tête penche, placez le support légèrement plus en avant.

Lorsque vous avez trouvé ce point d'équilibre, marquez-le, passez-y un fil à l'aide d'une aiguille et nouez ses extrémités. Vous pouvez maintenant suspendre le poisson à la fenêtre.

Pourquoi ne pas suspendre aussi quelques bulles réalisées dans des cercles de papier de soie ?

BRICOLAGE

Cadran solaire

Ce cadran solaire est très simple à fabriquer, pour autant que vous trouviez un endroit ensoleillé toute la journée. Une plage fera parfaitement l'affaire, mais il existe sûrement d'autres possibilités.

1. Prenez un bâton et enfoncez-le solidement dans le sol. Si celui-ci est trop dur, introduisez-le au travers de l'orifice d'un pot de fleurs retourné, afin de lui fournir un support.

2. Marquez l'endroit où se situe l'ombre du bâton. Plus tard, vous constaterez qu'elle s'est déplacée.

Essayez de comprendre pourquoi.

Avec des enfants plus âgés, notez les endroits où se trouve l'ombre aux heures piles. Les enfants qui le peuvent écriront les chiffres à côté. Le lendemain, vous pourrez lire l'heure sur votre cadran solaire.

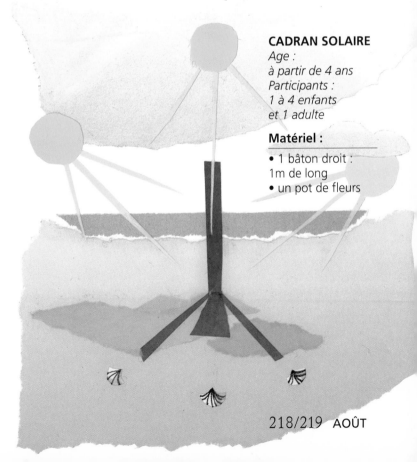

CADRAN SOLAIRE
Age :
à partir de 4 ans
Participants :
1 à 4 enfants
et 1 adulte

Matériel :

- 1 bâton droit :
1m de long
- un pot de fleurs

Bricolage
Portrait refait

PORTRAITS
Age :
à partir de 4 ans
Participants :
seul ou à plusieurs

L'été, c'est le temps des photos. Bien sûr on peut les présenter joliment dans un album classique. Mais certaines d'entre elles constitueront la base d'une joyeuse après-midi pluvieuse.

Faites un portrait d'un de vos amis en gros plan. Amusez-vous à "maquiller" le visage en question. Mettez-lui des pommettes rouges, une dent en or, un bouton sur le nez. Couvrez-le d'un chapeau.

Rires garantis de celui à qui vous offrirez son portrait!

Double portrait

Vous pouvez aussi prendre une photo en double. Coupez les deux photos en fines languettes verticales.

Mettez chaque languette identique l'une à côté de l'autre et reconstituez le portrait en taille XXL !

COMPTINE
Dans le mille

Le vieux mille-pattes
A perdu ses pattes.
Combien lui faut-il
De paires de béquilles ?
Le premier qui compte
Jusqu'à mille
A gagné
Un coup de pied
Dans le un
Dans le dix
Dans le cent
Dans le mille.

JEUX

Empreinte de pas

Ce jeu peut se dérouler sur la plage ou dans un bac à sable.
Un enfant doit s'éloigner jusqu'à ce que les autres aient produit une empreinte de pas sur une surface plane de sable et soient retournés à leur place.
L'enfant doit maintenant deviner à qui elle appartient.
S'il fait mauvais, vous pouvez jouer avec des empreintes de bottes en caoutchouc !

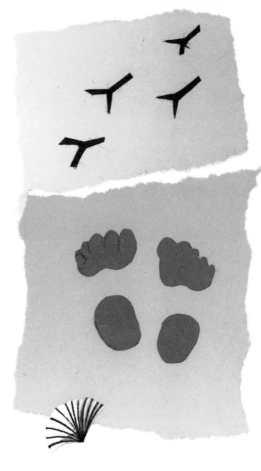

A qui sont ces pieds ?

Ce jeu peut se dérouler à l'intérieur ou à l'extérieur. Un enfant regarde ailleurs jusqu'à ce que les autres (pieds à la même hauteur) se couchent sur le sol les uns à côté des autres et se recouvrent de draps de manière à ce que seuls leurs pieds dépassent. Il s'agit maintenant de rendre les pieds à leur propriétaire.
Chaque participant doit deviner à son tour. Attribuez un point par bonne réponse, vous pourrez ainsi couronner à la fin du jeu le "Roi des pieds".

EMPREINTE DE PAS
Age :
à partir de 3 ans
Participants :
3 à 6

Matériel :

• du sable

A QUI SONT CES PIEDS ?
Age :
à partir de 3 ans
Participants :
à partir de 5

Matériel :

• des draps de lit

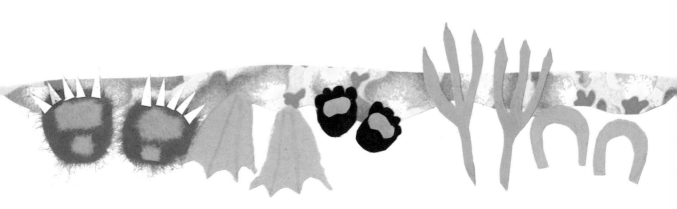

Paysages mirages

**PAYSAGES
MIRAGES**
*Age :
à partir de 4 ans
Participants :
Seul ou à plusieurs*

Vous ne partez pas en vacances ? Qu'importe ! Un peu de rêve est toujours permis ! Prenez une photo des Chutes du Niagara, ou du Kilimandjaro, ou de la statue de la Liberté, et faites un photomontage : insérez une photo détourée de vous dans le paysage. Pour plus de véracité, photocopiez le document.

Avec les photos d'un magazine, on peut également se créer un petit coin de paradis. Imaginez en papiers découpés un paysage idyllique mais réaliste. Plus amusant encore, collez un monde sens dessus dessous : des poissons y flottent dans le ciel; des maisons ont des fenêtres en forme de fleurs, les vaches y sont vertes et la pelouse bleue.

Baleine

*C'est la baleine qui tourne, qui vire
Comme un joli petit navire
Prenez garde à vos petits doigts
Ou la baleine les mangera.*

JEU
La pêche

Réalisez tout d'abord un poisson pour chaque enfant. A cet effet, dessinez-le sur du carton ou décalquez-le à partir du patron. Découpez ensuite l'animal.
Nouez une extrémité du fil à un trombone que vous enficherez sur la tête du poisson. Accrochez à l'autre extrémité une épingle de sûreté et fixez celle-ci dans le dos de l'enfant, de manière à ce que le poisson touche le sol. Lorsque tous les participants sont équipés de la sorte, le jeu peut commencer.

Les spectateurs se placent dans un grand cercle autour des participants. Ils délimitent ainsi l'aire de jeu dont nul ne peut sortir.
Sous les encouragements des spectateurs, chaque enfant s'efforce à présent d'attraper les poissons de ses petits camarades, en marchant sur les animaux en carton et en essayant ainsi de les détacher du trombone. Naturellement, chacun tentera de se défendre en sautant, en se tournant et en s'écartant. Il est interdit de s'aider des mains pour maintenir les poissons ou éloigner les autres joueurs. Lorsqu'un enfant a perdu son poisson, il est éliminé. Le dernier joueur en lice sera déclaré vainqueur.
Vous pouvez maintenant intervertir les rôles : les spectateurs deviennent joueurs et inversement.

LA PÊCHE
Age :
à partir de 4 ans
Participants :
à partir de 4
un nombre de spectateurs le plus élevé possible

Matériel
par joueur :
• du carton mince : 20 x 20 cm
• un crayon
• du papier-calque
• des ciseaux
• du fil : 1m de long
• un trombone
• une épingle de sûreté

RECETTE
Glaces aux fruits

Ces glaces faites maison ont une saveur tout à fait particulière qui, à n'en pas douter, enchantera les papilles de tous.
Dans chaque compartiment du bac à glaçons, placez un petit fruit dans lequel vous aurez piqué un cure-dent. Remplissez ensuite les compartiments de jus ou de compote de fruits.
Placez précautionneusement le bac dans le compartiment congélation du réfrigérateur. Attendez deux ou trois heures et vous pourrez déguster ces délicieuses glaces.

GLACES AUX FRUITS
Age :
à partir de 3 ans
Participants :
1 à 5 enfants et 1 adulte

Ingrédients :
• de la compote d'ananas
• des fraises ou des cerises
• du jus de fruit du même parfum

Matériel :
• un bac à glaçons
• des cure-dents

Bateau en écorce

BATEAU EN ÉCORCE

Age :
à partir de 4 ans
Participants :
à partir de 2
(1 adulte)

Matériel par bateau :

• un morceau d'écorce
• du papier de couleur : environ 8 x 8 cm (suivant la taille de l'écorce)
• un cure-dent en bois
• une aiguille
• une bougie chauffe-plats
• des allumettes

Si vous habitez à proximité d'un ruisseau, pourquoi ne pas envoyer ce navire en voyage au long cours, lors d'une promenade du soir. Si vous n'en avez pas la possibilité, vous pouvez le faire flotter à la maison dans la baignoire ou dans une grande bassine en plastique. Vous ferez avancer le bateau en soufflant sur sa voile et éprouverez ses capacités à flotter en faisant des vagues avec les mains.

En vous promenant en forêt, vous trouverez probablement un ou plusieurs longs morceaux d'écorce d'arbre. Brisez les morceaux trop grands ou trop épais de façon à obtenir la forme voulue. Si vous le souhaitez, vous pouvez également utiliser un canif. Mais attention, il est tranchant !

2. Piquez maintenant le cure-dent supportant la voile au milieu de votre bateau en écorce.

Placez la bougie chauffe-plats sur la poupe, c'est-à-dire à l'arrière du bateau. Allumez-la. Mettez le bateau à l'eau.

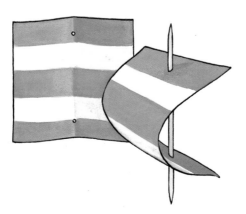

1. Pour confectionner la voile, pliez doucement le carré de papier en deux, mais n'aplatissez pas le pli, car il ne doit pas se voir ultérieurement. Il servira simplement de point de repère pour percer deux trous identiques avec une aiguille à 1 cm du bord environ. Passez ensuite le cure-dent dans les deux orifices.

JEU

Aménager un paysage

Cherchez tout d'abord un endroit où constituer votre paysage. Rassemblez ensuite des éléments qui vous semblent appropriés, par exemple des pierres de tailles différentes, des branches, des petits bâtons, des graminées et des feuilles. Amenez le tout à l'endroit choisi.

Avec du sable, de la terre et des pierres, construisez plusieurs îlots que vous planterez d'arbres faits de branches et de graminées. Vous pouvez également confectionner les bonshommes et les animaux en liège pré-sentés aux pages 148/149 et 186/187. Construisez une caverne avec de la terre glaise et des cailloux. Qui peut bien y habiter ?

Sur la mer qui entoure les îlots, naviguent des bateaux en écorce, en emballages de lait ou en morceaux de bois. Ils transportent des marchandises (petits cailloux, coquillages) d'une île à l'autre.

Vous pouvez construire des ports et des ponts ainsi que des falaises dans les baies, tandis que des rochers peuvent émerger de la mer. Ils risquent de constituer un danger pour les bateaux. Une racine d'arbre ou une branche de forme bizarre peuvent symboliser un serpent de mer.

Lorsque vous aurez commencé votre paysage, vous aurez sans cesse de nouvelles idées d'aménagement.

AMÉNAGER UN PAYSAGE

Age :
à partir de 4 ans
Participants :
à partir de 2

Matériel :

• des bateaux ou des voiliers (pages 224 et 230 : bateaux en écorce et en emballages de lait)
• des matériaux naturels tels des cailloux des branches des feuilles des morceaux d'écorce des coquillages

Course de bateaux

Vous pouvez organiser cette course sur la plage ou dans une prairie. Le diamètre de la bassine doit être suffisamment grand pour qu'un enfant puisse s'y asseoir. Déterminez à présent les lignes de départ et d'arrivée.

Les enfants se placent sur la ligne de départ et s'assoient dans leur cuvette. Au signal de départ, ils se propulsent avec les mains et les pieds. L'objectif est bien sûr de passer la ligne d'arrivée le plus rapidement possible. S'il y a plus de deux participants, vous pouvez organiser plusieurs manches consécutives, les participants devenant ensuite spectateurs et encourageant leurs favoris.

**COURSE
DE BATEAUX**
*Age :
à partir de 4 ans
Participants :
à partir de 2*

**Matériel
par enfant :**

• une bassine
en plastique

**PÊCHE
AUX BOUCHONS**
*Age :
à partir de 5 ans
Participants :
3 à 5*

Matériel :

• une baignoire
en plastique
• de l'eau
par enfant :
• cinq bouchons
propres
• une petite bassine
ou un petit seau

CHASSE AU TRÉSOR
*Age :
à partir de 3 ans
Participants :
à partir de 3*

Matériel :

• huit à dix "jouets"
de plage
• des ours en gomme

Pêche aux bouchons

Remplissez la baignoire d'eau et faites flotter les bouchons. Chaque enfant place une bassine près de lui et s'agenouille devant la baignoire. Au signal de départ, il "pêche" avec la bouche autant de bouchons qu'il le peut et les crache dans sa bassine.
Pour ce jeu, il est interdit de s'aider avec les mains.
Lorsque tous les bouchons ont été pêchés, le vainqueur est celui qui en a "pris" le plus.

Chasse au trésor

Déterminez ensemble les trésors à cacher, par exemple des moules, des coquillages, des animaux en plastique ou une chaussure de bain. Ces objets ne doivent pas avoir d'arêtes tranchantes et n'avoir aucune valeur.
Tous les joueurs, sauf un, doivent se retourner. Ce dernier enterre les objets dans une surface de sable préalablement délimitée. Dès qu'il a terminé, les autres commencent à chercher. Les trésors trouvés peuvent être échangés contre des ours en gomme.

Navire dans la tempête

Etant donné que ce jeu requiert une place importante, choisissez une grande pièce ou rendez-vous à l'extérieur. Dessinez, à la craie ou avec un bâton (selon le type de sol), un ovale dont l'une des extrémités sera un peu pointue. Si vous jouez à l'intérieur, utilisez une corde pour obtenir cette forme. Celle-ci représente le bateau dont la taille sera fonction du nombre de participants. Les joueurs constituent l'équipage et se choisissent un capitaine.

Avant de partir en voyage, expliquez les termes que chacun doit bien retenir :
Proue : avant du bateau
Poupe : arrière du bateau
Bâbord : côté gauche du bateau
Tribord : côté droit du bateau

Tous les joueurs embarquent et le bateau appareille. Il tombe dans une tempête et tous les membres de l'équipage doivent aider à le diriger. Le capitaine les envoie rapidement en alternance à bâbord, à tribord, puis vers la proue ou la poupe, etc. Le marin qui se trompe de côté est éliminé. Le capitaine doit donc être très attentif. Lorsqu'il ne reste plus qu'un seul marin à bord, il devient capitaine à son tour.

NAVIRE DANS LA TEMPÊTE
Age :
à partir de 5 ans
Participants :
à partir de 4

Matériel :

• de la craie,
• un bâton ou une corde

Jeu de doigts
Les deux pouces

Monsieur et Madame Pouce,
Montent dans un bateau.
Le bateau prend la mer
Mr et Mme Pouce respirent le bon air.
Tout à coup le vent se lève
Il souffle, souffle sur l'eau.
Les vagues se déchaînent
Et malmènent le petit bateau !

Mr et Mme Pouce sont terrorisés :
"Cher vent, sois gentil
Cesse de souffler ainsi !
Nous allons nous noyer!"

Alors le vent se calme
Et sur la mer le soleil brille :
Mr et Mme Pouce rentrent chez eux
Rapidement.
La fois prochaine
Ils partiront en auto-stop !

Cette histoire peut donner lieu à un jeu de doigts illustrant l'aventure extraordinaire des deux pouces.
Placez les mains l'une contre l'autre de manière à former un bateau et tendez les pouces vers le haut. Le jeu peut commencer. Le bateau navigue d'abord calmement, puis le vent se met à souffler et l'embarcation tangue et roule violemment (mouvements de bas en haut et de gauche à droite). Pour représenter le soleil, levez les deux mains en écartant les doigts. Le bateau peut ensuite rentrer au port sur les eaux calmées.

LES DEUX POUCES
Age :
à partir de 3 ans
Participants :
1 adulte et
1 ou plusieurs enfants

CHANSON

Bateau, ciseau

Ba- teau, ci- seau, la ri- viè- re, la ri- viè- re Ba- teau,

ci- seau La ri- viè-r' au bord de l'eau La ri- vière a dé- bor- dé.

Dans l'jar- din d'mon-sieur l'cu- ré. Qu'est-ce qu'est la mar- rai- ne, c'est une hi- ron-

del- le. Qu'est-ce qu'est le par- rain ? C'est un gros la- pin.

JEUX
L'île aux trésors

Les règles doivent naturellement être connues de tous. Le jeu peut maintenant commencer. Le vainqueur est le joueur qui est le premier à atteindre l'île aux trésors.

Dessinez l'aire de jeu dans le sable ou sur le sol. Il s'agit d'une grande spirale semblable à une coquille d'escargot. Placez les trésors (des coquillages ou des cailloux de couleur) au centre de celle-ci. Divisez en cases le chemin qui mène jusqu'à eux . Réfléchissez maintenant à des obstacles qui compliqueront le trajet jusqu'à l'île aux trésors. Par exemple, le joueur qui tire un six au dé doit reculer de six cases. Le navire de celui qui tombe sur une case où se trouve un caillou (rocher) est victime d'une avarie et doit reprendre le voyage au début. Les enfants peuvent eux-mêmes imaginer des obstacles de ce type et placer des repères dans les cases.

L'ÎLE AUX TRÉSORS
Age :
à partir de 5 ans
Participants :
2 à 3

Matériel par joueur :

• un caillou servant de pion
• de la craie ou un bâton
• des coquillages
• des pierres de couleur
• un dé

La tante d'Amérique

Ce jeu amusant, qui détend l'atmosphère, requiert un meneur de jeu. Celui-ci s'assied en cercle avec les enfants et raconte l'histoire suivante à son voisin de gauche : "Ma tante d'Amérique est arrivée et m'a ramené une ombrelle." En disant cela, il lève une main. Cette phrase est répétée successivement par tous les enfants qui exécutent simultanément le même geste de la main. Lorsque c'est à nouveau le tour du meneur de jeu, il dit : "Ma tante d'Amérique est revenue et m'a apporté une ombrelle et un gant de toilette." Cette fois, il fait non seulement mine de tenir l'ombrelle, mais aussi de se laver le visage.
Au troisième tour, la tante a également rapporté un rocking-chair : le haut du corps doit donc en plus se balancer d'avant en arrière.
Au quatrième tour vient s'ajouter une machine à coudre qui est symbolisée par le mouvement des pieds.

Le cadeau du cinquième tour est un perroquet appelé "Coco". La phrase complète est maintenant : "Ma tante d'Amérique est revenue et m'a apporté une ombrelle, un gant de toilette, un rocking-chair, une machine à coudre et un perroquet appelé Coco."
A la fin du jeu, tous les participants disent en même temps : "Ma tante d'Amérique est repartie et a tout repris : l'ombrelle, le gant de toilette, la machine à coudre et le perroquet Coco."

LA TANTE D'AMÉRIQUE
Age :
à partir de 6 ans
Participants :
à partir de 5,
mais le groupe peut être plus important

Coco !

BRICOLAGE

Bateaux
en emballage

BATEAUX
EN EMBALLAGE

Age :
à partir de 5 ans
Participants :
seul ou en groupe

Matériel :

• de vieux journaux
• une blouse (vieille chemise)
• de la peinture acrylique
• un pinceau
• une boîte de lait avec un fond carré
• des ciseaux
• des petites boîtes
• de la colle

Matériel supplémentaire pour le voilier :

• une pique à brochette en bois
• une aiguille
• du papier de couleur : 14 x 14 cm

Matériel supplémentaire pour le bateau à vapeur :

• un rouleau de carton
• un peu d'ouate

Rincez abondamment les boîtes de lait vides. Vous pourrez en faire de beaux bateaux qui flotteront parfaitement. Ils pourront naturellement transporter des marchandises (trésors) ou des passagers. A vous de décider s'il s'agira d'ours en gomme ou de personnages en bouchons de liège.

Vous ne devez pas nécessairement peindre les boîtes.

Si vous le souhaitez, peignez trois côtés, le fond, et la pointe de la boîte. Sinon, commencez directement à découper la pointe.

Si vous avez peint votre bateau, laissez sécher correctement la peinture et, pendant ce temps, préparez les petites boîtes, les rouleaux de papier, la ouate, les bâtonnets en bois, le papier, l'aiguille, les ciseaux et la colle. Evidez ensuite le côté non peint, en commençant par la pointe.

Si la pointe s'ouvre un peu, recollez-la.

VOILIER

1. Prenez une petite boîte entrant parfaitement dans le fond du bateau, déposez-la à plat sur la table et percez un trou en son centre. C'est dans celui-ci que viendra ultérieurement s'emboîter le mât.

2. Collez maintenant la boîte au centre du bateau.

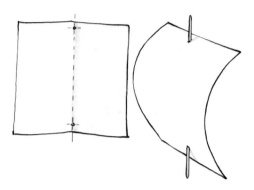

3. Pliez le carré de papier au centre, mais sans marquer le pli. Sur ce repère pratiquement invisible, percez un trou à environ 1,5 cm de chaque bord.

4. Passez le bâtonnet par les deux orifices pratiqués.

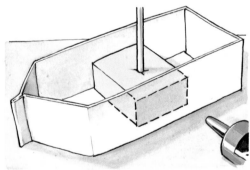

5. Insérez à présent le mât dans le trou prévu à cet effet dans la boîte et fixez-le en outre par un point de colle.

BATEAU À VAPEUR

1. Collez une petite boîte dans la partie arrière du bateau à vapeur.

2. Le rouleau de papier constituera la cheminée. Collez-le devant la boîte, c'est-à-dire approximativement au centre du bateau.

3. Collez de la ouate à l'extrémité de la cheminée afin de matérialiser la vapeur qui s'en échappe.

4. Collez une autre petite boîte, qui sera le pont du capitaine, devant la cheminée.

5. Si vous le souhaitez, équipez à présent les bateaux de hublots, de bouées de sauvetage et de drapeaux, avant de vérifier s'il flotte correctement.

PETIT THÉÂTRE DE MARIONNETTES

Age :
acteurs à partir
de 6 ans
spectateurs à partir
de 3 ans
Participants :
acteurs : 1 à 2
spectateurs :
un grand groupe

Matériel :

- des marottes
(Guignol et le voleur)
- un petit théâtre
- une valise
- une crécelle

BRICOLAGE

Petit théâtre de marionnettes

Si vous disposez d'un petit théâtre de marionnettes avec une scène et des marionnettes, vous pouvez commencez la pièce presque immédiatement. Il ne vous reste plus qu'à confectionner la valise (page de droite) et à prendre connaissance du texte avant de le jouer.

Mais si vous ne possédez pas les objets requis ou si vous ne les avez pas emmenés en vacances, vous pouvez les réaliser avec des moyens très simples.

PERSONNAGES

Matériel :

- deux cuillers
en bois
- des feutres ou des
crayons de couleur
- des chutes de laine
- des ciseaux
- de la colle
- une serviette
à carreaux
- une serviette
de couleur sombre

PERSONNAGES

1. Au dos d'une cuiller en bois neuve, dessinez le visage d'une marionnette en vous inspirant du dessin ci-dessus : peignez les yeux au centre, puis le nez et la bouche.
2. Vous pouvez représenter les cheveux simplement par des traits ou découper des petits brins de laine et les coller en haut de la cuiller.

1. Pour le voleur, dessinez un visage patibulaire avec des sourcils sombres et épais, une bouche descendant vers le bas et beaucoup de poils de barbe. Inspirez-vous dans cas également du dessin ci-dessus.
2. La chevelure et la barbe peuvent également être réalisées avec des brins de laine.

VÊTEMENTS

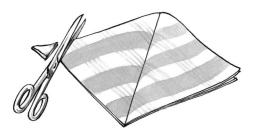

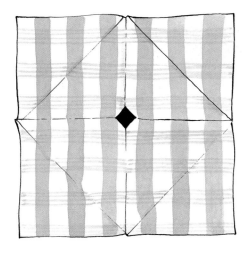

Les vêtements seront très simples à réaliser avec les serviettes : prenez une serviette à carreaux pour Guignol et une serviette sombre pour le voleur.

1. Pliez la serviette en quatre et coupez la pointe fermée.

2. Ouvrez la serviette. Un petit trou se trouve en son centre.

3. Il ne vous reste plus qu'à passer le manche de la cuiller en bois dans celui-ci et le tour est joué !

VALISE

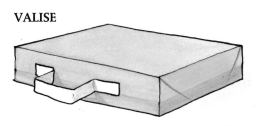

1. Collez du papier de couleur autour de la petite boîte.

2. Découpez une mince bande de papier pour la poignée et fixez-la sur un des côtés étroits de la boîte.

VALISE

Matériel :

- une petite boîte
- du papier de couleur
- de la colle

THÉÂTRE

1. Placez le carton à chaussures sur une planche à découper et évidez-en le fond à l'aide d'un couteau en veillant à laisser un bord de quelques centimètres. Vous pouvez éventuellement rectifier les bords avec des ciseaux.

2. Avant de poser votre théâtre sur une planche à repasser, recouvrez celle-ci d'un drap ou d'une couverture. Vous pouvez également faire basculer une table et poser le théâtre sur celle-ci. Vous devrez peut-être fixer la scène avec du ruban adhésif. Les acteurs se tiennent debout ou à genoux sous la table.

Avant de commencer à jouer, placez tous les accessoires à portée de la main : le guignol, la valise, le voleur et la crécelle.

THÉÂTRE

Matériel :

- un grand carton à chaussures
- un couteau pointu
- une planche à découper

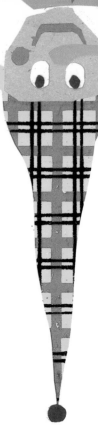

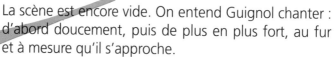

PIÈCE DE THÉÂTRE

Guignol part en vacances

La scène est encore vide. On entend Guignol chanter : d'abord doucement, puis de plus en plus fort, au fur et à mesure qu'il s'approche.

"Lalala, Tralala,

Guignol va bientôt partir !"

(Guignol entre en scène, une valise à la main.)

• **Guignol** : Bonjour, les enfants ! Quelle chance de vous rencontrer aujourd'hui. Je vais pouvoir vous dire "au revoir" avant de partir en vacances. Que dis-je partir, m'envoler, comme une mouche !

(Guignol dépose sa valise et "bourdonne" en se déplaçant sur la scène.)

(Aux enfants) : Je suis tellement content !

Voulez-vous savoir où je m'envole ?

(Pause : attendre la réponse des enfants.) Non. Vous ne pourrez pas deviner. Le nom ressemble à pizza.

(Les enfants essaient de deviner; Guignol répond par la négative à leurs propositions.)

Non, ce n'est pas l'Italie, pas l'Espagne non plus. Un nom qui ressemble à pizza ! – Ibiza bien sûr ! Sensationnel, n'est-ce pas ? Il y fait chaud, le soleil brille et on peut se baigner dans la mer. *(Guignol se donne des grands airs.)* J'ai même déjà vu "l'hippo-campe". *(S'adresse à un enfant)* : Toi aussi ? Génial !

(Guignol reprend sa valise.) Maillot de bain, crème solaire, chapeau, j'ai tout emporté, ici, dans ma vali-se. *(Guignol se met à crier)* : Oh, mon Dieu ! Bonté divine ! J'ai oublié quelque chose ! Quelque chose de très important !

(Les enfants essaient de deviner, Guignol répond.)

J'ai oublié ma crécelle. Oh, comment ai-je pu ! Je dois absolument aller la chercher. Voulez-vous surveiller ma valise pendant ce temps ? Oui ? Merci beaucoup.

(Guignol quitte la scène par le côté où il est arrivé.)

(Le voleur entre par l'autre côté ; il grommelle.)

• **Voleur :** Tout le monde part en vacances. Je suis le seul à rester ! Pourtant j'aimerais bien ! *(Il voit la valise.)* Oh ! une valise ! *(Il regarde partout autour de lui.)* Une belle valise ! *(Les enfants crient probablement déjà qu'elle appartient à Guignol.)* Que peut bien faire Guignol avec cette valise ? Des crêpes ? *(Les enfants expliquent)* : Ah, ah. Il veut partir en vacances. *(Il secoue la valise.)* Et la valise est tout à fait prête ? Mais c'est magnifique ! J'en ai de la chance ! Je déteste préparer les valises. Je trouve cela stupide. Mais je ne devrais pas le faire, puisque je vais prendre celle-ci. *(Les enfants protestent sûrement, le voleur se défend.)* Qu'à cela ne tienne ! Je pars maintenant pour l'aéroport et je m'envole vers l'Alaska. Là-bas, il y a beaucoup de neige, même à cette époque. Et on peut rouler en traîneau tiré par des chiens. Hourra ! En route pour l'Alaska !

(Le voleur s'en va et prend la valise.)

(Guignol arrive avec sa crécelle.)

• **Guignol :** Ma chère crécelle ! J'ai bien failli t'oubli… *(Il s'interrompt.)* Mais que se passe-t-il ? *(Aux enfants)* Qu'est-il arrivé ? Ma valise ! Elle a disparu !

(Les enfants expliquent.) Quoi ? Qui ? Le voleur ? A l'aéroport ! Avec ma valise ! Attendez, je connais un raccourci. Venez avec moi, les enfants, nous allons le rattraper !

(Guignol part avec sa crécelle.)

(Le voleur arrive en haletant.)

• **Voleur :** Hou ! que cette valise est lourde ! Je dois souffler. *(Il marche très lentement.)*

(Guignol arrive.)

• **Guignol :** Halte, voleur !

• **Voleur :** Où ? Où sont les voleurs ? *(Il dépose la valise.)*

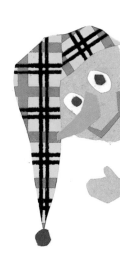

• **Guignol :** C'est toi le voleur !

• **Voleur :** Comment ça, moi ? Pourquoi m'accuses-tu ?

• **Guignol :** Ne fais pas l'innocent ! Tu m'as fauché ma valise !

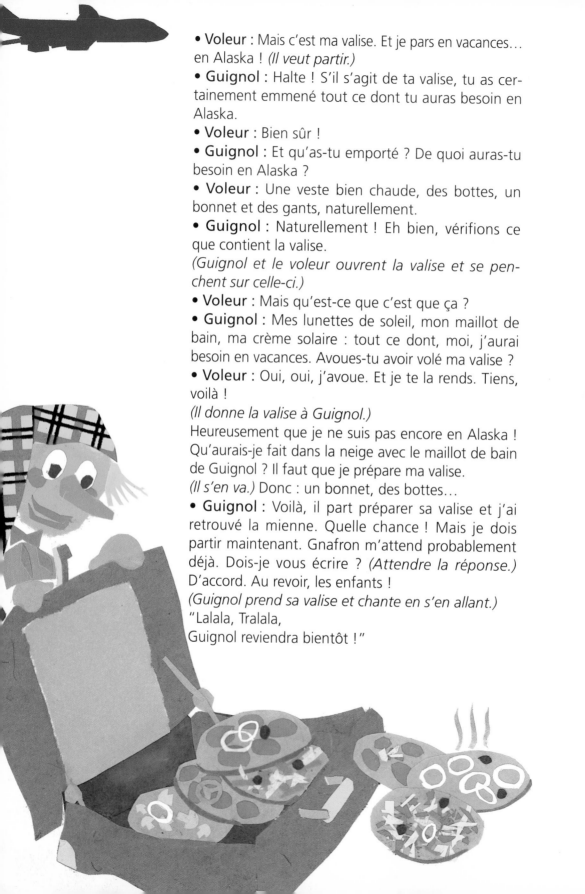

- **Voleur** : Mais c'est ma valise. Et je pars en vacances… en Alaska ! *(Il veut partir.)*
- **Guignol** : Halte ! S'il s'agit de ta valise, tu as certainement emmené tout ce dont tu auras besoin en Alaska.
- **Voleur** : Bien sûr !
- **Guignol** : Et qu'as-tu emporté ? De quoi auras-tu besoin en Alaska ?
- **Voleur** : Une veste bien chaude, des bottes, un bonnet et des gants, naturellement.
- **Guignol** : Naturellement ! Eh bien, vérifions ce que contient la valise.

(Guignol et le voleur ouvrent la valise et se penchent sur celle-ci.)

- **Voleur** : Mais qu'est-ce que c'est que ça ?
- **Guignol** : Mes lunettes de soleil, mon maillot de bain, ma crème solaire : tout ce dont, moi, j'aurai besoin en vacances. Avoues-tu avoir volé ma valise ?
- **Voleur** : Oui, oui, j'avoue. Et je te la rends. Tiens, voilà !

(Il donne la valise à Guignol.)

Heureusement que je ne suis pas encore en Alaska ! Qu'aurais-je fait dans la neige avec le maillot de bain de Guignol ? Il faut que je prépare ma valise.

(Il s'en va.) Donc : un bonnet, des bottes…

- **Guignol** : Voilà, il part préparer sa valise et j'ai retrouvé la mienne. Quelle chance ! Mais je dois partir maintenant. Gnafron m'attend probablement déjà. Dois-je vous écrire ? *(Attendre la réponse.)* D'accord. Au revoir, les enfants !

(Guignol prend sa valise et chante en s'en allant.)

"Lalala, Tralala,
Guignol reviendra bientôt !"

JEU DE DOIGTS

Guignol

Il est tellement agréable de jouer Guignol que nous vous proposons un autre jeu de doigts, pour lequel vous pouvez aussi utiliser de véritables marionnettes.

Le rideau se lève.
(Tendre les deux index l'un à côté de l'autre et les éloigner lentement l'un de l'autre)

Guignol arrive.
(Placer l'index droit verticalement)
"Bonjour, mesdames
Bonjour, messieurs"
(Tourner l'index à droite puis à gauche)
"Aimez-vous Guignol ?"
(Les enfants crient : oui !)
Mais Guignol est seul.
(L'index droit reste immobile)
Il appelle Gnafron.
(Tous appellent : Gnafron ! L'index gauche s'approche)
Ils se battent.
(Les index se frappent)
Ils se réconcilient.
(Les index se caressent, s'embrassent)
Ils se jouent
(Les index vont et viennent)
des blagues.
(Gnafron disparaît)
"Je vais maintenant appeler la sorcière !"
(Tous crient : Sorcière !)
"Je suis la sorcière Patte à ressort,
(Replier l'index gauche)
Guignol doit être métamorphosé !"
(Faire des cercles autour de Guignol)
"Non, non, sorcière, tu n'en feras rien."
(L'index droit fait signe que non)
Rentre chez toi !"
(Chasse la sorcière)

Arrive maintenant le crocodile vert.
(Quatre doigts de la main gauche)
Il vit sur le Nil et mange beaucoup.
(Rassembler les doigts, pouce en dessous)
Il s'approche en silence
(Fermer et ouvrir la main comme une gueule)
et a presque avalé Guignol.
(La main gauche attrape l'index droit)
Celui-ci s'agite en tous sens
(Il s'agite dans un sens)
et patatras !
(Il s'agite dans l'autre sens)
il parvient à s'échapper.
(L'index droit se libère)
Le crocodile est maintenant en mauvaise posture :
(Et frappe la main gauche)
"Retourne sur ton Nil."
(Et frappe le dos de la main gauche)
Il appelle maintenant la petite Margot.
(Tous crient : Margot !)
Ils dansent gaiement une ronde.
(L'index droit "saute")
Ils dansent gaiement
(Vers le droit)
et soudain ils disparaissent.
(Les doigts disparaissent)
Le rideau se ferme.
(Les deux index se rapprochent)

Le jeu est terminé
(Jusqu'à ce qu'ils se touchent)
et tous les enfants applaudissent.
"APPLAUDISSEZ !"
(Tous les enfants applaudissent avec les index)

GUIGNOL
Age :
à partir de 3 ans
Participants :
à partir de 2

Septembre

Septembre chasse l'été.
C'est la rentrée des écoliers.
Le blé est coupé.
On ouvre les cahiers.
Les oiseaux partent au loin.
Salut et merci bien.
Au printemps prochain !

Valise souvenir de vacances

VALISE SOUVENIR

Age :
à partir de 4 ans
Participants :
seul ou avec tous
ceux qui sont partis
ensemble

Matériel :

• une valise ou
un carton plat
• une feuille de
papier bleu
dont la taille
correspond à la
moitié de celle
de la valise
• des ciseaux
• de la colle
• du film plastique
transparent
• du ruban adhésif
• du sable
• des petits cadeaux
• des coquilles de noix
• des pinces à linge
en bois
• du papier de couleur
• un crayon

L'été touche à sa fin. Certains d'entre vous sont partis en voyage, d'autres sont restés à la maison et se sont peut-être rendus à la mer ou à la piscine.

La plupart d'entre vous ont probablement rapporté des souvenirs, par exemple des coquillages, des galets ou des étoiles de mer. Mais vous avez également gardé en mémoire des impressions du paysage, des voiliers, des chaises longues et du vendeur de glaces. Pour ne pas oublier tout cela trop rapidement, confectionnez une valise souvenir de vacances.

1. A cet effet, prenez une vieille valise ou un carton plat constitué d'un fond et d'un couvercle.

2. Recouvrez la moitié du fond de papier bleu.

3. Placez en forme de vague du plastique transparent au-dessus. Fixez-le avec du ruban adhésif.

4. Remplissez l'autre moitié du fond avec du sable sur lequel vous disposerez des galets et des coquillages.

5. Découpez différents éléments dans du papier de couleur pour décorer l'intérieur du couvercle : un soleil, des montagnes, des arbres, des maisons et la charrette du marchand de glaces.

6. Réalisez à présent les voiliers en pliant du papier ou à partir de coquilles de noix ou de moitiés de pinces à linge. Utilisez également celles-ci pour confectionner des planches à voiles. Découpez les voiles dans du papier de couleur et collez-les.

PEINTURE

Tournesols

TOURNESOLS
Age :
à partir de 1 an
Participants :
seul ou en groupe

Matériel :

• une grande feuille de papier
• une blouse
• des peintures aux doigts : brun, jaune et vert
• un pinceau
• de l'eau

Les tournesols éclatants constituent un magnifique paysage de fin d'été. Il est très facile de les cultiver à partir de graines. Certains d'entre vous ont peut-être déjà tenté d'en faire pousser et observé comment les "soleils" se développaient.

Vous pouvez réaliser un tournesol avec de la peinture aux doigts. A cet effet, enduisez la paume de votre main de peinture brune – pour le calice – et l'intérieur des doigts en jaune. Vous obtiendrez ainsi les pétales. Pressez votre main sur le papier à plusieurs reprises en tournant jusqu'à obtention d'une fleur ronde complète. Attention, posez toujours votre paume enduite de brun au centre. Dessinez la tige et les feuilles avec un pinceau ou avec vos doigts. Cette belle fleur pourra ensuite décorer un mur de votre chambre.

Moudre des grains

**MOUDRE
DES GRAINS**

*Age :
à partir de 3 ans et
un adulte
Participants :
seul ou en groupe*

Matériel :

• des grains
de seigle,
d'avoine,
de blé
• un moulin
à céréales
ou
un plat en terre
cuite et une pierre
ronde
ou
un vieux moulin
à café à main

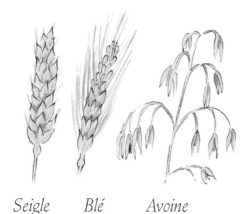

Seigle   Blé   Avoine

Sélectionnez tout d'abord les grains que vous souhaitez moudre pour confectionner votre pain. Vous avez peut-être déjà vu des épis dans les champs et connaissez donc le seigle, l'avoine et le blé.

Vous pourrez vous procurer les céréales dans des magasins d'alimentation biologique ou dans certains supermarchés.

C'est avec un moulin à céréales que vous aurez le plus de facilité à moudre les grains. Mais vous souhaitez peut-être procéder comme nos ancêtres vivant à l'époque où les moulins n'existaient pas. Pour ce faire, prenez une pierre ronde et un plat en terre cuite. Placez quelques grains à l'intérieur de celui-ci et réduisez-les à l'aide de la pierre. Ce travail sera certes long et pénible, mais constituera une expérience intéressante. Si vous possédez un ancien moulin à café à main, vous pouvez aussi y moudre les grains.

Après avoir moulu les différentes céréales et comparé les diverses farines obtenues, vous pourrez les identifier à leur couleur et à leur consistance.

Vous pouvez à présent préparer un pain en suivant la recette fournie à la page suivante. N'est-il pas intéressant de suivre toute l'opération, de partir des grains pour confectionner le pain, et de se régaler ensuite avec celui-ci ?

RECETTE

Cuire du pain

1. Mettez la farine dans un grand saladier et creusez un puits au milieu.

2. Versez-y environ 300 ml d'eau tiède et ajoutez la quantité indiquée de céréales.

3. Pétrissez ensuite la pâte.

4. Pendant qu'elle refroidit, mélangez dans un petit saladier la levure avec un peu de sel et 50 ml d'eau tiède.

5. Ajoutez le tout à la pâte. Pétrissez celle-ci énergiquement, couvrez-la d'une serviette et laissez-la reposer quelques heures.

6. Lorsque la pâte a pratiquement doublé de volume, travaillez-la une dernière fois jusqu'à ce qu'elle se décolle facilement du saladier et des mains.
Formez à présent le pain.

7. Laissez-le reposer encore 30 minutes dans un torchon de cuisine sur lequel vous aurez préalablement saupoudré de la farine.

8. Si vous aimez, vous pouvez enduire le pain de blanc d'œuf afin qu'il soit bien brun.

9. Faites préchauffer le four et enfournez maintenant le pain sur la plaque du milieu. Pour savoir ensuite s'il est parfaitement cuit, tapez sur le fond du pain. Si le son est creux, la cuisson est parfaite.

10. Pour que le pain soit bien brillant, faites bouillir un peu d'eau, mélangez pendant ce temps de la fécule avec de l'eau froide, puis ajoutez ce mélange à l'eau que vous porterez à nouveau à ébullition.

11. Enduisez-en le pain et laissez-le refroidir. Il ne vous reste plus maintenant qu'à le goûter !

CUIRE DU PAIN

Ingrédients :

- 600 g de farine complète
- 2 cuillers à soupe de graines de tournesol
- 2 cuillers à soupe de graines de sésame
- 2 cuillers à soupe de graines de lin
- 350 ml d'eau tiède
- un cube de levure
- 2 cuillers à soupe de sel
- un blanc d'œuf

Ustensiles :

- un grand et un petit saladiers
- un pinceau
- un torchon de cuisine propre pour recouvrir le pain

Four électrique :

250 degrés

Four à gaz :

thermostat 7 ou flamme presque maximale

Temps de cuisson :

environ 60 minutes après avoir préchauffé le four

Collage d'épis et de graminées

COLLAGE À PARTIR D'ÉPIS ET DE GRAMINÉES

Age :
à partir de 3 ans
Participants :
seul ou en groupe

Matériel :

- des graminées
- des épis de céréales
- du papier d'emballage
- des ciseaux
- du carton
- de la colle
divers matériaux tels :
- des coquilles de noix
- des coquilles de pistaches
- des feuilles
- des chutes de tissu
- du papier de couleur
- des feutres
- un morceau de corde : environ 50 cm de long

Vous trouverez les graminées et les épis de céréales en vous promenant dans les champs.

1. Lorsque vous en aurez suffisamment récolté, cherchez un fond produisant un effet naturel. Vous pouvez par exemple utiliser du papier d'emballage brun que vous découperez à la taille voulue.

2. Pour que votre tableau soit plus stable, collez-le sur un morceau de carton.

3. Disposez à votre guise les épis et les graminées sur votre support.

4. Lorsque la composition vous plaît, collez les plantes. Voilà, le collage est à présent terminé.

Si vous le souhaitez, vous pouvez également confectionner dans d'autres matériaux naturels des souris, des papillons ou des insectes (par exemple réaliser souris, coccinelles et araignées à partir de coquilles de noix). Vous pouvez créer des papillons avec deux feuilles. Pourquoi ne pas coller ces animaux sur votre tableau ?

Vous pouvez par ailleurs ajouter d'autres motifs sur votre tableau et peindre par exemple un soleil et des nuages ou encore les découper dans des chutes de tissu ou du papier de couleur et les coller.

Pour pouvoir suspendre votre collage, percez un trou en haut à gauche et à droite de celui-ci, passez-y une cordelette et nouez les extrémités de celle-ci au dos de votre œuvre.

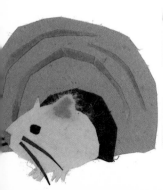

JEUX DE DOIGTS

Dix petites souris

Pour dix petites souris   (les dix doigts courent sur la table)
Cela ne pose pas de problème
Dix petites souris
Vont et viennent   (les dix doigts montent et descendent)
Dix petites souris
Vont de-ci de-là   (les doigts courent de-ci de-là)
Dix petites souris
Vont de haut en bas
Cherchent une cachette   (les doigts disparaissent dans le poing fermé)
Dix petites souris
Ont pris la poudre d'escampette !

DIX PETITES SOURIS
Age :
à partir de 1 an
Participants :
seul ou en groupe

BRICOLAGE

Souris

Pour que ce jeu soit encore plus amusant, transformez vos doigts en petites souris. Cette métamorphose est très simple, il suffit de procéder de la façon suivante. Les ongles, sur lesquels vous dessinerez la petite bouche, les yeux et les moustaches, représentent le corps des souris. La queue commence à la base de l'ongle et se poursuit quelque peu sur le doigt.

Mais vous pouvez également réaliser des souris en poupées de doigt. A cet effet, découpez un anneau à la taille de chaque doigt et dix souris ovales en papier. Peignez les yeux ; découpez la queue et les moustaches dans un brin de laine et collez-les comme indiqué sur la photo. Fixez ensuite les souris sur les anneaux.

Vous pouvez maintenant enfiler ceux-ci sur vos doigts et commencer le jeu.
Par la suite, vous conserverez de préférence les anneaux dans une boîte pour éviter qu'ils ne s'abîment ou ne se perdent.

SOURIS
Age :
à partir de 4 ans
Participants :
seul ou en groupe

Matériel :

• un feutre
• du papier de couleur
• des ciseaux
• de la laine
• de la colle

Souris de pierre

Souris dans un trou de souris

SOURIS DE PIERRE
Age :
à partir de 3 ans
Participants :
seul ou en groupe

Matériel :

- des pierres plates
- des blouses
- de la peinture
aux doigts ou
de la gouache
- de l'eau
- des pinceaux
- un feutre
- de la laine ou
du cuir
- des ciseaux
- de la colle
- du vernis
transparent en spray
(sans CFC)

SOURIS DANS UN TROU DE SOURIS
Age :
à partir de 3 ans
Participants :
à partir de 4

Matériel :

- de la ficelle :
1m de long

ATTRAPE LA SOURIS
Age :
à partir de 3 ans
Participants :
à partir de 6

Matériel :

- une corde fine,
environ 1 à 2 m
de long

Cherchez quelques pierres plates présentant approximativement la forme d'une souris. Lavez-les et laissez-les sécher. Peignez-les ensuite avec de la peinture aux doigts ou de la gouache. Lorsqu'elles sont sèches, dessinez les yeux et la petite bouche avec un feutre. Réalisez ensuite la queue et les moustaches dans de la laine et collez-les. Pour que les souris ne perdent pas leur couleur si elles étaient mouillées, vaporisez-les avec du vernis transparent.

La course des souris est un jeu très simple. Chaque enfant reçoit pour ce faire trois petits rongeurs de la même couleur.
La ficelle matérialise la ligne de départ. A une certaine distance de celle-ci, creusez un trou de souris ou placez un petit récipient. A partir de la ligne de départ, essayez de lancer les souris de pierre dans le trou. Le joueur qui atteint le but le plus souvent est déclaré vainqueur.

Attrape la souris

Ce jeu sera particulièrement amusant si vous y jouez à plus de six. Un enfant – la souris – reçoit une longue queue – la corde –, dont il fixe une extrémité à la ceinture de son pantalon ou de sa jupe. La corde pend sur le sol.
Les autres enfants, qui sont les chats, doivent attraper la souris en lui marchant sur la queue pendant à terre.
Le chat qui parvient à attraper la souris se transforme en souris au tour suivant et la souris attrapée est éliminée. Le joueur restant à la fin du jeu est la souris de la manche suivante.

Chanson
Une souris verte

Une souris verte
Qui courait dans l'herbe
Je l'attrape par la queue
Je la montre à ces messieurs
Ces messieurs me disent
Trempez-la dans l'huile
Trempez-la dans l'eau
Ça fera un escargot tout chaud

Je la mets dans mon tiroir
Elle me dit qu'il fait trop noir
Je la mets dans mon chapeau
Elle me dit qu'il fait trop chaud
Je la mets dans ma culotte
Elle me fait trois petites crottes !

JEU

Rallye
d'automne

RALLYE D'AUTOMNE

Age :
à partir de 5 ans
et 1 adulte pour
la préparation
Participants :
à partir de 5
et 1 adulte

Matériel :

• du papier
pour écrire
• des crayons
• du papier
d'emballage
• une corde
• de la craie
• des petites
branches
• plusieurs fanions
• un filet (pour la
surprise dans l'arbre)
• des bâtonnets,
• des cailloux ou
du carton pour
repérer le chemin
• de la nourriture
et des boissons
• éventuellement
du charbon de bois

Le rallye sera particulièrement amusant si plus de cinq enfants (et un adulte) y participent. Il peut s'organiser de diverses manières. Voici les deux plus intéressantes : un groupe subit les épreuves ou deux équipes s'opposent. Mais dans les deux cas, les préparatifs restent identiques.

Ce rallye doit se dérouler dans une région comprenant beaucoup de champs. Les personnes qui élaborent le jeu doivent parcourir le site choisi et partir à la recherche de couleurs, de formes ou d'objets frappants. Il peut s'agir de fleurs, d'un abri de jardin ou d'une clôture. Inscrivez, dans l'ordre, ce que vous souhaitez faire figurer sur votre plan. A l'aide de vos notes, réalisez celui-ci sur un grand morceau de papier d'emballa-ge. A cet effet, inspirez-vous du schéma ci-dessous en tenant bien évidemment compte des données topologiques du site choisi.

Le groupe se dirige d'après le plan qui, en plus des repérages d'itinéraire et des endroits où se déroulent les différentes épreuves, indique la direction à suivre à chaque carrefour.

Pour l'épreuve n° 7, fabriquez dix fanions à l'aide de petits bâtons ou de piques en bois, sur lesquelles vous fixerez des triangles de papier. Inscrivez sur chacun d'entre eux une lettre du mot désignant le lieu d'arrivée.

Pour les autres indications, par exemple "Prairie près du ruisseau" ou "Jardin de …", vous aurez besoin de fanions supplémentaires.

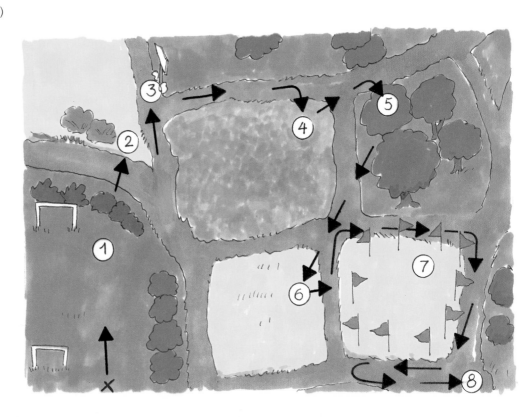

La veille du rallye, placez des flèches servant de panneaux indicateurs, installez les fanions autour du champ ainsi que le filet contenant les rafraîchissements dans un arbre. Les en-cas seront apportés à l'arrivée par un adulte et constitueront une belle surprise pour les participants au rallye. Rappelez une nouvelle fois à ceux-ci où et quand a lieu le rendez-vous.

Le jour dit, tous les participants se réunissent. Donnez le plan à un joueur qui sait déjà lire ou à un adulte accompagnateur. Assurez-vous que les indications qu'il contient sont réellement compréhensibles.

Remettez également à l'enfant les fiches décrivant les épreuves. Enfin, précisez une nouvelle fois que le chemin est indiqué par des flèches.

Voici quelques exemples d'épreuves pour le rallye :

Epreuve n° 1

Quels arbustes entourent le grand champ fermé par deux grandes grilles ? Ramenez un fruit de ceux-ci.

Réponses : ....

Epreuve n° 2

Cherchez le champ ayant la forme d'un grand triangle. Quelles céréales y poussent en été ?

Observez attentivement ce champ. Le fermier a-t-il déjà moissonné et ressemé ?

Réponses : ....
....
....

Epreuve n° 3

Cherchez le panneau indicateur sur lequel est peint un arbre et figure une inscription. Le poteau est entouré de deux grosses pierres.

Qu'est-ce qui pousse dans le champ derrière le panneau ?

Réponse : ....

Quelle direction indique le panneau ?

Réponse : ....

Que peut-on produire avec les légumes poussant dans ce champ ?

Réponse : ....

Epreuve n° 4

Ce légume n'est pas reconnaissable au premier regard. Pousse-t-il dans, sur ou au-dessus de la terre ?

Réponse : ....

Comment s'appelle ce légume ?

Réponse : ....

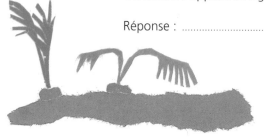

Epreuve n° 5

Où pousse ce fruit et comment s'appelle-t-il ?

Réponse : ....

Quelque chose est caché dans un arbre situé à peu près au milieu de ce pré. Si vous l'avez trouvé, partagez son contenu et reposez-vous un peu.

Pendant cette pause, imaginez un poème d'automne composé de quatre vers.

Epreuve n° 6

Suivez les flèches jusqu'au champ moissonné. Cherchez au bord de celui-ci trois plantes différentes. Comment s'appellent-elles ? Emmenez une partie de chacune d'entre elles, par exemple une feuille.

Epreuve n° 7

Ce champ s'appelle : ....

Faites-en le tour. Vous trouverez dix fanions qui vous indiqueront le lieu d'arrivée.

Epreuve n° 8

Vous êtes maintenant arrivé au but et devrez présenter les fruits et plantes que vous avez ramenés, donner vos réponses et lire votre poème.

Vous pouvez maintenant manger et boire tous ensemble !

Si huit enfants ou plus participent à ce jeu, formez deux équipes qui s'opposeront. Dans ce cas, prévoyez un adulte ou un enfant de plus qui sache déjà lire et écrire. Si le départ et l'arrivée se trouvent au même endroit, inversez l'ordre des épreuves dans le plan destiné au second groupe.

Autre possibilité : la deuxième équipe peut également démarrer 30 minutes après la première.

Inscrivez pour chaque groupe les heures de départ et d'arrivée. Attribuez dix points supplémentaires à l'équipe la plus rapide, les épreuves réussies et les réponses correctes rapportant également des points (deux points pour chaque réponse juste). L'équipe la plus lente pourra ainsi peut-être rattraper la plus rapide.

Qui remportera le rallye ?

JEU
Ballon relais

Composition de fruits d'automne en plâtre

Ce jeu requiert la participation d'au moins dix enfants. Mais vous pouvez aussi inviter des adultes à y jouer. Prévoyez également un arbitre ou un meneur de jeu.

Formez deux équipes de taille identique. Les membres de chacune d'entre elles se placent les uns derrière les autres, jambes légèrement écartées. Prévoyez une distance de 1 à 2 m entre les deux équipes.

Donnez un ballon au premier enfant de chaque équipe. Au signal de départ, il passe celui-ci entre ses jambes écartées au joueur placé derrière lui, qui le transmet à son tour. Lorsque le ballon arrive au dernier, celui-ci court, ballon en main, vers le premier joueur de son équipe. L'équipe la plus rapide marque un point et c'est parti pour une seconde manche.

Lorsqu'en septembre vous vous promenez en forêt ou dans les champs, vous trouvez de nombreuses graminées et autres fleurs. Mais c'est également l'époque où de multiples fruits arrivent à maturité et tombent des arbres. La réalisation de cette composition requiert des fruits d'automne, par exemple des faînes, des glands, des fruits d'églantier, ainsi que des graminées, des fleurs et des épis de céréales.

1. Lorsque vous avez trouvé tous les matériaux, cherchez un moule. Si vous souhaitez que votre tableau soit rond, utilisez par exemple une assiette. S'il doit plutôt être ovale ou hexagonal, employez une boîte ou un plat de forme appropriée.

2. Mélangez le plâtre conformément aux instructions figurant sur l'emballage et versez-le dans le moule choisi.

3. Pressez légèrement les fruits et les graminées dans la masse et laissez sécher le tout.

4. Après séchage, démoulez votre tableau et percez par l'arrière, à l'extrémité supérieure de celui-ci, un trou suffisamment grand pour laisser passer la tête d'un clou. Laissez le plâtre sécher encore un peu et devenir vraiment dur.

Si le fond blanc ne vous plaît pas, peignez-le à la gouache.

Si vous ne souhaitez pas offrir ce tableau et préférez le garder pour vous, demandez à un adulte de planter un clou au mur pour suspendre votre chef-d'œuvre.

Vous obtiendrez un effet particulièrement réussi si vous accrochez plusieurs tableaux de plâtre de formes différentes les uns à côté des autres, pour obtenir une petite galerie.

BALLON RELAIS

Age :
à partir de 4 ans
Participants :
à partir de 10

Matériel :

• deux ballons

COMPOSITION DE FRUITS D'AUTOMNE EN PLÂTRE

Age :
à partir de 3 ans
Participants :
seul ou en groupe

Matériel :

• du papier journal pour protéger le plan de travail
• une blouse
• du plâtre
• de l'eau
• un moule
• des fruits d'automne et des graminées
• de la gouache
• un pinceau
• un clou
• un marteau

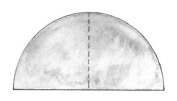

BRICOLAGE

Etal de marché

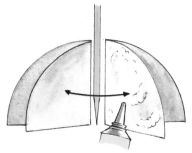

ÉTAL DE MARCHÉ
Age :
à partir de 4 ans
Participants :
seul ou en groupe

Matériel :

- des magasins faits
- de boîtes
d'allumettes
- du papier
de couleur
- de la colle
- des ciseaux
- des légumes secs
- de la pâte à modeler
- des feuilles à plier
- un crayon
- des piques
à brochettes ou
des bâtonnets
en bois
- des bouchons
- des chutes de tissu
- des boules de
ouate ou des perles
de bois : Ø environ
2 à 2,5 cm
- des restes de laine
- des cure-dents
- des feutres

Pourquoi ne pas vous rendre au marché et observer tout ce qu'on peut y acheter ?
Pour confectionner un étal de marché, recouvrez de papier de couleur le tiroir d'une boîte d'allumettes. Remplissez-le d'œufs, de fruits et de légumes en pâte à modeler ainsi que de fruits secs, de graines de tournesol et de noisettes.
Pour réaliser un parasol, prenez trois feuilles de papier de couleur sur lesquelles vous dessinerez un demi-cercle et que vous découperez.
Pliez-les en leur centre et collez les deux premiers l'un contre l'autre au niveau du pli.

Apposez ensuite un bâtonnet sur la ligne de pli, puis fixez le troisième élément comme le montre l'illustration.

Piquez le parasol terminé dans un socle en pâte à modeler.

Vous pouvez maintenant créer les commerçants et les clients.

Pour chaque personnage, prenez un bouchon de bouteille de vin et entourez-le d'un petit morceau de tissu. Pour la tête, vous utiliserez une boule de ouate ou une perle de bois, sur laquelle vous dessinerez un visage avec des feutres.

Si vous souhaitez que votre personnage porte un fichu, collez-lui un triangle de tissu sur la tête.

Vous matérialiserez les cheveux par des brins de laine.

Insérez un cure-dent dans le bas de la sphère et piquez-le dans le bouchon.

Lorsque vous avez fabriqué suffisamment d'étals, de parasols et de personnages, vous pouvez commencez le jeu du marché.

BRICOLAGE
Jeu de mémoire "Fruits et légumes"

Vous réaliserez très facilement ce jeu de paires de dessins.

Sélectionnez tout d'abord les types de fruits et de légumes que vous souhaitez représenter. Vous devrez confectionner deux petites cartes semblables pour chacun d'entre eux.

1. Collez la feuille de papier blanc sur un carton de même format qui constituera le verso des cartes. En effet, celui-ci doit être identique pour chacune d'entre elles, afin d'éviter que les joueurs ne puissent les identifier en cours de jeu.

2. Divisez maintenant la surface en carrés de 5 x 5 cm et découpez ceux-ci avec soin.

3. Vous pouvez concevoir ce jeu de mémoire de deux manières. Soit vous peignez les paires de dessins sur les cartes, soit vous découpez des illustrations dans des prospectus ou des magazines. Vous devez également songer au degré de difficulté du jeu. Il sera simple si les paires sont strictement identiques, par exemple deux pommes vertes, mais sera un peu plus complexe si une pomme est rouge et l'autre verte.

4. Une fois toutes les images peintes ou collées, recouvrez chaque carte d'un film plastique transparent ou vaporisez un peu de vernis incolore afin qu'elles ne s'abîment pas.

Qui réussira le mieux à retenir la position des cartes cachées ? Chacun à leur tour, les enfants retournent deux cartes quelconques. Si elles sont identiques, le joueur peut les conserver. Dans le cas contraire, il doit les remettre à leur place, à l'envers et c'est au joueur suivant de pêcher. Le vainqueur est celui qui possède à la fin de la partie le plus grand nombre de paires de cartes identiques. Il sera alors déclaré "Roi des fruits et des légumes".

JEU DE MÉMOIRE "FRUITS ET LÉGUMES"
Age :
à partir de 4 ans
Participants :
seul ou en groupe

Matériel :

- une grande feuille de papier blanc rigide
- du carton mince de la même taille
- de la colle
- un crayon
- une règle
- des ciseaux
- des crayons de couleur ou des feutres
- du film plastique transparent ou une bombe de vernis incolore (sans CFC)
- des magazines
- des prospectus

"Amanites tue-mouches"

"AMANITES TUE-MOUCHES"

*Age :
à partir de 3 ans
Participants :
seul ou en groupe*

Ingrédients
par personne :

- un œuf cuit dur
- 1/2 tomate
- de la mayonnaise en tube
- une feuille de salade

Ustensiles :

- une planche à découper
- un couteau
- une cuiller
- des cure-dents

Certes, les amanites tue-mouches que l'on trouve au bord des chemins sont très jolies à regarder, mais elles ne doivent en aucun être mangées, car elles sont extrêmement toxiques.

La plupart d'entre vous connaissent probablement leur beau chapeau rouge parsemé de points blancs et les utilisent peut-être comme source d'inspiration pour leurs dessins et bricolages.

1. Pour votre "amanite tue-mouches" comestible, prenez un œuf cuit dur qui constituera le pied. Découpez une petite calotte de son extrémité ronde, afin que le champignon puisse tenir debout.

2. Coupez une tomate en deux, évidez-la et placez-la sur l'œuf pour former le chapeau.

3. Piquez un cure-dent au travers des deux éléments pour que la tomate ne puisse pas glisser.

4. Terminez en déposant des petits points blancs de mayonnaise.

5. Placez le champignon sur une feuille de salade et vous obtiendrez un plat très décoratif.

Potage aux légumes

L'automne nous offre des légumes aussi délicieux que variés. Si vous possédez un potager, cherchez dans celui-ci quels légumes pourront entrer dans la composition de votre soupe. Sinon, rendez-vous au marché et choisissez les ingrédients, par exemple des carottes, des pommes de terre, un chou-rave, un chou-fleur, du céleri, des poireaux, des pois, des oignons, des haricots et des herbes aromatiques fraîches.

1. Lavez tout d'abord soigneusement les légumes et épluchez-les.

2. Découpez-les ensuite en petits dés.

3. Faites fondre la matière grasse dans une casserole et blondir les oignons.

4. Ajoutez un peu d'eau.

Etant donné que la cuisson des haricots, des carottes, du chou-rave et du céleri prend plus de temps que celle des autres légumes, placez-les dans la casserole 10 minutes avant les autres ingrédients. Mélangez bien le tout et fermez la casserole.

Pendant la cuisson (30 minutes), mélangez à plusieurs reprises et ajoutez les épices et du bouillon de légumes si besoin est.

Bon appétit !

Pommes de terre en robe de chambre au fromage blanc et à la crème fraîche

C'est en automne, au moment de leur récolte, que les pommes de terre sont les meilleures.

Commencez par les laver afin de les débarrasser de toute la terre qui les entoure. Placez-les dans une casserole et couvrez-les d'eau. Fermez la casserole et mettez-la sur le feu. Le temps de cuisson est au maximum de 35 minutes (suivant la taille des pommes de terre).

Pendant ce temps, préparez le fromage blanc à la crème fraîche. Versez le fromage dans un plat, ajoutez la crème et mélangez le tout. Lavez les radis et les concombres et coupez-les dans un petit saladier. Ajoutez-les au fromage blanc, salez et poivrez selon votre goût. Si vous le souhaitez, vous pouvez également hacher des fines herbes et de la ciboulette et les ajouter au mélange.

Lorsque les pommes de terre sont cuites, videz l'eau. Attention, elle est bouillante !

Et maintenant, régalez-vous !

POTAGE AUX LÉGUMES

Age :
à partir de 4 ans et 1 adulte
Participants :
seul ou en groupe

Ingrédients :

• divers légumes
• de l'eau
• une cuiller à soupe de matière grasse
• des épices et du bouillon de légumes
• éventuellement des saucisses

Ustensiles :

• un couteau
• une planche à découper
• une casserole avec un couvercle

POMMES DE TERRE EN ROBE DE CHAMBRE AU FROMAGE BLANC À LA CRÈME FRAÎCHE

Age :
à partir de 4 ans
Participants :
seul ou en groupe

Ingrédients :

• des pommes de terre
• du fromage blanc 20 %
• de la crème fraîche
• des radis
• un concombre
• du sel
• du poivre
• des fines herbes

Ustensiles :

• un plat
• une casserole avec un couvercle
• une cuiller
• une planche à découper
• un couteau

La légende du bon Roi des pommes de terre

Il était une fois une grande caisse de pommes de terre. En hiver, elle se trouvait dans la cave d'une vieille maison. N'ayons pas peur des mots : il s'agissait de pommes de terre "extraordinaires", plus grosses que toutes les autres.

Mais un jour, des cris retentirent dans la caisse de pommes de terre : "Je ne veux pas être épluché ! Je refuse d'être cuit ! Et je veux encore moins être mangé ! Car je suis le Roi des pommes de terre !"

Et c'était vrai ! Le Roi des pommes de terre se trouvait au milieu de la caisse. Il était aussi gros que douze grosses pommes de terre.

Or, juste au moment où il prononçait ces mots, la vieille Madame Chignon descendit à la cave. Elle venait chercher un panier de pommes de terre qu'elle cuirait dans de l'eau et du sel pour le repas de midi.

Elle mit aussi le Roi des pommes de terre dans son panier et dit en le voyant : "Quelle énorme pomme de terre !" Mais lorsque Madame Chignon remonta de la cave avec son panier et sortit dans la cour, le Roi des pommes de terre sauta hors du panier et roula si vite dans la cour que la vieille dame ne put le rattraper.

"Ce n'est rien", dit la grand-mère, "je vais la laisser rouler, cette grosse pomme de terre. Peut-être quelques lapins la trouveront-ils et s'en régaleront."

Mais le Roi des pommes de terre roula, roula et roula.

Il rencontra un hérisson qui lui dit : "Arrête-toi, grosse pomme de terre, attends un instant, je vais te manger pour mon petit déjeuner !"

"Non, non", rétorqua le Roi des pommes de terre, "la grand-mère aux lunettes ne m'a pas attrapé, et ce n'est pas toi, Boule d'épines, qui y parviendras !"

Un, deux, trois, il se mit à nouveau à rouler et parvint dans la forêt.

Soudain, il fut face à face avec un sanglier. "Halte, belle grosse pomme de terre", s'écria celui-ci, "attends un instant, je vais m'empresser de te dévorer !"

"Non", répondit le Roi des pommes de terre, "ni la grand-mère aux lunettes, ni le hérisson Boule d'épines n'ont réussi à m'attraper. Et ce n'est pas toi, Gros Groin, qui vas y arriver !"

Et un, deux, trois, il traversa la forêt en roulant.

Il se trouva cette fois nez à nez avec un lièvre qui lui dit : "Arrête-toi, belle grosse pomme de terre, attends un instant, je vais juste te manger !"

"Ah, non !" dit le Roi des pommes de terre, "ni la grand-mère aux lunettes, ni le hérisson Boule d'épines, ni le sanglier Gros Groin n'ont réussi à m'attraper. Et ce n'est pas toi, Longues Oreilles, qui vas y arriver !"

Et un, deux, trois, le grand Roi des pommes de terre poursuivit sa route à travers la forêt.

Il croisa alors la sorcière Léa des Bois qui l'appela ainsi : "Arrête-toi, attends un instant, délicieux Roi des pommes de terre, je vais simplement te faire cuire et te manger !"

"Ah, non !" dit le Roi des pommes de terre, "ni la grand-mère aux lunettes, ni le hérisson Boule d'épines, ni le sanglier Gros Groin, ni le lapin Longues Oreilles n'ont réussi à m'attraper. Et ce n'est pas toi, Léa des Bois, qui vas y arriver !"

Et un, deux, trois, le grand Roi des pommes de terre s'enfuit en roulant.

C'est alors qu'il rencontra deux pauvres enfants. Ils avaient faim et lui dirent : "Où cours-tu comme cela, grosse pomme de terre ! Si nous t'avions à la maison, maman pourrait nous préparer une bonne purée !"

Entendant ces mots, le Roi des pommes de terre ne put refuser de se sacrifier. Il se laissa transporter.

Mais la maman expliqua aux enfants que s'ils étaient patients et ne mangeaient pas la pomme de terre, le Roi leur donnerait beaucoup de petits princes. Ainsi les prochaines années ils n'auraient plus faim. Sur ces bonnes paroles, le roi tout content germa et, quelques mois plus tard, offrit à la famille une merveilleuse cour que les enfants dévorèrent
avec gourmandise .

JARDINAGE

Pommes de terre

Etant donné que la plupart d'entre vous vivent en ville et se rendent rarement à la ferme, vous êtes peu nombreux à savoir où et comment on cultive les pommes de terre. Il sera donc très intéressant de les voir germer, se développer et d'observer comment une seule pomme de terre peut donner naissance à beaucoup d'autres. Cependant, il vous faudra faire preuve de beaucoup de patience, car plusieurs mois s'écouleront entre la plantation et la récolte.

Prenez une vieille pomme de terre possédant beaucoup "d'yeux" et laissez-la telle qu'elle jusqu'à ce qu'elle germe. Plantez-la ensuite dans un pot de fleurs rempli de terreau et arrosez-la tous les jours.

POMMES DE TERRE

Age :
à partir de 4 ans
Participants :
seul ou en groupe

Matériel :

• une vieille pomme de terre
• du papier journal pour protéger le plan de travail
• un pot de fleurs : Ø environ 20 cm
• du terreau

Au bout d'un certain temps, des feuilles vertes commenceront à pousser. Continuez à arroser la plante régulièrement. Un beau jour, vous découvrirez des fleurs blanchâtres qui donneront de petites baies vertes, semblables à des tomates.
Attention : les fruits de la pomme de terre sont toxiques ! La partie comestible, le tubercule, pousse dans la terre. Lorsque les feuilles vertes se flétrissent, vous pouvez regarder si votre pomme de terre a développé de nouveaux tubercules.
N'est-ce pas merveilleux de pouvoir récolter ses propres pommes de terre ?

JEUX

Chasse au lapin

CHASSE AU LAPIN
Age :
à partir de 6 ans
Participants :
à partir de 10

Matériel :

• aucun

Tous les enfants, sauf deux qui restent debout, s'assoient en rang comme sur le dessin ci-dessus.

Un enfant est le lapin, l'autre est le chasseur. Pendant qu'ils courent autour des enfants assis, le lapin peut changer de direction, tandis que le chasseur doit toujours courir dans la même. Celui-ci a uniquement le droit de confier sa tâche à un autre joueur en lui tapant sur l'épaule. Le premier chasseur s'assied alors dans le rang et le nouveau tente d'attraper le lapin. S'il y parvient, il faut désigner un nouveau chasseur et un nouveau lapin, sinon, le chasseur choisit lui-même son successeur.

Ce jeu requiert beaucoup d'attention et une vitesse de réaction élevée et vous devrez probablement vous y reprendre plusieurs fois, avant qu'il ne fonctionne correctement.

Son attrait augmente avec le nombre de participants.

MOULIN À VENT
Age :
à partir de 5 ans
Participants :
à partir de 4,
mais ce jeu convient
également à
un groupe plus
important

Moulin à vent

Vous pourrez organiser ce jeu très rigolo dans une prairie.

Quatre enfants forment les ailes du moulin à vent. A cet effet, chacun attrape par la main droite l'avant-bras droit de son voisin. Et le moulin commence à tourner, d'abord lentement, puis de plus en plus vite, jusqu'à ce que les enfants ne puissent plus se tenir et tombent tous dans l'herbe.

Le jeu se compliquera si quatre autres enfants viennent s'accrocher à l'extérieur sur le premier moulin. En effet, ceux-ci devront courir plus rapidement.

Si beaucoup d'enfants participent à ce jeu, vous pourrez organiser un petit concours entre deux équipes. Un meneur de jeu donnera le rythme en tapant dans les mains.

Le moulin à vent qui tiendra le plus longtemps aura gagné.

Betterave de Halloween

C'est à présent l'époque de la récolte des betteraves fourragères. Les agriculteurs les utilisent pour l'alimentation du bétail. Le mieux est de leur demander de vous en offrir une grande et grosse.

1. Découpez la calotte supérieure pour confectionner le chapeau.

2. Evidez ensuite la betterave. A l'aide d'un couteau, réduisez l'intérieur du fruit afin de pouvoir l'évider plus facilement.

3. Sculptez ensuite un visage dans la betterave à l'aide d'un couteau pointu.

Attention, veillez à ne pas entailler le menton, afin de pouvoir y insérer le bâton avec lequel vous tiendrez la betterave.

Laissez libre cours à votre imagination pour la conception du visage. Celui-ci pourra être inquiétant et menaçant ou avenant et comique.

4. Avant de reposer le chapeau, placez une bougie de chauffe-plats dans la betterave. Allumez-la à la nuit tombée.

Vous pouvez enficher vos betteraves de Halloween sur un bâton et sortir avec elles dans la rue.

Vous pouvez encore les employer comme éclairage lors d'une fête dans le jardin. Mais, placées sur un appui de fenêtre, elles seront déjà tout à fait impressionnantes.

BETTERAVE DE HALLOWEEN
Age :
à partir de 4 ans
Participants :
seul ou en groupe

Matériel :

• *une betterave fourragère*
• *un couteau*
• *une cuiller*
• *une bougie de chauffe-plats (ou une bougie ordinaire)*
• *un bâton*

COMPTINE

Choix d'automne

Vire, vire, velle
Ma mère Michèle
Des raves, des choux
Et des raisins doux
Pour prendre la queue du loup !

JEU DE DOIGTS

Le soleil fait ses adieux

Je suis le soleil d'été.
De mes rayons vous vous êtes réchauffés.
Je pars faire le tour du monde
et briller partout à la ronde
Sur mer et sur terre.
Alors, soyez gentilshommes,
Serrez la main à l'automne.

Je suis l'automne.
Salut les amis !
Voici mes jolis fruits.
Poires, oranges ou pommes
Vous vous régalerez, pardi !
Bon appétit !

BRICOLAGE

Figurines pour doigts

FIGURINES POUR DOIGTS

Age :
à partir de 2 ans
Participants :
seul ou en groupe

Matériel :

• du papier de couleur jaune et brune ou orange
• un crayon
• des ciseaux
• de la colle
• des crayons de couleur

Pour accompagner ce poème de façon amusante, réalisez de petites figurines pour vos doigts : un soleil pour l'été et une feuille pour l'automne. Ce bricolage est tellement simple qu'il pourra être réalisé même par les tout-petits.

1. A partir du patron, décalquez le soleil et la feuille d'automne deux fois sur du papier de couleur.

2. Découpez ensuite les éléments et collez les bords de ceux qui vont ensemble en n'oubliant pas de laisser un orifice pour passer un doigt.

Vous pouvez également recouvrir les figurines de papier de couleur ou les peindre. Placez-les ensuite chacune sur un doigt d'une main et jouez avec elles le texte de ce poème.

JEU

Scions du bois

Scions, scions du bois,
Pour la mère Nicolas
Qui a cassé ses sabots
En mille morceaux.
Voilà les morceaux !

Il faudra l'aide d'un plus grand pour pratiquer ce vieux jeu de tresse. Mettez-vous assis par terre en face de l'enfant. Tenez-vous les mains et faites le geste de scier en tirant bien fort.

A la fin du petit texte, on se lâche les mains. Le brusque mouvement vers l'arrière fait toujours rire les plus jeunes.
Attendez-vous à devoir recommencer plusieurs fois !

SCIONS DU BOIS
Age :
à partir de 2 ans
Participants :
à partir de 5

 JEU

Billes en cercle

 ÉNIGME

La lune est ronde

BILLES EN CERCLE
Age :
à partir de 5 ans
Participants :
à partir de 2

Matériel :

• du fil
• par enfant : cinq billes

LA LUNE EST RONDE
Age :
à partir de 5 ans
Participants :
à partir de 5

Matériel :

• un bâton ou une cuiller en bois

Ce jeu ne nécessite aucun préparatif et peut se dérouler à l'intérieur comme à l'extérieur de la maison.

Placez un cercle de fil à environ 15 cm d'un mur et à 2 m de la ligne de lancer.

Chacun à leur tour, les enfants lancent une bille de façon à ce qu'elle aille d'abord frapper le mur, puis roule dans le cercle. Lorsqu'un joueur parvient à placer correctement son projectile, les autres doivent tous lui donner une de leurs billes et l'on passe alors à la manche suivante. Le joueur qui a perdu toutes ses billes est éliminé. Le vainqueur est évidemment celui qui en a le plus à la fin du jeu.

Vous pouvez compliquer quelque peu ce jeu en plaçant un second cercle de fil devant le premier. Si un joueur atteint l'un, il doit donner une bille à chacun, s'il tombe dans l'autre, ce sont les autres joueurs qui lui donnent tous une bille.

Si des enfants plus jeunes veulent participer, avancez la ligne de "tir" et permettez-leur de lancer la bille avec la main tendue.

Cette énigme requiert une grande attention de la part des enfants. Ils ne doivent pas uniquement se concentrer sur le "dessin" et sur le texte. Ils doivent surtout retenir quelle main "dessine" et quelle main donne le bâton.

Tous les enfants s'assoient en cercle autour d'un adulte qui dirige le jeu. Celui-ci "peint" avec un bâton un visage de lune sur le sol et dit :

"La lune est ronde,
Sa face est blonde.
Elle a deux yeux,
un nez et une bouche."

Le "dessin" est fait avec la main droite. Le meneur de jeu prend ensuite le bâton dans la main gauche et le transmet à son voisin de droite. Celui-ci aura-t-il remarqué comment le bâton a été transmis ? Le texte du poème peut être légèrement déformé, peu importe. Après chaque passage du bâton, le meneur de jeu indique si l'opération était correcte ou non, mais ne fournit pas d'explication. Les enfants doivent trouver eux-mêmes. Celui qui pense avoir trouvé ne dévoile pas la solution, mais reproduit correctement les gestes lorsque son tour arrive. Si, au bout d'un certain temps, les enfants s'impatientent, le meneur de jeu révèle la solution de l'énigme.

JEU

Le capitaine des brigands

JEU

Le roi aux clés

Ce jeu d'adresse peut se dérouler soit à l'intérieur de la maison, soit à l'extérieur. Placez tous les objets en cercle. Otez vos chaussures et asseyez-vous autour du cercle. Au signal de départ, glissez jusqu'aux "trésors", attrapez-en un avec les pieds et revenez prudemment à votre position de départ. Laissez alors tomber votre butin et repartez chercher un nouvel objet. Lorsque tous les objets ont été emmenés, comptez qui en a le plus. Le vainqueur sera désigné "Capitaine des brigands".

Ce jeu sera d'autant plus amusant qu'il sera rapide.

Tous les participants, sauf un, s'assoient en cercle. L'enfant debout a un trousseau de clés en main et est le roi aux clés.

Il s'approche d'un autre joueur, lui tend la main et lui dit : "Bonjour". L'enfant se lève et tous les deux s'approchent des autres pour les saluer de la même manière. Et ainsi de suite.

Le roi aux clés doit faire très attention. Dès que tous les enfants sont debout, il doit laisser tomber ses clés. Tous les joueurs doivent alors trouver une place assise. Le dernier debout ramasse le trousseau de clés et est le nouveau roi aux clés.

LE CAPITAINE DES BRIGANDS

Age :
à partir de 4 ans
Participants :
à partir de 2

Matériel :

• par exemple un petit jouet
• une balle
• un petit foulard
• des vêtements
• d'autres petits objets

LE ROI AUX CLÉS

Age :
à partir de 4 ans
Participants :
à partir de 6

Matériel :

• un siège pour tous les joueurs, sauf un
• un grand trousseau de clés

Octobre

Octobre arrive avec le vent.
Vive le temps des cerfs-volants.
Tire bien la ficelle, demoiselle !
Ne t'envole pas dans le ciel.
Tiens bon, compagnon.
Attention aux tourbillons.

CHANSON

Vent frais

Vent frais, vent du ma- tin, Sou- le- vant le som- met des grands pins,

Joie du vent qui souffle, al- lons dans le grand...

JEU

Que mettez-vous dans votre panier ?

QUE METTEZ-VOUS DANS VOTRE PANIER ?

Age :
à partir de 4 ans
Participants :
à partir de 6

Matériel :

• aucun

Un meneur de jeu demande aux joueurs : "Que mettez-vous dans votre panier ?" Chacun à son tour un enfant devra mettre dans le panier un objet se terminant en "ier": un soulier, un évier, un pied, un cahier, etc.

Gare à celui qui rompt la chaîne !

On peut continuer avec toutes sortes de récipients : une corbeille (qui recevra des abeilles, des merveilles, des groseilles, etc.), un caddie (qui emportera des pies, des coquilles), une valise (qui renfermera des bises, des chemises…), etc.

JEU DE DOIGTS

La petite fille qui grimpe

DEVINETTE

La petite fille

Une petite fille dans l'arbre grimpe,
Monte si haut qu'on la voit à peine,
Saute de branche en rameau,
Regarde dans le petit nid d'oiseau.
Oh, elle rit. Oh, elle entend un bruit !
Patatras, elle est en bas !

Friedrich Güll

L'avant-bras gauche représente l'arbre, les doigts constituent les branches et le nid d'oiseau se trouve entre l'annulaire et le petit doigt. L'autre main figure la petite fille : elle grimpe maintenant sur le bras, saute de doigt en doigt, regarde dans le nid et tombe.

J'ai vu un jour une petite fille
Respirant la santé
Aux joues fraîches et rouges,
Avec un visage rond comme une boule,
Haut, haut dans l'arbre accroché.
Elle était – imagine-toi ! – la tête en bas
Tellement belle dans la ramée.
Et lorsque je la vis pendiller, là,
Patatras, elle est tombée.
Elle m'est presque tombée sur le nez,
Cela me sembla d'une grande témérité.
C'est pourquoi la petite j'ai mangé
Et je n'ai rien laissé.

(La pomme)

Gustav Falke

LA PETITE FILLE QUI GRIMPE
Age :
à partir de 2 ans
Participants :
seul ou en groupe

Matériel :

- aucun

Un ver dans la pomme

Jeu de tir en plein air

UN VER DANS LA POMME

Age :
à partir de 3 ans
Participants :
seul ou en groupe

Matériel :

• du papier de couleur rouge, brune et verte
• des ciseaux
• de la colle

JEU DE TIR EN PLEIN AIR

Age :
à partir de 3 ans
et un adulte
Participants :
à partir de 3

Matériel :

• un grand morceau de carton ondulé
• un crayon
• des ciseaux ou un couteau de tapissier
• de la peinture aux doigts brune, verte et rouge
• un pinceau
• du papier journal
• des feuilles de papier blanc
• de la colle à tapisser
• du fil de fer
• des attaches parisiennes
• une latte de toiture
• du ruban adhésif résistant
• une scie

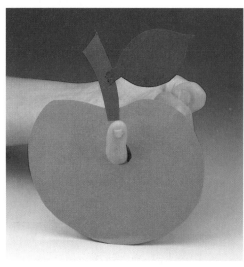

Il peut arriver, lorsque vous ramassez une pomme tombée d'un arbre, que vous y trouviez un petit trou. C'est l'indice qu'un ver s'y est glissé, qu'il y "habite", s'y sent bien et y deviendra tout dodu. Pourquoi ne pas confectionner une jolie pomme dont l'hôte sortira à votre gré ?

1. Décalquez la pomme du patron sur du carton rouge et découpez-la.

2. Pratiquez en son centre le trou d'où sortira plus tard le ver.

3. Réalisez la queue dans du papier brun et la feuille dans du papier vert. Collez celle-ci sur la queue et fixez ensuite le tout sur la pomme.

Pour représenter le ver, servez-vous de votre auriculaire. Vous pouvez également, si vous le désirez, lui dessiner un visage avant de le faire passer dans l'orifice.

Inventez une petite saynète.

La construction de ce jeu de tir requiert l'aide d'un adulte, car le découpage et l'installation de l'arbre sont assez difficiles, en raison de la taille de celui-ci. La couronne mesure environ 1,20 m de large sur 1 m de haut et le tronc présente une longueur de près de 1,50 m.

1. Peignez la couronne de l'arbre sur le carton ondulé et découpez-la.

2. Dessinez-y ensuite les trous (diamètre de 15 à 20 cm) qu'il faudra viser.

3. Evidez-les.

4. Percez ensuite de petits orifices dans lesquels vous placerez les dispositifs permettant d'attacher les pommes.

5. Formez des crochets en fil de fer, entourez-les de papier et peignez-les en brun.

6. Dans un deuxième morceau de carton ondulé, découpez le tronc d'arbre et peignez-le.

7. Pendant que l'arbre sèche, attelez-vous à la fabrication des pommes. Pour chacune d'entre elles, froissez du papier journal en une petite boule d'environ 10 cm de diamètre.

8. Enduisez ensuite de colle à tapisser un côté d'une feuille de papier blanc et collez celle-ci autour de la boule. Laissez une ouverture au sommet : préparez un crochet en fil de fer, emballez-le dans du papier, puis fixez-le au-dessus de la boule.

9. Laissez sécher les pommes avant de les peindre.

10. Lorsque la couronne et le tronc sont secs, assemblez-les à l'aide de colle et d'attaches parisiennes de manière à obtenir un arbre. Les attaches fournissent un appui supplémentaire à la couronne.

11. Avec du ruban adhésif résistant, fixez au dos de l'arbre une latte de toiture en la faisant dépasser un peu sur son extrémité inférieure.

12. Installé de la sorte, l'arbre sera bien stable. Taillez en pointe le morceau de latte qui dépasse et enfoncez-le dans le sol.

Vous pouvez à présent commencer à jouer. Les enfants ont tous droit à trois essais et lancent les boules à tour de rôle. Le joueur réussissant à lancer une pomme dans un trou marque un point. Le vainqueur est celui qui a le plus de points à la fin du jeu.

Les pommes

1. Commencez par mélanger le jus de pomme et le jus de citron avec le sucre dans la grande casserole.

2. Chauffez ce mélange. Continuez à remuer.

3. Ajoutez le sucre gélifiant avant les premiers bouillons.

4. Pour donner une touche d'exotisme, ajoutez-y du gingembre râpé ou de la cannelle.

5. Lorsque le jus commence à bouillir, versez-le immédiatement dans les bocaux. Fermez ceux-ci et déposez-les à l'envers (couvercle en bas) sur la table afin que l'air puisse s'échapper. Cette technique permet de fermer parfaitement les bocaux.

GELÉE DE POMMES

Age :
à partir de 5 ans
et 1 adulte
Participants :
seul ou en groupe

Ingrédients :

• 1,5 l de jus de pomme, non sucré
• 1,5 kg de sucre
• le jus de 2 citrons
• du sucre gélifiant
• de la cannelle et du gingembre, selon votre goût

Ustensiles :

• une grande casserole
• des bocaux avec couvercle à visser

C'est en octobre que s'effectue principalement la récolte des pommes. Elles sont bien meilleures lorsqu'elles viennent d'être cueillies. Mais vous ne pouvez évidemment pas les manger toutes en une fois. Heureusement, de nombreuses recettes, simples mais néanmoins délicieuses, vous permettront d'employer les fruits ou leur jus un peu plus tard.

Gelée de pommes

Cette gelée sera particulièrement appréciée des amateurs de petits déjeuners sucrés.

Thé à la pomme

Vous pouvez employer les pelures de pommes provenant de la préparation d'un gâteau aux pommes ou d'un jus, en en faisant un thé. Mais attention, utilisez uniquement des épluchures de pommes non traitées et bien lavées.

1. Les pelures doivent tout d'abord sécher lentement au four. Etalez-les à cet effet sur une plaque et réglez le thermostat sur 50 à 80° C. Enfournez et laissez la porte du four un peu ouverte, afin que l'humidité puisse s'échapper. Entre-temps, retournez les épluchures et veillez à ce qu'elles ne roussissent pas.

2. Pour préparer votre thé, jetez une poignée de pelures dans 1 litre d'eau bouillante. Laissez infuser pendant 10 minutes et filtrez la boisson au passe-thé. Plus les épluchures seront sèches, plus le thé sera aromatisé.

Vous pourrez conserver les pelures durant plusieurs semaines dans une boîte bien fermée, sans qu'elles perdent leur saveur.

Pommes au four

Aucun mets n'est aussi savoureux et aussi simple à réaliser qu'une pomme au four.

1. Lavez la pomme soigneusement, essuyez-la.

2. Enlevez-en le cœur à l'aide d'un couteau ad hoc.

3. Posez la pomme sur la feuille de papier d'aluminium et fourrez-la de noisettes, de confiture, de sucre et de raisins secs.

4. Relevez ensuite les coins de la feuille, tournez-les ensemble.

5. Placez la pomme sur la plaque du four. Faites-la cuire pendant 35 à 45 minutes, à environ 250° C.

Vous pouvez, si vous le voulez, préparer pendant ce temps une crème vanille dont vous arroserez les pommes cuites.

THÉ À LA POMME

Age :
à partir de 4 ans
Participants :
seul ou en groupe

Ingrédients :

• pelures de pommes

Ustensiles :

• une théière
• un passe-thé
• une boîte à thé

POMMES AU FOUR

Age :
à partir de 3 ans
et un adulte
Participants :
seul ou en groupe

Ingrédients par pomme au four :

• une cuillère à café de noisettes moulues
• de la confiture de fruits rouges
• du sucre
• des raisins secs (éventuellement de la crème à la vanille)

Ustensiles :

• un couteau à évider
• une feuille de papier d'aluminium : environ 15 x 15 cm
• une plaque de four

PEINTURE

Arbre d'automne

BRICOLAGE

Fenêtre coquette

ARBRE D'AUTOMNE

Age :
à partir de 3 ans
Participants :
seul ou en groupe

Matériel :

• un tablier
• des journaux
pour protéger
le plan de travail
• du papier à dessin
blanc : DIN A4
• de la gouache
• un pinceau
• de l'eau

FENÊTRE COQUETTE

Age :
à partir de 1 an
Participants :
seul ou en groupe

Matériel :

• *du papier journal*
• *du papier buvard*
• *un gros livre*
• *des feuilles*
séchées
• *de la colle*
à tapisser
• *un pinceau*
• *une grande*
fenêtre

Pour ce tableau, dessinez sur le papier un arbre avec des branches, mais sans feuilles. Réfléchissez ensuite à la couleur du feuillage en automne et choisissez des tons correspondants.

Humectez un peu vos doigts et trempez chaque extrémité dans une couleur différente : appliquez-les sur le papier et relevez-les prudemment afin d'éviter toute traînée. Vous pouvez ainsi imprimer de nombreuses feuilles multicolores aux branches de votre arbre.

Lorsque les feuilles d'automne tombent, pourquoi ne pas les ramasser et les emmener chez vous ? Leur richesse de tons et de formes vous permettra de réaliser de fantastiques décorations grâce auxquelles vous embellirez votre chambre.

Une fois rentré à la maison, étalez ces feuilles sur le papier journal. Certes, vous remarquerez qu'elles ont déjà un peu séché, mais cela ne suffirait pas à pouvoir les accrocher à la fenêtre sans qu'elles ondulent.

Vous devez maintenant les faire sécher parfaitement : pour ce faire, le mieux est d'utiliser un presse-fleurs. Mais si vous n'en possédez pas, posez les feuilles entre deux buvards dans un gros livre et refermez-le. Elles y sécheront en quelques jours.

Enduisez-les ensuite de colle à tapisser et plaquez-les sur votre fenêtre. Ne vous inquiétez pas, il suffira ensuite d'un peu d'eau pour ôter la colle.

Lorsque le soleil d'automne darde ses rayons au travers de la fenêtre, les feuilles renvoient alors leurs jolies couleurs dans la pièce.

BRICOLAGE

Guirlande de feuilles

BRICOLAGE

Bonshommes de feuilles

1. Pour confectionner cette guirlande, cherchez de grandes feuilles et séchez-les.
2. Coupez ensuite un fil de laine à la longueur que vous désirez donner à votre guirlande et enfilez-le sur une aiguille.
3. Vous pouvez maintenant piquer l'aiguille et passer le fil dans vos feuilles, en laissant un espace d'environ 15 cm entre chacune d'elles. Si vous préférez ne pas les perforer, nouez simplement le fil à la queue.
4. Lorsque votre guirlande est prête, tendez-la d'un coin de la pièce à l'autre.

Les enfants aimeront réaliser des personnages à partir de feuilles d'automne multicolores.
1. Placez le papier de couleur et les feuilles devant vous, commencez par chercher celles qui conviennent et cherchez la meilleure disposition. Chacun pourra laisser libre cours à son imagination et à sa créativité. Le personnage sera-t-il gros, mince, petit ou grand ? Aura-t-il une canne, portera-t-il un chapeau ?
2. Si vous n'avez pas de petites feuilles pour les yeux, le nez et la bouche, découpez les formes adéquates dans une autre feuille plus grande.
3. Une fois tous les éléments rassemblés, collez les feuilles les unes après les autres sur le papier.
Accrochés au mur, ces bonshommes seront du plus bel effet. Vous pouvez également, si vous le désirez, créer des animaux ou d'autres motifs.

GUIRLANDE DE FEUILLES
Age :
à partir de 2 ans
Participants :
seul ou en groupe

Matériel :

• des feuilles d'automne séchées
• un fil de laine fin
• une aiguille
• des clous ou des punaises

BONSHOMMES DE FEUILLES
Age :
à partir de 2 ans
Participants :
seul ou en groupe

Matériel :

• une feuille de papier de couleur
• des feuilles séchées
• de la colle
• des ciseaux

NATURE

Feuilles et fruits

**FEUILLES
ET FRUITS**
*Age :
à partir de 4 ans
et un adulte
Participants :
à partir de 4*

Matériel :

• des feuilles
• des fruits
• un panier
• un ouvrage de
botanique

Promenez-vous dans la nature et rapportez chez vous des feuilles et des fruits des arbres et arbustes que vous rencontrerez. Vous connaissez sûrement certains de ces fruits, comme les marrons ou les glands, mais il en existe d'autres que vous n'avez peut-être encore jamais vus et vous ignorez probablement de quels arbres ou arbustes ils proviennent. Procurez-vous donc un ouvrage de botanique qui vous permettra de les identifier. Le jeu peut maintenant commencer.

Partagez votre récolte entre vous. Pour cette activité, il est préférable de constituer des équipes de deux. Retournez ensemble sur les lieux de vos découvertes afin de retrouver les arbres et buissons auxquels se rapportent vos feuilles et fruits. Peut-être certains d'entre vous se souviennent-ils de quelques noms ?

Le jeu sera d'autant plus intéressant pour les enfants si l'adulte s'est auparavant informé de manière approfondie et est en mesure d'indiquer par exemple les animaux qui se nourrissent de tels fruits ou les oiseaux qui nichent dans tel ou tel arbre.

Il n'y aura ni vainqueur ni perdant. L'important est d'amener les enfants à observer la nature, de les aider à établir des connexions et de les inciter à adopter une attitude responsable vis-à-vis de l'environnement.

Gâteau cerf-volant

GÂTEAU CERF-VOLANT

Age :
à partir de 4 ou 5 ans
Participants :
seul ou en groupe

Ingrédients :

- 200 g de beurre ou de margarine
- 150 g de sucre
- un paquet de sucre vanillé
- une pincée de sel
- 3-4 œufs
- 1/8 l de lait
- 500 g de farine de blé complet
- un paquet de levure en poudre
- du nappage au chocolat
- du fondant
- des Smarties
- des perles de décoration

Ustensiles et matériel :

- une plaque de four et du papier sulfurisé
- un couteau
- un mixer
- un saladier
- un grand morceau de carton
- une cuiller
- une feuille de papier d'aluminium
- une planche à découper

Four électrique :

- 175 à 200° C

Four au gaz :

- thermostat 2
- temps de cuisson : 30-40 minutes

1. Battez le beurre en pommade et ajoutez le sucre, les œufs, le sel et le sucre vanillé en remuant constamment.

2. Ajoutez maintenant la farine et la levure en poudre et incorporez progressivement le lait en soulevant bien la masse. Attention : soulevez toujours bien la farine avant d'ajouter le lait ! A la fin, la pâte doit se détacher difficilement de la cuiller.

3. Recouvrez ensuite de papier sulfurisé la plaque du four et répartissez la pâte sur celle-ci.

Enfournez-la au milieu du four.

Pendant que le gâteau cuit, préparez le plateau : prenez un grand morceau de carton et recouvrez-le d'une feuille de papier d'aluminium.

Quand le gâteau est prêt et refroidi, découpez-le en un grand cerf-volant et déposez-le sur la plaque du four. Découpez les nœuds pour la queue dans les morceaux de gâteau restants.

Préparez maintenant le nappage au chocolat, puis recouvrez-en le cerf-volant et garnissez de fondant et d'autres friandises multicolores. Déposez ensuite le cerf-volant et sa queue sur la feuille de papier d'aluminium préparée. Lors d'une joyeuse fête aux cerfs-volants, ce gâteau constituera un véritable plaisir pour les yeux… et pour l'estomac !

Cerf-volant décoratif

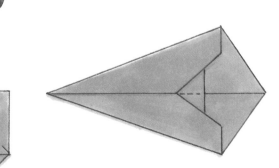

CERF-VOLANT DÉCORATIF

Age :
à partir de 3 ans
Participants :
seul ou en groupe

Matériel :

• un goujon de bois de 70 cm de long
• un goujon de bois de 40 cm de long
• une grande feuille de papier transparent : environ 70 x 50 cm
• de la colle
• des bandes de papier de couleur
• des ciseaux
• des chutes de papier transparent
• de la laine

Associé aux décorations en feuilles des pages 274/275 et suspendu au plafond, ce cerf-volant sera du plus bel effet.
Attachez les deux goujons en croix, de manière à ce que le centre du plus court se trouve dans le tiers supérieur du plus long.

1. Pliez le papier transparent en deux dans le sens de la longueur, lissez-le et rouvrez-le.

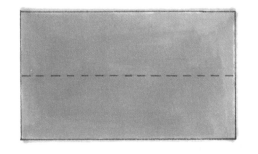

2. Rabattez ensuite les quatre coins A de manière à ce qu'ils s'alignent sur la ligne médiane, puis lissez les plis.

3. Repliez les coins inférieurs C ainsi formés vers le haut, jusqu'à la ligne médiane, de manière à ce que les deux faces B-C se touchent au centre de la feuille.
Pour que le cerf-volant conserve sa forme, collez les coins à l'intérieur.

4. Vous pouvez renforcer les bords avec du papier de couleur. Enduisez ensuite de colle la croix en bois et fixez le cerf-volant sur celle-ci.

5. Réalisez un visage et diverses décorations à l'aide des chutes de papier transparent.

6. Confectionnez la queue à partir de bandes de papier multicolores, de 15 x 10 cm chacune. Tordez chaque morceau en son centre de façon à obtenir un nœud papillon. Attachez-les sur un long fil de laine, à quelques centimètres les uns des autres. Fixez ensuite le fil à l'extrémité inférieure du cerf-volant.

7. Utilisez deux nœuds plus grands pour former les oreilles.

BRICOLAGE
Marionnette fantôme

Si vous avez envie de faire peur, cette marionnette vous conviendra parfaitement. Cachez la baguette de bois qui la guide afin que nul ne remarque que c'est votre main qui anime le fantôme.

1. Prenez une feuille de papier et faites-en une boule. Elle constituera la tête.

2. Recouvrez-la avec le morceau de rideau, nouez celui-ci sous la boule et laissez-le pendre pour former la robe.

3. Fixez à l'extrémité supérieure de la tête un fil de laine avec lequel vous accrocherez le morceau de napperon qui représentera le chapeau. Fixez celui-ci à l'aide d'un point de colle. Nouez le bout du fil au milieu du bâton de bois.

4. Pour former les bras, nouez, à gauche et à droite, un coin de la robe à l'aide un long morceau de laine que vous fixerez à chacune des extrémités du bâton.

5. Enfin, découpez les yeux, la bouche et le nez dans du ruban adhésif noir et collez-les sur la tête du fantôme.

Le spectre peut maintenant prendre vie.

Si vous avez envie de jouer les histoires suivantes, préparez de nombreux fantômes, deux châteaux (comme celui qui figure à la page 290) et six petits lits, ainsi qu'un grand, constitués de boîtes ou de cartons.

MARIONNETTE FANTÔME

Age :
à partir de 3 ans
Participants :
seul ou en groupe

Matériel :

• du papier blanc
• une chute de rideau : 50 x 50 cm
• de la laine blanche
• un napperon rond en papier
• de la colle
• une baguette de bois : 30 cm de long
• du ruban adhésif noir

Le petit fantôme
de toutes les couleurs

Brigitte Nelich, Doris Velte

Il était une fois, dans le château de Malstein, une famille de fantômes. Le père, Monsieur de Malstein, était fantôme en chef. La mère, Madame de Malstein, n'exerçait pas seulement le métier de fantôme, mais devait également élever ses sept enfants : Coup de pinceau, Crobar, Pastel, Gribouillis, Lise la Tache, Arc-en-ciel, ainsi que le petit dernier du nom de Max le Barbouilleur. Sa tâche était très difficile, car chacun à son tour faisait des bêtises. Mais elle ne savait jamais qui punir, tant ses enfants se ressemblaient comme des gouttes d'eau.

Ainsi la vie suivait-elle son cours au château de Malstein, comme dans de nombreuses familles. Chaque nuit, les parents se rendaient au travail durant une heure entière, de minuit à une heure du matin. Et à chaque fois, ils recommandaient à leurs enfants d'être bien sages. Les parents avaient un long chemin à parcourir. Ils devaient voler au-dessus du village pour arriver de l'autre côté de la forêt. Là, dans le château de Schwarzberg, vivaient leurs collègues, Monsieur et Madame de Schwarzberg, avec leurs trois enfants. Le travail de ces deux couples de parents consistait à tirer chaque nuit les habitants du village de leur sommeil ou à déranger ceux qui regardaient encore la télévision. Pendant ce temps, chez les Malstein, les enfants, loin d'être sages, s'en donnaient à cœur joie : un peu de couleur par-ci, un peu de couleur par-là, une tache par-ci, une tache par-là. Mais, soudain, Coup de pinceau s'arrêta, véritablement effrayé.

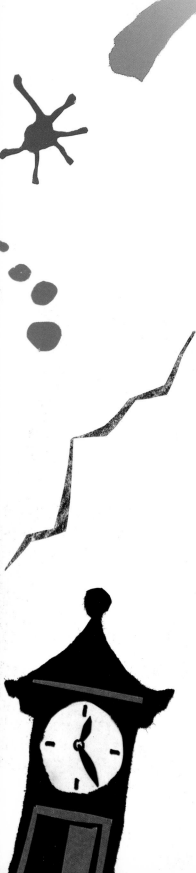

Il dit à Max : "De quoi as-tu l'air ? Une fois de plus, tu n'as pas enfilé ton tablier !" Ce qui était la stricte vérité. Il était en effet facile de s'en apercevoir, puisque Max le Barbouilleur, le plus jeune et le plus effronté des fantômes, était couvert de taches de la tête aux pieds.

Ah, mon Dieu ! Il fallait que ça arrive. Les frères et sœurs avaient la grande responsabilité de le surveiller, mais leur cadet s'était aujourd'hui caché sous la table avec ses peintures, afin de pouvoir enfin créer sans être dérangé et sans cet ennuyeux tablier. Combien de fois Max ne s'était-il pas déjà disputé avec ses parents quand il refusait de revêtir son tablier !

Mais voilà, il était trop tard car, comme chacun le sait, on ne peut pas laver un fantôme.

"Oh la la ! Qu'est-ce qu'on va se faire gronder quand les parents vont rentrer ! A-t-on déjà vu une chose pareille ? Un fantôme multicolore !" dit Lise la Tache, fâchée.

Max le Barbouilleur se regarda, enthousiasmé, et dit : "Oh, ce n'est pas grave. Ne suis-je pas magnifique dans ma robe bariolée ?"

Il était particulièrement content de se distinguer de ses frères et sœurs, tous d'un blanc éclatant, qui tremblotaient autour de lui en attendant avec angoisse le retour des parents. Ils entendirent bientôt le bruit des clés et se glissèrent bien vite dans leurs caisses.

Les parents s'étonnèrent de constater que leurs enfants étaient au lit de si bonne heure, de leur plein gré, mais ils se sentaient eux-mêmes beaucoup trop fatigués pour s'en inquiéter maintenant. Excepté un grincheux "Ça me semble bizarre !" de Gustave Malstein (le père s'appelait en effet Gustave) et la réponse : "Oh ! Je suis aujourd'hui si fatiguée d'avoir tant erré !", ils ne se parlèrent plus et se glissèrent dans leur double caisse.

Le soir suivant, à 20 heures précises, Sidonie Malstein (la mère s'appelait en effet Sidonie) voulut éveiller ses enfants et commença, comme d'habitude, par le petit Max. Elle ouvrit le couvercle de sa caisse et fut horrifiée... ou plutôt étonnée... car, tout compte fait, son petit bonhomme était bien mignon en jaune citron et vermillon.

Et elle eut soudain une idée.

Elle se rendit dans la salle de peinture et trempa six pinceaux dans une couleur différente. Puis elle retourna dans la chambre, ouvrit les caisses des autres enfants endormis et barbouilla la robe de chacun d'un ton différent. Maintenant, elle pouvait enfin distinguer ses enfants les uns des autres. Et les punir (ou les féliciter) à bon escient... à commencer par Max !

RECETTE
Pop-corn

POÈME
Des fantômes dans la cuisine

Qu'il soit sucré ou salé, le pop-corn est succulent, surtout si vous l'avez fait vous-même. Peut-être avez-vous déjà entendu parler de la façon mystérieuse dont il crépite dans la casserole. Sa préparation répand en outre dans la cuisine une délicieuse odeur qui évoque les fêtes foraines et les tours de manège.

La quantité de maïs pour une portion de pop-corn dépend toujours de la grandeur de la casserole. En principe, les grains recouvrant le fond doivent être assez espacés pour ne pas se chevaucher et ne pas être trop près les uns des autres.

1. Versez 1 à 2 cuillerées à soupe d'huile végétale ou un morceau de graisse de coco dans le fond de la casserole et réglez la plaque de la cuisinière sur le maximum.

2. Versez ensuite les grains de maïs dans la casserole et remuez-les afin de bien les répartir sur le fond.

3. Posez maintenant le couvercle sur la casserole et attendez les crépitements du pop-corn.

4. Diminuez la température de moitié lorsque le "concert sous le couvercle" a réellement commencé, puis secouez vigoureusement la casserole. De la sorte, les grains de maïs qui n'ont pas encore éclaté retomberont dans le fond.

5. Lorsque les claquements commencent peu à peu à diminuer, éteignez la cuisinière, mettez la casserole de côté et attendez un peu.

6. Otez ensuite le couvercle. Versez alors le pop-corn dans un plat et saupoudrez de sucre ou de sel, selon votre goût.

C'est le bal des fantômes aujourd'hui.
Quel tapage, dans notre cuisine.
Quelle sauvagerie, quelle furie !
De partout ça tambourine.

Ecoute ! Ça claque, ça crépite, ça crie !
Jouent-ils aux quilles avec des crânes ?
Il n'est pourtant pas encore minuit !
Les marmites font un terrible vacarme.

Peu à peu, ils cessent de s'agiter.
Plus personne n'a envie de jouer.
Des fantômes, je vous dévoile le secret :
Il y a du pop-corn à grignoter !

Ursula Barff

POP-CORN
Age :
à partir de 6 ans
Participants :
à partir de 2

Matériel :

- des grains de maïs à pop-corn
- de la graisse de coco ou de l'huile végétale
- du sucre ou du sel

Ustensiles :

- une casserole avec un couvercle
- deux poignées

THÉÂTRE
Le fantôme du château

Ursula Lietz

LE FANTÔME DU CHÂTEAU

Age :
acteurs, à partir
de 6 ans
spectateurs, à partir
de 3 ans
Participants :
un acteur
un nombre de
figurants en fonction
de celui des
spectateurs
Personnages :
Guignol
La princesse
Le fantôme
Le voleur

Accessoires :

• trois draps
• un tambourin ou
deux couvercles
de casserole
• un bâton
• Toile de fond :
un château

ACTE 1ᴱᴿ

(La pièce se joue au début devant le rideau fermé; la toile de fond devient ensuite un château vu de l'extérieur.)

• **Guignol :** Bonjour, les enfants ! Comment allez-vous ? Je viens de passer des vacances merveilleuses et j'ai paressé tous les jours. Je n'ai absolument rien fait. Et maintenant, je suis tellement bien reposé que je ne sais même plus quoi faire. N'avez-vous rien à me proposer ? *(Les enfants font des propositions.)* Ah, oui, si je rendais visite à mon amie, la princesse. Elle est allée en vacances avec ses parents à la mer. Connaissez-vous la mer ? *(Il laisse les enfants raconter, va et vient; le rideau s'ouvre alors lentement et l'on voit le château.)* Ah, là derrière se trouve le château. Je vais tout d'abord frapper à la porte. Tiens, rien ne bouge. N'y a-t-il personne ? *(Il frappe de nouveau.)*

• **Princesse :** *(Regarde prudemment au coin.)* Ah, Guignol, c'est toi ! Entre donc *(Regarde autour d'elle.)*

• **Guignol :** Oui, c'est moi ! Qui d'autre cela pourrait-il être ? Dis donc, que se passe-t-il ? Qui donc cherches-tu ? Je pensais que tu serais contente de me voir.

• **Princesse :** Bien sûr que je suis contente, mais *(Angoissée)* as-tu entendu ce bruit ?

• **Guignol :** C'est sans doute un animal qui est passé en courant. Mais enfin, que t'arrive-t-il ?

• **Princesse :** Tu sais, depuis notre retour, notre château est hanté.

• **Guignol :** Ha, ha, ha, tenté ? Par qui, par quoi ?

• **Princesse :** Mais non, pas tenté, des fantômes ! Tu ne connais pas de fantômes ? Maintenant, notre château en est plein.

• **Guignol:** Balivernes ! Les fantômes n'existent pas !

• **Princesse** : Pourtant, des silhouettes blanches rôdent la nuit dans le château. Hier, par exemple, le fantôme a emporté ma couverture et l'a jetée par la fenêtre. Il a ensuite éclaté de rire de façon vraiment lugubre et a dansé comme les spectres.

• **Guignol** : Hm, hm, ça me semble bizarre. Je dois absolument voir ça. J'avais de toute façon l'intention de passer la nuit ici. Es-tu d'accord ? Je pourrai ainsi observer ce drôle de fantôme d'un peu plus près.

ACTE 2

(Toile de fond : l'intérieur du château, un drap sur le bord de la scène symbolisant le lit de Guignol.)

• **Guignol** : Bon, voilà, il fait totalement nuit. Je crois que je peux me mettre au lit. Jusqu'à présent, je n'ai encore jamais vu de fantôme. Peut-être la princesse a-t-elle tout simplement rêvé ? Uaaah, que je suis fatigué ! *(Il s'endort.)* Chrrr-Chrrr.

(12 coups de minuit)

(Le fantôme regarde au coin et rit bruyamment. Guignol continue à dormir. Le fantôme danse et rit encore plus fort, puis il s'approche et enlève la couverture de Guignol. Guignol continue à dormir. Le fantôme disparaît, revient avec un bâton, frappe Guignol sur la tête avec celui-ci, rit et chante.)

• **Guignol** : Aïe, aïe, qu'est-ce que c'est ? Le fantôme ! Va-t'en, ouste, ouste ! *(Le fantôme disparaît en riant.)* Eh bien, j'ai eu peur ! Dieu merci, il est parti ! Ma tête, ma pauvre tête ! Mais que s'est-il donc passé ? Aïe, aïe, aïe ! *(Il se rendort.)*

ACTE 3

(Toile de fond : l'intérieur du château.)

• **Princesse** : Guignol, debout ! Alors, as-tu vu le fantôme ? Allez, raconte donc !

• **Guignol** : Comment ? Ah oui, non, je…oh, ma tête !

• **Princesse** : Tu as une grosse bosse sur le crâne ! Que s'est-il passé ?

• **Guignol** : Une bosse ? Ah oui, je me souviens. J'ai bien vu le fantôme. Je suis maintenant obligé de te croire.

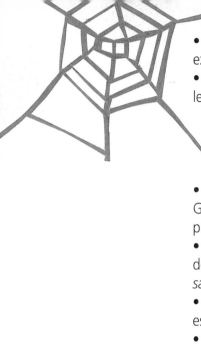

• **Princesse** : Tu vois, je n'ai pas rêvé ! Le fantôme existe réellement. Qu'allons-nous faire ?

• **Guignol** : Laisse-moi réfléchir. Si je ne me trompe, le fantôme ne m'avait pas l'air si effrayant. J'ai simplement eu peur parce que j'étais endormi. Si je me souviens bien, … hm, oui, oui, c'est possible. Un instant, je reviens tout de suite.
(Il disparaît et revient avec un drap blanc.)

• **Princesse** : Qu'a-t-il l'intention de faire ? Mais Guignol, que veux-tu faire avec ton drap ? Je n'y comprends plus rien.

• **Guignol** : Tu vas voir. Va donc te placer un instant devant la porte. *(La princesse y va; il met le drap sur sa tête.)* Voilà, tu peux revenir. Hou, hou, hou !

• **Princesse** : A l'aide, le fantôme ! Guignol, où es-tu ? A l'aide !

• **Guignol** : *(Enlève le drap.)* Coucou ! Tu vois, ça ne prend qu'un instant pour se transformer en fantôme !

• **Princesse** : Eh bien, Guignol, tu peux te vanter de m'avoir fait peur ! Encore un peu et je m'évanouissais. Qu'est-ce que ça veut dire ?

• **Guignol** : Tu ne comprends donc pas ? N'importe qui peut jouer au spectre. Il suffit simplement de se mettre un drap sur la tête et hop, le tour est joué ! Ensuite, on hurle et on s'agite un peu comme ça : Hou, hou, hou ! et tout le monde a peur.

• **Princesse** : En effet. C'est donc si facile.

• **Guignol** : Oui, et maintenant, nous devons découvrir qui ici joue au fantôme et pourquoi.

ACTE 4

(Toile de fond : l'intérieur du château, avec une porte bien visible.)

• **Guignol** : Voilà, je suis de retour. Ouf ! Nous nous sommes promenés toute la journée dans la ville. J'ai mangé trois glaces et une montagne de crème fraîche ! Aimez-vous aussi les glaces ? Hmmm, celle que je préfère, c'est la glace aux fraises.
Vous aussi ?

Bon, je ferais mieux de me mettre au lit tout de suite. Espérons que je ne m'endormirai plus aussi vite. Pourtant, je suis vraiment très fatigué. Alors, vous devrez me réveiller, d'accord ? Si vous voyez le fantôme, criez très fort : Guignol, Princesse ! Ainsi, je me réveillerai et la princesse saura qu'elle doit fermer la porte. Ah !

(Soupir)

(12 coups de minuit)

(Le fantôme apparaît, les enfants crient.)

• **Guignol** : Quoi ? Oh, ah, le fantôme !

Il s'approche. Encore un peu et … Ah, je te tiens !

(Il tire sur le drap.)

Allons donc, qu'avons-nous là ?

(Le voleur apparaît.)

C'est bien le voleur Doigts d'or ! C'est donc toi notre fantôme ! Quelle surprise !

(Le voleur veut s'enfuir mais la porte est fermée.)

• **Voleur** : Zut, la porte est fermée ! Quelle poisse ! Bon sang de bon sang ! Encore un peu et je réussissais ! Quelle guigne !

• **Guignol** : Tais-toi donc ! Cela ne te sert à rien de jurer ! Mais explique-toi. Qu'aurais-tu réussi ?

• **Voleur** : A faire fuir la princesse et ses parents du château, de leur château.

• **Guignol** : Tiens, tiens, c'est intéressant. *(Crie)* Princesse, nous entends-tu ? Notre fantôme, c'est le voleur. Il a quelque chose à te raconter !

• **Princesse** : Oui, j'entends tout.

• **Voleur** : Eh bien, mon repaire de brigands ne me plaisait plus. Et je me suis dit que j'habiterais bien volontiers dans un château. Tout comme la princesse. Oui, oui. Mais il est difficile de voler un tel château.

- **Guignol** : Oui, oui. C'est vraiment difficile. C'est donc la raison pour laquelle tu voulais chasser tous les habitants du château ?

- **Voleur** : Oui, tout simplement. J'ai pensé que si je jouais un peu au fantôme, ils auraient tous peur de moi. Ils auraient sûrement fini par déménager et j'aurais eu le château pour moi tout seul. J'ai donc erré dans le château et il s'en est fallu de peu que mon coup ne réussisse.

- **Guignol** : Mais tu n'avais pas pensé à Guignol, n'est-ce pas ?

- **Princesse** : Quelle chance ! Tu es arrivé au bon moment, Guignol. Sinon, nous serions réellement partis.

- **Guignol** : Enfin, une fois de plus, tout est bien qui finit bien. Bon, et maintenant, que faisons-nous du voleur ? Qu'en pensez-vous, les enfants ? Il mérite bien une punition, non ?

- **Princesse** : Je sais ! Il pourrait nettoyer notre château.

- **Voleur** : Oh, non. Pitié, pas ça ! Ce n'est pas un travail pour moi ! Je ne peux pas faire ça !

- **Guignol** : Oui, c'est une bonne idée. Je veillerai à ce que tout soit propre. Tu pourrais également bêcher le jardin et enlever les mauvaises herbes. J'espère qu'à l'avenir tu laisseras la princesse tranquille.

- **Voleur** : Pauvre, pauvre de moi !

- **Guignol** : Tout ça est uniquement de ta faute. Pas vrai, les enfants ? Bon, maintenant je t'emmène tout d'abord à la cuisine pour y faire la vaisselle. Princesse, princesse, tu peux ouvrir la porte !

(Il s'en va avec le voleur et revient avec la princesse.)
Voilà, l'affaire est réglée.

- **Princesse** : Merci, merci beaucoup, Guignol.
Le château n'était pas hanté mais le voleur était bien tenté ! Tenté… tant et si bien qu'il fut attrapé.
Tu sais, j'ai tout raconté à mon père. Il aimerait organiser une fête en ton honneur. Tu peux inviter qui tu veux.

- **Guignol** : Chouette ! Je dois maintenant réfléchir aux personnes que je vais inviter. Gnafron, Margot, la grand-mère et tous les enfants !

CHANSON

Tout en passant par un p'tit bois

Tout en pas-sant par un p'tit bois, tout en pas-sant par un p'tit bois,

Tous les cou-cous chan-taient   Et dans leur jo-li chant di-saient : Coucou, cou-

cou, cou-cou, cou-   cou.

Et moi, je croyais qu'ils disaient :
Coupe-lui le cou (bis)

Château fort de la chauve-souris

CHÂTEAU FORT DE LA CHAUVE-SOURIS

Age :
à partir de 4 ans
Participants :
seul ou en groupe

Matériel :

• des graines d'érable séchées
• de la colle
• des glands
• un feutre noir
• deux feuilles de carton noir rigide : DIN A4
• des ciseaux
• de la gouache
• un pinceau
• du fil à coudre blanc
• une branche

De multiples légendes évoquent les fantômes vivant dans des châteaux. La plupart du temps, d'autres êtres étranges, sachant voler, y habitent également : les chauves-souris. Etant donné que ces animaux errent eux aussi la nuit, ils sont tout aussi inquiétants que les fantômes. Cependant, vous n'avez rien à craindre, ni des chauves-souris que vous allez fabriquer, ni de celles qui se trouvent dans la nature.

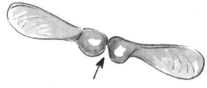

1. Pour former les ailes d'une chauve-souris, séparez soigneusement les deux parties d'une graine d'érable.
2. Enduisez les cassures de colle et fixez-les sur le tiers supérieur d'un gland. Etant donné que la surface de celui-ci est très lisse, appuyez bien sur les moitiés de graines pour éviter qu'elles ne glissent.
3. Dessinez ensuite les yeux et un petit nez.

4. Pour le château fort, tracez à deux reprises les contours d'un mur sur le carton rigide et découpez-les.
5. Peignez à la gouache les pierres, les fenêtres et une porte.
6. Incisez ensuite une des feuilles jusqu'au centre en partant du haut et l'autre en partant du bas, puis emboîtez l'un dans l'autre les deux éléments.
7. Fixez le fil au centre et suspendez le château fort au plafond de la chambre.
8. Fixez à présent la branche de façon à ce que ses rameaux pendent au-dessus des murs de la forteresse.
9. Nouez un morceau de fil aux chauves-souris et attachez-les à la branche. Elles sembleront voler autour du château.

CHANSON
L'éléphant sur la toile d'araignée

paroles et musique : Frederik Vahle

L'ÉLÉPHANT SUR LA TOILE D'ARAIGNÉE

Age :
à partir de 3 ans
Participants :
à partir de 6

Matériel :

• une craie
ou de la laine
• un matelas
ou un tapis
de gymnastique

1. Un é- lé- phant, oui, Se ba- lan- çait, ait
Sur u- ne toi- le d'a- rai- gnée. Il s'écria, ré- joui :
Ça tient, you- pi ! Je vais cher- cher mon a- mie, you- pi !

2. *Deux éléphants,*
Se balançaient, aient
Sur une toile d'araignée.
Ils s'écrièrent, réjouis :
Ça tient, youpi !
Allons chercher…, youpi !

3. *Trois éléphants,*
Se balançaient, aient
Sur une toile d'araignée.
Ils s'écrièrent, réjouis :
Ça tient, youpi !
Allons chercher…, youpi !

4. *Quatre éléphants,*
Se balançaient, aient
(parlé :)
Sur la toile d'araignée
Qui a ensuite vacillé.
Boum, patatras,
Ce fut un terrible fracas.

Si vous désirez jouer avec le texte de la chanson, vous devez fabriquer une toile d'araignée.
A cet effet, dessinez une grande toile d'araignée avec la craie sur le sol ou "tissez-en" une avec de la laine. Placez le matelas au milieu de la toile.
La chanson comportera autant de couplets qu'il y a de joueurs. Pour commencer, un seul éléphant se balance le long de la toile, pendant que les autres enfants chantent. Arrivent ensuite, au fil des couplets, de plus en plus d'éléphants qui se rapprochent progressivement du centre et finissent par tomber sur le matelas.

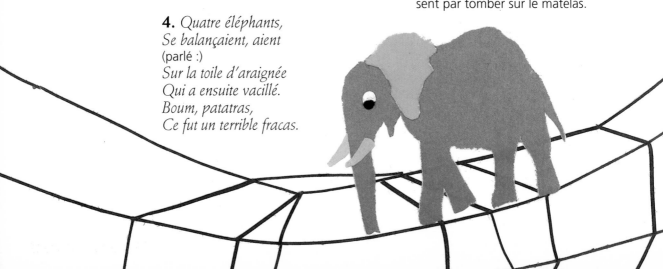

POÈME

Une mémoire d'éléphant

Eh oui, dit l'éléphant,
Je suis très intelligent
Mon nez est très allongé
Et je vois bien plus loin
Que le bout de mon nez.

Novembre

Novembre, tout est terne
Plus aucun gazouillis.
Les animaux hivernent
Il fait vite nuit.
Prenons nos lanternes :
Belle flamme, luis !

Devinette

**MESSAGE
DE NOVEMBRE**

Les perdent leurs dernières

Et bien souvent, il y a des . Sous

le , le village est noyé.

Et tous les restent chez eux. Nous

bricolons des beaux et colorés avec lesquels

nous nous promenons sur le . De plus e

plus longue est la  .

Le  s'est fait rare.

La nous rendra visite d'ici peu de temps.

Dans le jardin, l' enterre

et glands.

Le se glisse dans son .

Et le matin, l' est recouverte de rosé

Le aime encore souvent se montrer

Et il fait voler les endiablé

Nous mettrons des chauds .

Et comme des fous, nous saluerons l'arrivée de novembre

POÈME

Santé !

Au clair de la lune
Trois petits lapins
Qui mangeaient des prunes
Comme trois coquins
La pipe à la bouche
Le verre à la main
Ils disaient :
"Mesdames, versez-moi du vin
Jusqu'à demain matin."

DEVINETTE

Novembre

Quelle différence y a-t-il entre un horloger
et une girouette ?
(L'un vend des montres et l'autre montre
le vent.)

Elle ne se fait jamais mal en tombant.
(La pluie)

Il suffit qu'elle arrive pour qu'il s'en aille.
Et quand il vient, elle s'en va.
De qui s'agit-il ?
(Du soleil et de la lune)

A la fin de l'automne, il a presque perdu
toutes ses feuilles.
Pourtant ce n'est pas un arbre.
Qui est-ce ?
(Le calendrier)

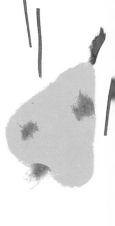

Vent et air

*Age :
à partir de 3 ans
Participants :
seul ou en groupe*

Matériel :

- du papier machine
- des crayons de
couleur
- des ciseaux

MINI-CERF-VOLANT

Pour jouer deux fois avec le vent, prenez une feuille de papier, découpez-la au format carte postale et réalisez un dessin amusant.

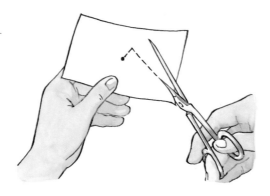

Incisez ensuite le papier comme le montre le dessin. Agrandissez quelque peu le point central afin que la lettre glisse plus facilement sur la queue du cerf-volant.
Lorsque le vent d'automne souffle violemment et que le cerf-volant plane dans le ciel, placez la lettre au bas de la corde. Le vent l'entraînera vers le haut.

D'OÙ VIENT LE VENT ?

Pour déterminer facilement la direction du vent, humectez votre index avec un peu de salive et tenez-le en l'air, à la verticale. Vous sentirez alors très vite qu'un côté de votre doigt se refroidit. C'est de cette direction que vient le vent.

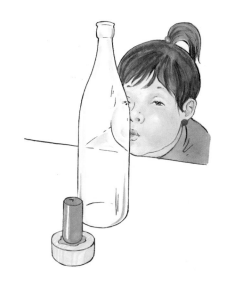

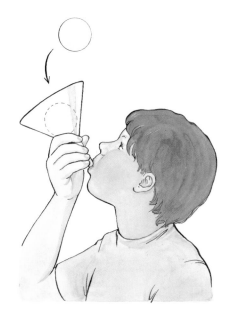

Le courant d'air se sépare devant la bouteille, glisse sur les côtés de celle-ci et se reforme derrière. Il éteint donc la bougie.

LA BALLE PRISONNIÈRE

Il est tout à fait impossible de faire sortir une balle d'un entonnoir en soufflant ! Le saviez-vous ? C'est difficile à croire, mais c'est pourtant vrai.
Placez une balle de ping-pong dans l'ouverture d'un entonnoir, tenez celui-ci incliné vers le haut et soufflez dedans de toutes vos forces. La balle ne sortira pas. Pourquoi ? L'air glisse le long de la paroi interne de l'entonnoir et n'engendre aucune pression sur la balle. Celle-ci reste donc "prisonnière" de l'entonnoir.

L'ÉTRANGE COURANT D'AIR

En principe, une bouteille devrait normalement protéger suffisamment contre le vent une bougie allumée. Mais ce n'est pas le cas, faites donc l'expérience.
Posez une bougie allumée derrière une bouteille vide. Soufflez maintenant fortement sur celle-ci. Vous constatez que la flamme s'éteint tout de suite. Pourquoi ?

L'ŒUF QUI SE PROMÈNE

Placez deux coquetiers l'un derrière l'autre et posez un œuf dans le premier. Soufflez maintenant énergiquement sur le bord du coquetier. Attention, l'air doit venir d'en haut. Si vous soufflez assez fort, l'œuf bascule dans le second coquetier.
Etant donné qu'il se crée un espace entre la coquille d'œuf et la paroi intérieure du coquetier, l'air passe sous l'œuf, formant une espèce de "coussin". Si votre souffle est assez puissant, l'œuf bascule alors dans le coquetier placé derrière.

D'OÙ VIENT LE VENT ?
Age :
à partir de 6 ans
Participants :
seul ou en groupe

LA BALLE PRISONNIÈRE
Age :
à partir de 6 ans
Participants :
seul ou en groupe

Matériel par enfant :

• un entonnoir
• une balle de ping-pong

L'ÉTRANGE COURANT D'AIR
Age :
à partir de 6 ans
Participants :
seul ou en groupe

Matériel par enfant :

• une bouteille
• une bougie allumée

L'ŒUF QUI SE PROMÈNE
Age :
à partir de 6 ans
Participants :
seul ou en groupe

Matériel par enfant :

• un œuf frais
• deux coquetiers

Soufflez,
c'est joué !

SOUFFLEZ,
C'EST JOUÉ !

Age :
à partir de 6 ans
Participants :
seul ou en groupe

Matériel :

• une caisse en
carton, environ
35 x 35 cm
• des chutes de
carton ondulé
et de papier
• du fin carton
• des rouleaux en
carton (papier
essuie-tout ou
papier hygiénique)
• un crayon
• une règle
• un cutter
• des ciseaux
• de la colle
• de la gouache
• une balle
de ping-pong

Un souffle puissant et une certaine adresse
sont nécessaires pour faire circuler la balle,
au travers du labyrinthe, jusqu'à l'arrivée.
Réalisez deux labyrinthes identiques et
vous pourrez organiser un concours. Si
vous n'en confectionnez qu'un, les joueurs
souffleront à tour de rôle. Chronométrez
alors le temps mis par chaque participant
pour faire sortir la balle du labyrinthe.

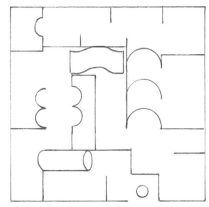

1. A l'aide du cut-
ter, découpez le
fond de la caisse
en laissant un bord
de 5 cm de haut.

2. Esquissez ensuite le labyrinthe sur le carton. Pour ce faire, vous pouvez vous inspi-
rer du schéma ci-dessus ou, si vous en avez
envie, mettre vos propres idées en pratique.

Veillez à ce que les couloirs soient suffisamment larges pour que la balle de ping-pong puisse y rouler. Les obstacles doivent être simples, assez bas et présenter une pente douce. Pourquoi ne pas prévoir quelques impasses ?

3. Découpez maintenant des bandes de carton ondulé d'environ 5 cm de large pour les parois intérieures et pour la petite case d'arrivée.

4. Peignez celles-ci, le fond du jeu et les rouleaux de papier hygiénique de diverses couleurs et laissez sécher les différents éléments.

5. Pendant ce temps, réalisez l'entrée dans l'un des bords extérieurs et évidez le trou de départ dans le fond du jeu (taille d'une petite pièce de monnaie). Celui-ci permettra à la balle de tenir et de ne pas rouler avant le début du jeu.

7. Découpez les rouleaux de carton à l'aide des ciseaux et du cutter pour former les obstacles. Avant de fixer les différents éléments, vérifiez si, en soufflant, vous pouvez facilement faire passer la balle de ping-pong au travers ou en dessous de ceux-ci.

Vous pouvez maintenant réaliser un premier essai. Profitez-en pour vérifier si rien ne doit être modifié. Si la balle peut aisément parcourir le labyrinthe, votre jeu est parfait. Alors : "Attention, prêts, partez !" Qui sera le plus rapide ?

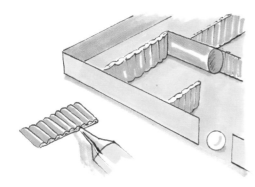

6. Lorsque les bandes de carton ondulé sont sèches, enduisez-les de colle et pressez-les légèrement sur le fond de carton. Maintenez-les ainsi jusqu'à ce que la colle ait un peu séché.

PARACHUTE

Ce parachute multicolore qui plane en bruissant est facile à confectionner. En outre, vous vous amuserez follement à le regarder tourbillonner dans l'air.
Fabriquez-en plusieurs, vous pourrez organiser un concours de lancer.

1. Découpez la toile du parachute (le papier crépon ou les sacs en plastique) en six bandes de 1 à 2 m de long et de 5 cm de large.

2. Empilez-les et tordez l'une de leurs extrémités en les serrant suffisamment pour les faire passer dans le trou de la perle (ou dans le marron).

3. Nouez ensuite les bandes tout contre la perle (ou le marron), des deux côtés.

PARACHUTE
Age :
à partir de 4 ans
Participants :
seul ou en groupe

Matériel :

• de la toile
de parachute
multicolore :
• du papier crépon
ou des sacs
en plastique
• une grande perle
ou un marron
• des ciseaux
• une vrille
pour le marron

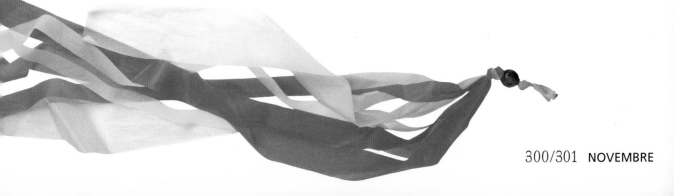

Comment aider les oiseaux ?

Toute l'année, vous pouvez observer les oiseaux dans votre jardin ou dans les bois. Ils vous charment par leurs chants et leur vitalité.

Cependant, l'hiver est pour eux une période très rude et vous pouvez les aider à survivre. Dans le chapitre "Janvier" (page 31), vous avez déjà appris que seules quelques espèces dites sédentaires restaient dans nos contrées. C'est notamment le cas des moineaux, des merles et des mésanges que vous pourrez aider à traverser l'hiver.

QUELQUES INFORMATIONS DE BASE

Bien souvent, les signes précurseurs de l'hiver apparaissent dès le mois de novembre : il commence à geler et même parfois à neiger. Il est donc grand temps de commencer à nourrir les oiseaux. Le moment où débute votre aide revêt une importance capitale, car si vous les nourrissez trop tôt les oiseaux migrateurs risquent d'attendre trop longtemps avant de partir.

Vous pouvez installer une mangeoire pour les oiseaux sédentaires et y suspendre des boules pour mésanges et des carottes de graines. Nourrissez-les jusqu'à ce que l'hiver s'achève et que les oiseaux puissent à nouveau trouver eux-mêmes leur nourriture dans la nature.

QUEL EST L'ENDROIT IDÉAL POUR PLACER LA NOURRITURE ?

Sur l'appui de la fenêtre, sur le balcon ou dans le jardin – vous pouvez nourrir les animaux où vous le voulez. L'important est que cet endroit soit difficilement accessible aux ennemis naturels des oiseaux, par exemple les chats. Placez donc votre mangeoire suffisamment haut. Sachez que les oiseaux apprécient toujours, pour manger, un endroit protégé et facilement reconnaissable.

QUAND ET EN QUELLE QUANTITÉ NOURRIR LES OISEAUX ?

Les oiseaux viennent toute la journée à leur mangeoire habituelle, mais leur ration doit être un peu plus abondante le matin et le soir. Vous devez en principe adapter la quantité d'aliments au temps : s'il fait froid et s'il neige, les besoins en nourriture seront plus importants que si la température s'adoucit et que la neige fond.

QUELLE NOURRITURE DONNER ?

Des graines de tournesol et de chanvre, des flocons d'avoine, des baies séchées, des raisins secs et des noix. Attention : évitez impérativement de donner de la nourriture moisie, épicée et salée aux oiseaux, elle est dangereuse pour eux !

Promenons-nous

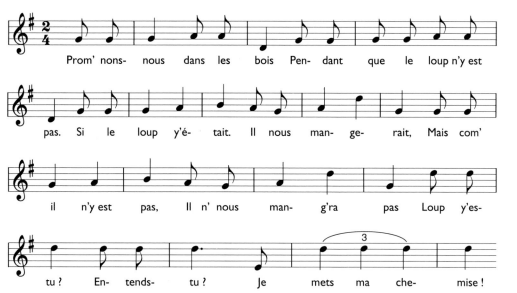

Prom' nons- nous dans les bois Pen- dant que le loup n'y est

pas. Si le loup y'é- tait. Il nous man- ge- rait, Mais com'

il n'y est pas, Il n' nous man- g'ra pas Loup y'es-

tu ? En- tends- tu ? Je mets ma che- mise !

PROMENONS-NOUS
Age :
à partir de 4 ans
Participants :
à partir de 6

Je mets ma culotte, ma veste,
mes chaussettes, mes bottes, etc.

A la fin

Je mets mon bandeau et j'arrive !

Les promeneurs chantent dans une pièce, le loup s'habille à côté et annonce à chaque couplet l'habit qu'il vêt.
Au dernier couplet, il annonce qu'il met un bandeau sur les yeux et qu'il arrive pour manger les promeneurs (au départ, un enfant viendra guider son compagnon dans la bonne direction).

Tableau dans la brume

TABLEAU DANS LA BRUME

Age :
à partir de 5 ans
Participants :
seul ou en groupe

Matériel :

• du papier de couleur grise : DIN A3
• des chutes de papier de couleur dans des tons doux
• de la colle
• de la ouate

En novembre, votre environnement est souvent plongé dans le brouillard. Il est fascinant d'observer la façon dont tout disparaît derrière ce voile épais et réapparaît à n'importe quel moment.

Pourquoi ne pas réaliser un tableau très original en recouvrant ses divers éléments d'un brouillard d'ouate ?

1. Imaginez tout d'abord ce que vous voulez représenter : par exemple votre maison, votre ville et la région qui vous entoure. Laissez libre cours à votre créativité.

2. Posez le papier gris sur votre plan de travail et déchirez tous les motifs dans le papier coloré.

3. Collez ensuite le fond du tableau, puis fixez sur celui-ci les différents éléments situés au premier plan.

4. Collez sur certaines des nappes de brouillard faites d'ouate.

BRICOLAGE

Jeu de mémoire

JEU DE MÉMOIRE
Age :
à partir de 5 ans
Participants :
à partir de 2

Matériel :

• des petites fiches
en carton : 6 x 6 cm
• un crayon
• des ciseaux
• une règle
• une gomme
• un feutre noir fin
• des crayons
de couleur
• du papier adhésif
transparent
• éventuellement
du papier cadeau

Lorsqu'il fait froid et brumeux, il vous arrive parfois de vous ennuyer à la maison. Confectionnez ce jeu de mémoire et jouez-y, vous tromperez agréablement votre ennui et vous ne verrez plus le temps passer.

1. Choisissez environ vingt motifs qui correspondent bien au mois de novembre, par exemple des bougies, une étoile, la lune, des chrysanthèmes, un fanal, des maisons dans la brume, le vent, des feuilles mortes, un hérisson, des oies, un réverbère, un parapluie, des nuages, une chouette, un soleil caché par les nuages.
2. Lisez à la page 253 les instructions relatives à la confection des petites cartes. Attelez-vous à leur réalisation : à l'aide d'une règle et d'un crayon, tracez un cadre intérieur à 0,5 cm du bord de la fiche.
3. Esquissez ensuite au crayon un motif identique sur deux cartes. Lorsque vous êtes satisfait de tous vos dessins, repassez leurs contours au feutre.

4. Passez à présent à la plus agréable partie de ce bricolage, le coloriage des motifs. Vous pouvez soit colorier chaque paire de cartes dans les mêmes couleurs, soit choisir des tons différents pour chacune, par exemple une bougie verte et une jaune. Dans ce cas, le jeu sera un peu plus compliqué.
Si vous le désirez, collez au dos des fiches du papier cadeau à petits motifs.
5. Recouvrez vos cartes de papier adhésif transparent afin d'éviter qu'elles ne se salissent.
Retournez les cartes sur la table, mélangez-les correctement et divisez-les ensuite en quatre ou cinq rangées.
Le plus jeune joueur commence et retourne deux cartes de son choix. Si elles portent le même dessin, il peut les prendre et tenter sa chance une nouvelle fois. Dans le cas contraire, il les redépose à leur place, face vers le bas, et c'est au tour du joueur suivant de pêcher. Le vainqueur est celui qui a trouvé le plus de paires.

Clarté et obscurité

En novembre, les jours deviennent de plus en plus courts et il fait si souvent froid, humide et brumeux qu'il est impossible de jouer dehors.
Vous trouverez sur ces deux pages quelques idées pour vous amuser à la maison.

LE CHEMIN INCONNU

Bandez les yeux de l'un des enfants. Il doit alors suivre un de ces petits camarades en se basant uniquement sur les bruits produits par ce dernier avec son instrument. Echangez les rôles après quelques minutes. Vous pouvez également prendre le joueur "aveugle" par la main et le guider dans toute la maison.

LE CHEMIN INCONNU

Age :
à partir de 5 ans
Participants :
à partir de 2

Matériel :

• des objets pour faire du bruit, par exemple un instrument ou deux cuillers
• un drap

DEVINER DES CHIFFRES

Age :
à partir de 6 ans
Participants :
à partir de 2

Matériel :

• une lampe de poche

QUI TIRE, QUI PINCE ?

Age :
à partir de 4 ans
Participants :
à partir de 6

Matériel :

• un coussin

QUI SUIS-JE ?

Age :
à partir de 5 ans
Participants :
à partir de 6

Matériel :

• un foulard

DEVINER DES CHIFFRES

Plongez la pièce dans l'obscurité. Avec la lampe de poche, l'un des enfants "écrit" sur le mur des chiffres que les autres joueurs doivent deviner.

QUI TIRE, QUI PINCE ?

Tous les enfants s'asseyent en cercle. Un joueur pose un coussin sur ses genoux et un autre y enfouit son visage. Un participant pince ce dernier dans le cou et lui dit, en déguisant sa voix : "Celui qui a tiré, celui qui a pincé, celui qui l'a fait, on le reconnaît à son nez !" L'enfant pincé peut proposer trois noms.

QUI SUIS-JE ?

Vous êtes assis en rond et vous vous observez mutuellement. Soyez particulièrement attentifs aux vêtements et aux coiffures et retenez bien si l'un de vous porte des lunettes, des boucles d'oreilles ou une chaîne. Bandez ensuite les yeux d'un des joueurs. Il doit maintenant reconnaître un des enfants uniquement en le touchant.

MARCHER EN AVEUGLE

Avant de jouer, dégagez la surface et placez une chaise à un bout de la pièce. Comptez le nombre de pas qui la séparent du mur d'en face.

A tour de rôle, tous les joueurs doivent maintenant parcourir, les yeux bandés, la distance comprise entre ce mur et la chaise. Mais ils ne peuvent faire que le nombre de pas préalablement compté et doivent ensuite s'arrêter. Le vainqueur est celui qui s'approche le plus de la chaise.

LE VOLEUR DE CLÉS

Un enfant, le gardien, est assis les yeux bandés sur une chaise sous laquelle vous placez le trousseau de clés. Un joueur essaie de s'approcher à pas de loup pour voler les clés. Si le gardien entend un bruit, il crie : "Halte !" et indique la direction correspondante. Si le voleur est "attrapé", les enfants échangent leurs rôles. En revanche, si le petit bandit réussit à subtiliser les clés sans bruit, le gardien doit alors essayer de surprendre un autre brigand.

ÉCRIRE EN AVEUGLE

Bandez les yeux d'un des participants. Placez-lui ensuite un crayon dans la main, qu'un autre joueur guide alors pour écrire un mot sur le papier. "L'enfant aveugle" peut-il deviner ce terme ?

CREVER DES SACS

Tendez une corde d'un mur à l'autre et suspendez-y trois sacs en papier gonflés et ficelés. Bandez les yeux d'un enfant et amenez celui-ci sous la ficelle. Il a droit à trois essais pour crever les sacs en claquant les mains.

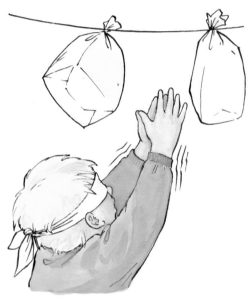

DEVINER DES OMBRES

Tendez un drap d'un mur à l'autre (ou d'un mur à une armoire) et placez le lampadaire environ 1 m derrière celui-ci. Derrière le drap, les enfants miment à tour de rôle une activité, par exemple se brosser les dents, arroser les fleurs, passer l'aspirateur ou se peigner. Les autres joueurs, qui se trouvent devant le drap, doivent deviner de quoi il s'agit.

MARCHER EN AVEUGLE
Age :
à partir de 5 ans
Participants :
à partir de 4

Matériel :

• un foulard
par enfant
• une chaise

LE VOLEUR DE CLÉS
Age :
à partir de 4 ans
Participants :
à partir de 3

Matériel :

• un trousseau
de clés
• un foulard
• une chaise

ÉCRIRE EN AVEUGLE
Age :
à partir de 7 ans
Participants :
à partir de 2

Matériel :

• du papier
• un foulard
• un crayon

CREVER DES SACS
Age :
à partir de 4 ans
Participants :
à partir de 2

Matériel :

• une corde
• des sacs en papier
un foulard

DEVINER DES OMBRES
Age :
à partir de 4 ans
Participants :
à partir de 4

Matériel :

• un drap
• un lampadaire

THÉÂTRE

L'arrivée du soleil
au pays de Malon

Christine Mühlbauer

• **Narrateur** : Malon – c'est le nom du pays dont je vais vous conter l'histoire – est dissimulé derrière de très hautes montagnes. Le soleil ne pointait jamais au-dessus du sommet de ces montagnes, si bien que ce pays était toujours plongé dans la nuit noire. C'est la raison pour laquelle, les Maloniens – ainsi s'appelaient les habitants de ce pays – ne se séparaient jamais de leur lanterne.

Les Maloniens étaient des gens très singuliers. Chacun d'eux vivait absolument seul dans une maison. Et chaque maison était entourée d'un haut mur.

Tous les Maloniens se détestaient ; nul ne se liait d'amitié avec ses concitoyens. Ils se méfiaient de tout le monde et se jalousaient.

Un jour, un promeneur arriva à Malon, dans le pays derrière les hautes montagnes.

Les Maloniens en furent complètement ébahis.

Personne ne se souvenait avoir vu un promeneur venir en ces sombres lieux. Le promeneur était lui aussi très étonné par ces gens si particuliers et par ce territoire de la nuit noire.

• **Promeneur** : Où est le soleil ?

• **Un Malonien** : Qu'est-ce que c'est, le soleil ?

• **Les autres** : Jamais nous n'avons entendu ce mot !

• **Narrateur** : Seul un très vieux Malonien se rappelait en avoir entendu parler et dit :

• **Malonien** : Oui, oui, c'est une grosse lanterne, la grande lampe du ciel qui plane dans les airs. Parle-nous de cette lampe du ciel !

• **Narrateur** : Le promeneur commença alors à raconter :

• **Promeneur** : Le soleil est comme un disque jaune, brillant. Chaque matin, il s'élève, lumineux, dans le ciel. Ses chauds rayons éveillent les oiseaux dans leurs nids. Dès que la clarté apparaît, le coq chante pour le saluer. Sous les rayons du soleil s'ouvrent les bourgeons et les fleurs des buissons et des arbres, et les fleurs répandent leur doux parfum. Le soleil fait pousser l'herbe verte. Les fleurs ouvrent leur calice, les crocus bleus, les tulipes rouges. Elles se nourrissent de sa merveilleuse lumière.

Les petits garçons et petites filles se frottent les yeux dans le soleil du matin. Ils sentent sa chaleur sur leur peau. La lumière du soleil les rend tout bronzés et heureux.

• **Narrateur** : Ainsi le promeneur raconta-t-il aux Maloniens de merveilleuses histoires sur le soleil. Et les Maloniens – imaginez-vous – sortirent tous de leurs maisons aux hauts murs.

Ils s'assirent autour de la table à laquelle se tenait le promeneur qui parlait si bien du soleil.

Puis, ils bâtirent une grande maison où ils se rassemblèrent. Ils en arrivèrent bientôt à rester assis là jour et nuit à écouter attentivement ces histoires.

Ils eurent alors une folle envie, un ardent désir de clarté, de chaleur, de soleil.

Mais tout restait sombre.

Un jour, le promeneur voulut s'en aller. Il était resté assez longtemps à Malon. Il dit :

• **Promeneur** : Il me faut retrouver le soleil. Je ne peux en être privé trop longtemps. Il faut que je m'en abreuve pour pouvoir le partager à d'autres.

• **Narrateur** : Et le promeneur s'en alla.

Son départ attrista profondément les Maloniens.

Qui leur parlerait maintenant du soleil ?

Qu'allaient-ils faire à présent ?

Devaient-ils à nouveau se retirer dans leurs maisons et disparaître seuls derrière leur haut mur ?

Non, ils ne le voulaient plus. Pourquoi rester isolés ?

Il est tellement plus agréable de vivre ensemble, de parler et manger l'un avec l'autre, de s'entraider.

En outre, les nombreuses lanternes réunies donnaient plus de lumière qu'une seule.

Chaque matin, tous appelaient le soleil :

Soleil, cher soleil,
Baigne-nous de tes rayons,
Entre dans notre maison,
Soleil, fais-nous voir tes merveilles !

Ainsi chantaient-ils tous les jours.

Puis, un jour, le miracle se produisit.

Il fit de plus en plus clair dans leurs maisons.

Ils pensèrent :

Mais qu'est-ce que c'est ?

Ils virent alors un disque lumineux se dresser derrière les montagnes.

Ce disque fut tout d'abord rouge comme une orange sanguine coupée en deux, puis il devint jaune et, lorsqu'il fut tout en haut dans le ciel, il brilla comme de l'or pur.

"Le voilà !"

C'est parce qu'ils étaient enfin prêts à l'accueillir qu'aujourd'hui ils pouvaient reconnaître sa présence.

Théâtre d'ombres

THÉÂTRE D'OMBRES

PERSONNAGES

Age :
à partir de 7 ans
Participants :
à partir de 4

Matériel :

• deux grandes feuilles de papier ou de carton rigide noir et une feuille de papier ou de carton rigide jaune
• des chutes de papier transparent rouge, jaune, brun ou gris
• un cutter
• une planche ou un carton comme support pour le découpage
• des ciseaux
• des crayons de couleur blancs
• des crayons
• du fin carton
• du ruban adhésif
• une pince universelle
• de la colle
• du fil à souder : 2 mm d'épaisseur (disponible en quincaillerie en 1m de longueur)
• une baguette pour chaque personnage : 12 mm de diamètre, 10 cm de long (autant que de personnages)
• une vrille ou une perceuse

Ce jeu d'ombres enchantera tout autant petits et grands. L'histoire "L'arrivée du soleil au pays de Malon" se prête particulièrement bien à ce genre de jeu, puisqu'elle traite de clarté et d'obscurité. Vous pourrez transformer facilement un théâtre de marionnettes en une scène de théâtre d'ombres. Mais si vous n'en possédez pas, ne vous inquiétez pas, la réalisation de celui-ci sera très simple et peu coûteuse.

PERSONNAGES

1. A partir du patron, reportez les personnages à la lanterne et la maison sur du carton. Reportez directement le soleil sur le papier jaune.
2. A l'aide d'un crayon blanc, tracez, en suivant le pourtour des modèles, les contours de trois ou quatre Maloniens et de leurs lanternes, et ceux du promeneur et de deux ou trois maisons sur le papier noir.

3. Dessinez, sur du papier noir également, la maison de réunion à la taille souhaitée.

4. Découpez ensuite tous les éléments avec les ciseaux et le cutter (placez-les sur une planche ou un épais carton).
Puis, recouvrez les lanternes des Maloniens de papier transparent jaune et les murs des maisons de papier brun ou gris. Utilisez, pour les rayons du soleil, du papier jaune et rouge.
5. Il ne manque plus à présent que les baguettes servant à guider vos marionnettes : collez sur chaque repère une bande de ruban adhésif de 2 cm de long.

Ce bricolage est très facile à réaliser et ne nécessite pas de grandes dépenses en matériel.

6. A l'aide de la pince universelle, coupez en deux le fil à souder d'1m de long et fixez une poignée sur celui-ci. A cette fin, percez un orifice dans le morceau de bois rond et fixez-y une des extrémités du fil.

1. Vous avez besoin à cet effet du fond dans lequel vous découperez un grand trou et de deux des côtés de la caisse en carton.

2. Collez ensuite autour de l'ouverture des petits morceaux de ruban adhésif double face. Fixez-y le papier-calque qui constituera l'écran. Votre théâtre est maintenant prêt. Vous pouvez, si vous le voulez, le recouvrir de papier ou le peindre.

7. Pliez l'autre bout en forme de U, de manière à ce que celui-ci soit un peu plus large que le ruban adhésif. Puis, fixez le bâton entre les bandes de ruban adhésif. Votre personnage est maintenant terminé. Confectionnez les autres de la même manière.

3. Avant de commencer à jouer, fixez les maisons des Maloniens sur la face intérieure de l'écran avec du ruban adhésif. En outre, collez-en déjà deux autres bandes à la maison de réunion, puisque vous en aurez besoin au cours de la scène 2.

MISE EN SCÈNE

Vous avez besoin de deux sources de lumière : une faible et une plus puissante (un lampadaire ou une lampe de table conviendront parfaitement). Celles-ci doivent se trouver entre le personnage et l'animateur afin que les spectateurs ne voient pas l'ombre de ce dernier. Tenez les personnages assez près de l'écran pour que les spectateurs puissent distinguer nettement leurs contours.

Votre histoire se compose de cinq scènes. Le narrateur peut soit raconter toute l'histoire, soit ne réciter que les passages qui lui sont attribués dans le texte, les personnages jouant alors eux-mêmes leur propre rôle. Un des participants sera chargé de l'accompagnement musical. Plongez la pièce dans l'obscurité. Le jeu peut commencer.

SCÈNE 1

Les Maloniens se promènent avec leurs lanternes, puis rentrent tous chez eux : faible lumière, le va-et-vient des Maloniens est accompagné d'une musique sourde, triste.

SCÈNE 2

Le promeneur arrive. A chacun de ses pas, retentit le bruit d'un tambour ou d'une cuiller sur un couvercle de casserole ; jouer d'abord très bas, puis de plus en plus fort.

Lorsque le promeneur parle du lever du soleil, jouez une gamme complète sur un jeu de cloches. Si vous n'en avez pas, remplissez huit verres avec de l'eau, à des hauteurs différentes. En les cognant doucement avec une cuiller, vous produirez des sons. Eteignez la lumière pour le changement de décor. Enlevez la maison des Maloniens et fixez la maison de réunion.

SCÈNE 3

Tous les personnages se trouvent dans la maison de réunion.

SCÈNE 4

Le promeneur s'en va. Ses pas sont accompagnés des mêmes bruits que dans la scène 2. Mais cette fois, jouez d'abord fort, puis de plus en plus bas.

Les Maloniens restent ensemble et appellent tous le soleil, en récitant la prière : "Soleil, cher soleil".

SCÈNE 5

Le soleil se lève au pays de Malon : allumez la lampe plus puissante. Accompagnez son lever de la même façon que dans la scène 2. Follement heureux que leur vœu se soit enfin réalisé et que le soleil soit venu jusqu'à eux, les Maloniens font alors bruyamment la fête.

L'histoire se termine par une danse, dans laquelle les spectateurs peuvent également être entraînés s'ils ne sont pas trop nombreux.

Choisissez une musique gaie et légère et une danse simple à exécuter : tenez-vous par la main et formez un cercle, sautillez et sautez, lâchez-vous, applaudissez, levez les bras, tournez en rond et enlacez-vous.

JEUX
Jeux d'ombres

On peut également faire un théâtre d'ombres avec un drap tendu dans l'encadrement d'un porte.
Placez une lampe à quelques mètres. Jouez entre cette source lumineuse et la toile.
N'oubliez pas les accessoires : une fourchette pourra ainsi devenir un grande fourche, un gant sur un bâton un monstre, etc., pour la plus grande joie des petits mais aussi des grands.

VISAGE PÂLE

Affichez une feuille blanche sur un mur.
Orientez une source de lumière vers ce support.
Placez votre enfant devant le mur et reproduisez l'ombre formée par son profil sur le papier.
Demandez-lui alors de le décorer comme il l'entend.

TRADITION
Des lampions à profusion

En novembre, dans certains pays du Nord, les enfants fabriquent des lampions.
Munis de ces jolies lanternes, ils déambulent dans les rues et vont frapper au porte.
Ils chantent alors une petite chanson afin de recevoir des bonbons ou des petites piécettes de la part de la personne visitée.

JEUX D'OMBRES
Age :
à partir de 3 ans
Participants :
deux minimum

VISAGE PÂLE
Age :
à partir de 3 ans
Participants :
deux minimum

Enfant lanterne

Certes, la réalisation de cette amusante lanterne de la Saint-Martin est un peu coûteuse et son assemblage requiert l'aide d'un adulte, mais tous les efforts consentis seront récompensés. En effet, le jour de la Saint-Martin, vous pourrez arborer fièrement, dans les rues sombres, cet extraordinaire enfant lanterne, aux bras et jambes frétillants.

1. Mélangez tout d'abord la colle d'amidon en suivant les instructions qui figurent sur l'emballage.

2. Découpez ensuite le papier de soie blanc en morceaux de la taille d'une carte postale et le papier de couleur en petites bandes de plus ou moins 2 x 3 cm.

3. Gonflez ensuite le ballon et posez-le dans un saladier en orientant le nœud vers le bas.

4. Enduisez-le d'une fine couche de colle d'amidon et emballez-le dans les morceaux de papier de soie blanc qui doivent être bien lisses et se chevaucher. Apposez suffisamment de couches pour utiliser tout le papier blanc et recouvrez-les ensuite de bandes de papier de couleur.

5. Laissez ensuite sécher le ballon deux à trois jours dans un endroit chaud.

6. Pratiquez, en bas de la boule séchée (près du nœud), une ouverture d'un diamètre d'environ 14 cm qui vous permettra de retirer facilement le ballon.

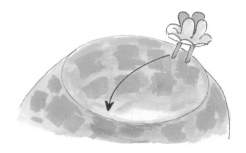

7. Fixez maintenant le bougeoir dans le ventre du bonhomme.

8. Dans le papier jaune, découpez deux bandes de 3,5 x 70 cm pour les jambes et deux de 3,5 x 65 cm pour les bras. Pour le cou, coupez deux bandes de 3,5 x 22 cm.

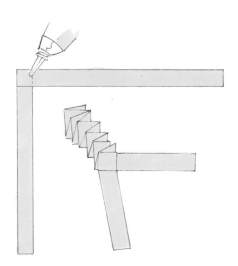

9. Comme le montre le dessin, placez deux bandes de la même longueur à angle droit et collez leurs extrémités l'une sur l'autre. Ensuite, pliez-les alternativement l'une au-dessus de l'autre, en ramenant toujours celle du dessous sur celle du dessus. Collez également les extrémités.

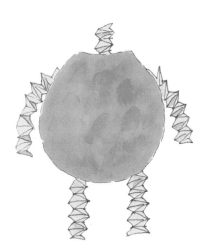

10. Procédez de la même manière pour le cou, les bras et les jambes et fixez-les ensuite au corps de l'enfant.

11. Décalquez à présent la tête sur le carton rigide couleur chair et le bonnet sur le carton rouge. Reportez (deux fois) la main sur du papier brun et la chaussure sur du papier rouge. Découpez tous ces éléments.

12. Dessinez sur la tête un visage amusant et collez le bonnet.

13. Fixez les mains et les chaussures aux endroits ad hoc. Attachez au cou une petite bande de papier (2 x 6 cm) sur laquelle vous placerez la tête. Pour l'instant, laissez-la pendre vers le bas.

14. Percez dans le haut du corps, à gauche et à droite, deux trous l'un en face de l'autre afin de suspendre la lanterne.

15. Passez le fil par ces orifices et tordez ses extrémités, de manière à former une anse. Faites une petite boucle en son centre et accrochez-y le bâton de la lanterne.

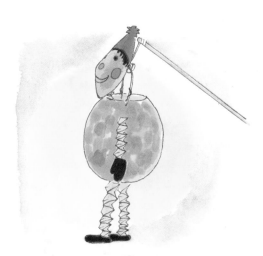

16. Il ne vous reste plus à présent qu'à fixer, avec du ruban adhésif, la tête au fil du bâton de la lanterne et à placer la bougie dans son logement.

N'est-il pas superbe cet enfant lanterne ?

ENFANT LANTERNE

Age :
à partir de 6 ans
Participants :
seul ou en groupe

Matériel :

- un ballon gonflable
- de la colle d'amidon
- un saladier
- quatre feuilles de papier de soie blanc
- une feuille de papier de soie jaune
- des chutes de papier de couleur
- un cutter
- un bougeoir en métal
- du papier de couleur jaune, ainsi que des chutes de papier rouge et brun
- du carton rigide couleur chair et rouge
- des ciseaux
- un crayon
- du fil : 36 cm de long
- un bâton de lanterne
- une bougie
- du ruban adhésif

Tableau
à la lanterne

TABLEAU
À LA LANTERNE

Age :
à partir de 3 ans
Participants :
seul ou en groupe

Matériel :

• du papier à dessin
rigide blanc :
30 x 20 cm par
enfant (format
du papier pour
un tableau collectif
en fonction du
nombre d'enfants)
• du papier jaune :
31 x 21 cm
• des pastels
bien gras
• de la teinture à
bois bleue
• un bocal de
confiture vide
• de gros pinceaux
• de la colle
• du papier journal
• un tablier

Un cortège de lanternes constitue toujours un événement particulier. Pour conserver ce beau souvenir, réalisez le lendemain un beau tableau sur ce thème.

Il est intéressant d'observer ce qui se passe lorsque vous enduisez votre "œuvre" de teinture à bois : vous ne la détruisez pas mais obtenez au contraire un beau ciel de nuit pour le fond. En effet, le papier absorbera uniquement la teinture aux endroits où il n'a pas été peint.

1. Commencez par vous représenter, portant votre lanterne, puis peignez un ciel étoilé et la lune.

Les enfants de trois ans auront des difficultés à peindre une scène exacte, mais ils pourront représenter seuls les étoiles et la lune.

Dans cette technique, il est capital d'appuyer très fort avec les pastels gras et de bien peindre toutes les surfaces qui ne feront pas partie du ciel.

2. Recouvrez votre plan de travail de papier journal. Enfilez un tablier, car il est très difficile, voire impossible, d'éliminer des taches de teinture à bois d'un vêtement.

Mélangez ensuite la teinture dans un bocal à confiture vide en suivant les instructions figurant sur l'emballage et appliquez-la sur votre tableau à l'aide d'un large pinceau.

3. Lorsque celle-ci est sèche, collez votre chef-d'œuvre sur le papier jaune qui constituera un très joli cadre.

Si le tableau est une œuvre collective, les enfants se dessinent les uns à côté des autres ou les uns derrière les autres, de façon à créer un cortège de lanternes amusant et chamarré qui leur rappellera longtemps encore ce bel événement. Il ne reste plus maintenant qu'à exposer le chef-d'œuvre.

BRICOLAGE

Décoration de fenêtre

Ces oies, qui seront recouvertes de véritables plumes, orneront les fenêtres de façon tout à fait originale.
L'effet sera particulièrement réussi si vous confectionnez plusieurs volatiles qui "défileront" sur la vitre.

4. Encollez avec précaution une moitié d'animal et posez-y l'aile en papier transparent. Fixez ensuite la seconde moitié sur la première en veillant à ce que les bords coïncident. Le cas échéant, coupez ce qui dépasse.
5. Avec des crayons de couleur, coloriez le bec, les yeux et les pattes des deux côtés.
6. Il vous reste à habiller votre oie de plumes. A cet effet, appliquez prudemment un peu de colle sur le corps et pressez bien les plumes.
7. Lorsque tous les côtés sont décorés, fixez les oies à la fenêtre avec du ruban adhésif.

DÉCORATION DE FENÊTRE
Age :
à partir de 5 ans
Participants :
seul ou en groupe

Matériel :

• du carton fin
• du papier transparent jaune
• du papier à dessin
• des crayons de couleur orange, bleue et noire
• des plumes (disponibles dans les magasins de literie)
• de la colle
• des ciseaux
• un crayon
• du ruban adhésif

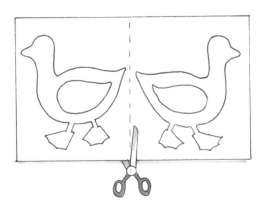

1. Décalquez l'oie du patron sur le carton fin et découpez ce modèle.
2. A l'aide de celui-ci, dessinez l'oie une fois à gauche et une fois à droite sur le papier journal et découpez les deux parties. Attention : n'oubliez pas les ailes !

3. Réalisez maintenant l'aile de l'oie : à cet effet, posez le papier transparent jaune sur une moitié de l'animal. A l'aide d'un crayon, suivez les contours de l'aile à environ 1 cm du bord et découpez le long de cette ligne.

Oies de la Saint-Martin

OIES DE LA SAINT-MARTIN

Age :
à partir de 2 ans
et un adulte
Participants :
à partir de 2

Ingrédients
pour 15 oies :

• 200 g de fromage blanc maigre
• 100 g de sucre
• 8 cuillers à soupe d'huile
• 6 cuillers à soupe de lait
• un œuf
• un paquet de sucre vanillé
• une pincée de sel
• 400 g de farine
• un paquet + 2 cuillers à café rases de levure en poudre
• des raisins secs
• 3-4 cuillers à soupe de jus de citron
• 150 g de sucre en poudre

Matériel
et ustensiles :

• un carton d'épaisseur moyenne
• des ciseaux
• un crayon
• un rouleau à pâtisserie
• un couteau de cuisine
• du papier sulfurisé éventuellement du papier d'aluminium
• un pinceau
• une balance
• un saladier
• un batteur

Four électrique : 200°C
Four à gaz : thermostat 3
Temps de cuisson : four préchauffé 15 à 20 minutes

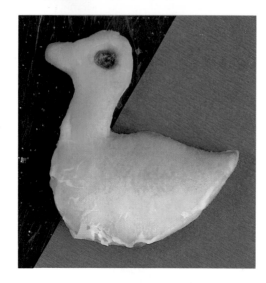

Les enfants ne seront pas les seuls à apprécier les petites oies qu'ils auront eux-mêmes préparées. Les adultes goûteront également cette friandise à l'occasion de la Saint-Martin. Même les enfants âgés de deux ans peuvent déjà participer à leur confection et les réaliser avec l'aide d'un adulte.
Avant la cuisson, préparez les modèles en forme d'oie. Décalquez-les sur le carton à partir du patron et découpez-les.

1. Tout d'abord, mélangez peu à peu le fromage blanc avec le lait, l'huile, l'œuf, le sucre, le sucre vanillé et le sel.
2. Ajoutez la levure en poudre et deux tiers de la farine et mélangez le tout jusqu'à obtenir une pâte lisse, que vous pétrirez ensuite énergiquement avec le dernier tiers de la farine à l'aide d'un batteur ou de vos mains. Si la pâte colle encore, retravaillez-la avec un peu de farine.
3. Saupoudrez de farine votre plan de travail et étalez la pâte avec le rouleau jusqu'à ce qu'elle ait 1 cm d'épaisseur environ.

Appliquez les modèles sur celle-ci et découpez les figures avec un petit couteau de cuisine. Pour que la pâte n'adhère pas à la lame, passez celle-ci régulièrement dans la farine.

4. Recouvrez une plaque de four de papier sulfurisé sur laquelle vous disposerez les oies. Attention, prévoyez un espace entre les animaux, car ils gonfleront à la cuisson. Enfoncez un raisin sec dans chacune d'eux pour représenter l'œil.
5. Enfournez-les ensuite dans le four préchauffé. Si, avant la fin de la cuisson, elles noircissent trop, recouvrez-les de papier d'aluminium.
6. Laissez-les ensuite refroidir un peu. Pendant ce temps, mélangez le sucre en poudre avec le jus de citron et imbibez-en les petites oies.
Il ne reste plus à attendre que le glaçage se solidifie pour goûter vos oies de la Saint-Martin.

Petites lanternes de l'Avent

1. Découpez un morceau de papier transparent de 11 x 6 cm et collez-le en forme de cylindre, de manière à ce que les bords se chevauchent d'environ 1 cm.

2. Confectionnez la partie extérieure de la lanterne dans un morceau de papier d'aluminium de 11 x 7 cm. A cet effet, pliez celui-ci en deux dans le sens de la longueur.

3. Découpez-le ensuite à partir du pli sur 2,5 cm de profondeur, à intervalle de 0,5 cm. Afin de vous faciliter la tâche, posez une feuille quadrillée du même format sur l'aluminium et basez-vous sur les carrés lors du découpage.

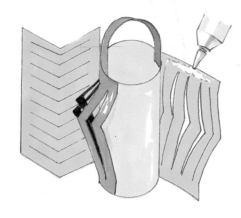

4. Dépliez maintenant la feuille d'aluminium. Enduisez les bords inférieur et supérieur d'un peu de colle. Fixez ensuite ceux-ci sur le cylindre transparent. Enfin, découpez encore une bande de papier d'aluminium de 0,5 x 9 cm de long que vous fixerez à l'intérieur du cylindre pour former la poignée. Vous pouvez accrocher vos lanternes de l'Avent à une branche ou les disposer sur la cheminée par exemple.

PETITES LANTERNES DE L'AVENT

Age :
à partir de 6 ans
Participants :
seul ou en groupe

Matériel :

• du papier d'aluminium de différentes couleurs
• du papier transparent jaune
• de la colle
• des ciseaux
• une règle
• un stylo à bille
• du papier quadrillé

Ville lumière

Cette belle ville lumière constituera un véritable ravissement pour les yeux. Le soir, elle créera une atmosphère chaleureuse, propice à la complicité familiale et aux belles histoires.

Et pourquoi, à partir du 1er décembre, ne pas adresser un petit mot – le courrier de l'Avent – à chaque membre de la famille ?

1. Sur des morceaux de carton, reportez les tours, les maisons et les numéros figurant sur le patron pour en faire des modèles. Reprenez également les repères pour le ruban adhésif ainsi que les lignes de plis des maisons.

2. Evidez ensuite les fenêtres et les portes avec le cutter (placez un carton épais en dessous).

3. A l'aide des modèles, reproduisez maintenant 18 maisons et 6 tours sur le papier de couleur et marquez pour chaque partie les endroits à plier et/ou les surfaces à coller.

4. Découpez à présent les maisons et les tours avec le cutter. Gardez un exemplaire des fenêtres et des portes de tous les formats, car vous en aurez besoin ci-après.

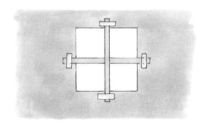

5. Vous pouvez, si vous le désirez, décorer les tours en collant des barreaux derrière les portes et fenêtres. A cet effet, découpez des bandes de papier de couleur d'environ 0,5 cm de large à la longueur requise.

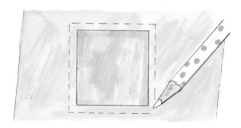

6. Superposez plusieurs feuilles de papier transparent et posez-y les modèles de portes et de fenêtres que vous avez conservés. Tracez-en les contours – en prévoyant un bord de plus ou moins 0,5 cm pour le collage – et découpez-les.

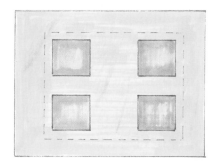

7. Pour vous simplifier la tâche, découpez plusieurs portes ou fenêtres en une seule fois.

8. Fixez les fenêtres et les portes au dos des maisons.
Assemblez chaque maison en la pliant au niveau des pointillés et en collant la languette.
9. Procédez de la même manière pour les tours.
10. A l'aide des modèles prévus pour les numéros de maisons, reportez 24 étoiles sur le papier jaune et découpez-les. Il ne vous reste plus qu'à les numéroter de 1 à 24 et à les coller sur les maisons et sur les tours.

Ce bricolage est maintenant terminé.
Vous pouvez laisser libre cours à votre imagination et décorer votre ville lumière avec des étoffes et des éléments naturels. Enfin, en présence d'un adulte et uniquement en sa présence, placez une bougie pour chauffe-plats dans chaque tour et chaque maison.

Suggestions pour le courrier de l'Avent :
Tu trouveras une surprise sous ton lit.
Quelle est la différence entre un sapin de Noël et un enfant qui a fait une bêtise ?
(Il n'y en a pas : tous deux se font enguirlander.)
Aujourd'hui, je fais la vaisselle à ta place.
Demain, tu pourras allumer les lumières de notre ville de l'Avent.
Dimanche, je préparerai le petit déjeuner.
Tu dois me donner trois bisous dans le cou.

De temps en temps, vous pouvez également déposer un petit paquet devant l'une des maisons. Mais vous aurez certainement encore bien d'autres idées pour agrémenter l'attente de Noël.

VILLE LUMIÈRE
Age :
à partir de 6 ans
Participants :
seul ou en groupe

Matériel :

• du carton :
50 x 15 cm,
40 x 19 cm et
3 x 3 cm
• un crayon
• 6 feuilles de papier de couleur
et des chutes de papier jaune
• du papier transparent de couleur
• un cutter
• un carton épais servant de support
• une règle
• des ciseaux
• de la colle
• un feutre
• 24 bougies pour chauffe-plats

Décoration :

• des étoffes
• différents éléments naturels :
des pierres,
des bâtons, des pommes de pin,
de la sciure de bois,
des cailloux,
du foin, de la paille

Décembre

En décembre, l'année se termine.
Jouez, pipeau et mandoline.
Saint Nicolas croise Père Noël
sur les routes du ciel.
C'est la fête des enfants.
En attendant le nouvel an.

Le lutin de l'Avent

Il se passe des choses mystérieuses dans la maison : Tania trouve un petit paquet contenant les barrettes dont elle rêve depuis si longtemps et la locomotive cassée d'Antoine est soudainement réparée. Maman est ravie d'avoir reçu un beau dessin et papa est aux anges devant un sachet rempli de ses friandises préférées.

"C'était sûrement le lutin de l'Avent", pense Antoine. Tous les membres de la famille sont d'accord avec lui. Le lutin de l'Avent rôde dans la maison. Il vient le jour ou la nuit quand personne ne peut le surprendre. Il participe aux activités de la maisonnée ou dissimule des petites surprises.

Votre famille peut, elle aussi, bénéficier des bienfaits d'un tel lutin, car celui-ci peut prendre les traits de chacun de ses membres. Pour ce faire, écrivez le nom de chaque membre de la famille sur un morceau de papier. Pliez tous les billets, déposez-les dans un plat et mélangez-les bien. Ensuite, prenez un billet à tour de rôle et lisez pour vous le nom qui y est inscrit.

Mais attention, personne ne peut le voir, excepté votre maman ou votre papa si vous ne savez pas encore lire. Vous jouerez alors le rôle du lutin de l'Avent pour la personne dont le nom a été tiré au sort.

Si l'un de vous tire la fiche portant son propre nom, remélangez bien et pêchez de nouveau.

Si le cadet de la famille est un bébé, maman ou papa se chargeront de son rôle de lutin.

Le lutin ne vient pas tous les jours, mais seulement 6 à 8 fois durant la période de l'Avent. Il réfléchit bien à la façon dont il pourra faire plaisir à "sa personne". Les cadeaux doivent uniquement être de petites attentions, par exemple : un paquet de bonbons, des chocolats, des ours en gomme, du pain d'épices, une bougie, des "bons pour trois cirages de chaussures", des "bons pour une vaisselle" ou des "bons pour un petit déjeuner au lit", ou encore un petit objet que vous aurez bricolé ou peint vous-même. En vous creusant la cervelle, vous pourrez à coup sûr trouver une foule d'autres idées.

Pour que le destinataire du cadeau sache que l'objet est pour lui, vous devez écrire son nom sur le paquet. Pourquoi ne pas cacher le présent dans ses effets personnels, par exemple ses chaussures, la poche de sa veste ou encore dans son lit ?

Au cours de ce jeu, vous vous amuserez non seulement à imaginer, confectionner et dissimuler une petite surprise à l'attention des autres, mais aussi à découvrir ce que votre lutin vous aura concocté.

Vous aimeriez certainement tous connaître "votre lutin". Vous pouvez choisir de révéler le secret à Noël ou de le garder pour vous.

JEUS

Jeux de noix

Vous trouverez sur cette page, ainsi que sur les deux suivantes, des idées de jeux avec des noix. Vous pourrez bien sûr en casser et en manger ensuite quelques-unes.

NOIX QUILLES

Alignez dix noix sur le sol et espacez-les d'environ 2 cm.
A tour de rôle, les joueurs, qui se tiennent à 1 ou 2 mètres de distance, visent cette rangée avec une autre noix. Toutefois, la noix ne peut pas être lancée et doit absolument rouler.
Gardez toutes celles que vous avez touchées. La noix qui manque son but reste par terre et sert elle aussi de cible aux joueurs suivants.
Le jeu est terminé lorsque toutes les noix ont été atteintes. Le vainqueur est l'enfant qui en a récolté le plus.

PAIR IMPAIR

Distribuez vingt noix à chaque participant. Déposez-en ensuite dix dans la petite corbeille que vous aurez préalablement recouverte avec le morceau de tissu.
Un des joueurs prend une poignée de noix dans la corbeille. L'enfant qui se trouve à sa gauche doit alors deviner si le nombre de noix qu'il a dans la main est pair ou impair. S'il donne une bonne réponse, il gagne les noix. Dans le cas contraire, il doit donner au joueur un nombre de noix correspondant au nombre exact de fruits tirés dans la corbeille.
C'est maintenant au tour de l'enfant interrogé de faire deviner son voisin de gauche.

NOIX SAUTEUSES

Tracez un cercle d'environ 20 cm de diamètre sur le carton. Posez les unes contre les autres quelques noix au centre de celui-ci.
Placez-vous debout au bord du carton.

Chaque participant reçoit cinq noix. A tour de rôle, les enfants les lâchent d'une hauteur d'un mètre sur celles qui se trouvent dans le cercle. Ils peuvent alors ramasser toutes celles qu'ils ont ainsi éjectées du cercle. Le vainqueur est celui qui possède le plus grand nombre de noix à la fin du jeu.

NOIX QUILLES
Age :
à partir de 4 ans
Participants :
à partir de 2

Matériel :

• des noix

PAIR-IMPAIR
Age :
à partir de 7 ans
Participants :
à partir de 3

Matériel :

• des noisettes ou des cacahuètes
• une petite corbeille
• un morceau de tissu

NOIX SAUTEUSES
Age :
à partir de 3 ans
Participants :
à partir de 2

Matériel :

• des noix
• une feuille de carton, environ 30 x 30 cm
• une craie

Jeux de noix

PETITE SOURIS, COURONNE, CHAUDRON

Age :
à partir de 5 ans
Participants :
à partir de 2

Matériel :

• des noix
• deux demi-coquilles de noix vides
• une petite souris, une couronne et un chaudron en carton

PETITE SOURIS, COURONNE, CHAUDRON

Pour ce jeu traditionnel de nos campagnes, dessinez les motifs sur du carton, découpez-les et placez-les au milieu de la table. Déposez une noix sur la souris, deux sur la couronne et cinq sur le chaudron. Chaque joueur reçoit ensuite dix noix comme capital de départ. Les enfants lancent maintenant à tour de rôle les demi-coquilles de noix comme des dés.
Suivant la façon dont elles tombent, elles signifient :

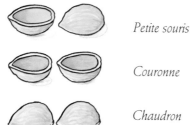

Petite souris

Couronne

Chaudron

Si un joueur tire une couronne, il peut ramasser les noix qui se trouvent sur la couronne. Si celle-ci est déjà vide, alimentez-la avec des noix provenant de votre propre réserve.
Pour éviter que le jeu ne dure trop longtemps, déterminez au préalable le nombre de manches. A l'issue de celles-ci, le joueur possédant le plus grand nombre de noix est déclaré vainqueur.

À MOI LES CACAHUÈTES !

Age :
à partir de 5 ans
Participants :
à partir de 3

Matériel :

• des cacahuètes
• un dé à jouer

À MOI LES CACAHUÈTES !

Chaque enfant constitue un triangle de 21 cacahuètes. Comme le montre le dessin, formez six rangées, une par face de dé. Maintenant, lancez le dé à tour de rôle. Si vous tirez un trois par exemple, prenez la rangée de trois cacahuètes dans votre triangle. Si elle a déjà été gagnée, subtilisez celle d'un de vos amis. De la sorte, vous pouvez continuer à jouer, même si votre triangle a déjà disparu. Le jeu est terminé lorsque toutes les cacahuètes ont été gagnées. Le vainqueur est celui qui en a ramassé le plus.

NOIX ENCHANTÉE

Suivant l'âge des joueurs, déposez cinq à dix noix sur une assiette. Un des enfants doit se retourner jusqu'à ce qu'un autre ait touché une des noix et l'ait ainsi rendue magique. L'enfant peut maintenant revenir dans le jeu et prendre une noix après l'autre dans l'assiette. S'il ramasse celle qui est enchantée, tous les autres crient "Stop".

Réalimentez alors l'assiette pour obtenir le même nombre de noix qu'au départ et invitez l'enfant suivant à tenter sa chance. Vous aurez au préalable déterminé la durée du jeu. A l'issue de celui-ci, chaque joueur compte ses noix et le vainqueur est celui qui en possède le plus.

RECETTE

Galettes aux noix

1. Trempez les abricots dans un peu d'eau.
2. Mélangez le beurre avec le miel.
3. Passez les abricots au mixer.
4. Incorporez-les ensuite au beurre, puis ajoutez le jus de citron, la vanille et le sel.
5. Mélangez maintenant la farine avec les noix.

Ajoutez-les à la préparation au beurre et pétrissez le tout en une pâte souple.
6. Formez des rouleaux de pâte d'environ 3 cm de diamètre et mettez ceux-ci au frais environ 30 minutes.
7. Découpez ensuite des disques d'environ 1 cm d'épaisseur et disposez-les sur la plaque du four préalablement beurrée.
8. Mélangez un peu de lait au jaune d'œuf et badigeonnez les petits gâteaux avec cette préparation.
9. Enfournez-les ensuite dans le four à mi-hauteur

NOIX ENCHANTÉE
Age :
à partir de 3 ans
Participants :
à partir de 3

Matériel :

• des noix
• une assiette

GALETTES AUX NOIX
Age :
à partir de 4 ans
Participants :
seul ou en groupe

Ingrédients :

• 125 g de beurre
• 80 g de miel
• six abricots secs non traités
• une cuiller à café de jus de citron
• 1/4 de gousse de vanille
• une pincée de sel
• 250 g de farine fine de blé complet
• 150 g de noix finement moulues
• du beurre pour la plaque du four
• un jaune d'œuf
• un peu de lait

Ustensiles :

• deux saladiers
• un mixer
• un rouleau à pâtisserie
• un couteau
• un pinceau

Four électrique :

175 C°

Four à gaz:

thermostat 2

Temps de trempage :

environ 3 heures

Temps de cuisson :

15 à 20 minutes à four préchauffé

Serviettes de la Saint-Nicolas

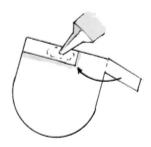

SERVIETTES DE SAINT NICOLAS

Age :
à partir de 4 ans
Participants :
seul ou en groupe

Matériel
par saint Nicolas :

- un crayon
- du fin carton blanc
- du papier orange
- du papier ou
du carton doré
- des ciseaux
- de la colle
- des feutres
- de la ouate
- une serviette
rouge

4. Repliez les deux languettes latérales vers l'arrière et collez leurs deux extrémités l'une sur l'autre.

5. Il ne vous reste plus qu'à confectionner le manteau de saint Nicolas. Placez la serviette sur la table de manière à ce que la pointe fermée soit orientée vers le haut. Pliez ensuite symétriquement le côté droit et le côté gauche vers le centre. La pointe de la serviette représentera la mitre.

6. Passez la tête de saint Nicolas par le haut sur la serviette pliée et fixez la crosse.

7. Pour finir, découpez une croix dans le carton doré et collez-la sur la mitre.

Saint Nicolas est fêté dans les pays du Nord le 6 décembre. C'est le patron des enfants. Il leur apporte plein de jouets et de bonbons.

1. Décalquez la forme de base sur le carton blanc et la partie intérieure du visage sur le papier orange. Dessinez la crosse sur le papier doré. Découpez ensuite tous les éléments.

2. Collez sur la forme de base blanche un morceau de papier orange sur lequel vous dessinerez le visage.

3. Réalisez une barbe ou une moustache (comme sur la photo) avec de la ouate et fixez-la sur le visage.

CHANSON

O grand
saint Nicolas !

O grand saint Nicolas
Patron des écoliers
Apportez-moi du sucre
Dans mes petits souliers
Je serai toujours sage
Comme un petit mouton
Je dirai mes prières
Pour avoir des bonbons
Venez, venez, saint Nicolas
Venez, venez, saint Nicolas
Venez, venez, saint Nicolas
Et tralala !

Un enfant joue le rôle de saint Nicolas et reçoit une crosse et un sachet rempli de petits gâteaux.
Vous avez auparavant confectionné vous-même les friandises et fabriqué la crosse et le sachet.

O GRAND
SAINT NICOLAS !
Age :
à partir de 3 ans
Participants :
à partir de 6

- Saint Nicolas apportera quoi ?
Du rutabaga ou du chocolat ?
- Ça dépend de toi !
As-tu été sage ou pas ?
Tu ne me le dis pas ?
Gare à toi ...
et à mon petit doigt.
Na !

BRICOLAGE

Instruments faits main

Vous pourrez accompagner agréablement votre chanson de saint Nicolas et autres chants de l'Avent et de Noël du doux tintement des grelots et des claquements rythmés des noix.

CRÉCELLE DE NOIX

Age :
à partir de 4 ans
Participants :
seul ou en groupe

Matériel :

• six noix
• un couteau
• de la colle
• du ruban
• des ciseaux
• un clou de tapissier (disponible en quincaillerie)
• un goujon : 10 à 12 mm de diamètre, 35 cm de long
• un marteau

CRÉCELLE DE NOIX

1. Ouvrez prudemment les coquilles à l'aide d'un couteau, ôtez la chair et placez toujours les deux moitiés correspondantes l'une à côté de l'autre.

2. Encollez le bord d'une demi-noix et posez-y un morceau de ruban, comme le montre le dessin. Refermez ensuite la noix. Procédez de la même manière avec les cinq autres noix.

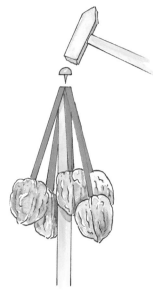

3. A présent, superposez les rubans et clouez-les en haut du goujon.

RUBAN DE GRELOTS

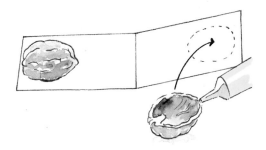

CASTAGNETTES DE NOIX

1. Disposez trois lacets de cuir l'un à côté de l'autre, attachez-les avec du fil à 5 cm du bord et tressez-les.
2. Enfilez un grelot, à intervalles réguliers, sur le lacet du milieu. Vous insérez ainsi toutes les clochettes dans la natte.
3. Lorsque le ruban de grelots atteint environ 22 cm, nouez également l'autre extrémité avec du fil.
4. Coupez les cordons à environ 5 cm en dessous du nœud.

5. Humidifiez le quatrième morceau de cuir afin qu'il ramollisse et puisse s'enrouler facilement.
6. Placez ensuite les bouts non tressés des lacets les uns sur les autres et entourez-les du cordon humide. Mettez à cette fin une de ses extrémités à l'intérieur, comme le montre l'illustration.
7. Enfin, entrelacez l'autre bout dans le ruban de grelots et coupez le reste. Votre instrument est maintenant terminé.

1. Commencez par colorier le morceau de carton.
2. Pliez-le ensuite en deux, rouvrez-le et collez une coquille de noix sur chaque face intérieure.

3. Comme sur le dessin, fixez également deux bandes de carton d'environ 1 x 7 cm de longueur pour former les attaches.
Vos castagnettes de noix sont fin prêtes.
Pour en jouer, glissez le pouce en dessous et les autres doigts au-dessus, entre l'attache et le carton. Vous ferez claquer les noix en ouvrant et fermant la main.

RUBAN DE GRELOTS

Age :
à partir de 6 ans
Participants :
seul ou en groupe

Matériel :

• quatre lacets de cuir :
50 cm de long
• cinq grelots
• du fil

CASTAGNETTES DE NOIX

Age :
à partir de 3 ans
Participants :
seul ou en groupe

Matériel :

• du carton :
5 x 16 cm
• des crayons de couleur
• de la colle
• une règle
• un crayon
• des ciseaux
• deux demi-coquilles de noix vides

Comment saint Nicolas s'est déniché un assistant

Kathrin Siegenthalter et Marcus Pfister

C'était au début du mois de décembre et l'hiver avait déjà déroulé un épais tapis de neige sur le pays. La petite maison au bord de la forêt semblait maintenant plus perdue et isolée que jamais. Un bûcheron solitaire y vivait depuis des années.

Il y avait bien longtemps qu'il ne s'était plus rendu au village et d'ailleurs, il n'aimait pas y aller. Les habitants chuchotaient toujours sur son passage, lui l'étrange homme des bois. Et les enfants se moquaient de son manteau rapiécé.

Cependant, comme son traîneau était à nouveau rempli de bois, le bûcheron partit pour le village.

Mais cette fois, les villageois le remarquèrent à peine. En effet, ils s'affairaient aux derniers préparatifs avant la venue de saint Nicolas. Les maisons étaient parées de leurs plus beaux ornements et les enfants attendaient le soir avec énormément d'impatience.

Le bûcheron l'avait complètement oublié : c'était aujourd'hui le jour de la saint Nicolas ! Il vendit son bois et s'en retourna, un peu triste. Il y avait bien longtemps que saint Nicolas ne venait plus chez lui !

A minuit, le bûcheron était dans sa maison quand soudain, il entendit un doux son de cloches provenant du sentier de la forêt. Il courut à la fenêtre et n'en crut pas ses yeux : il vit saint Nicolas qui se rendait au village avec son petit âne et son traîneau lourdement chargé.

Le bûcheron ouvrit la porte et cria : "Bonjour saint Nicolas. Aimerais-tu entrer prendre un café chaud ?"

Saint Nicolas accepta l'invitation de bon cœur. Ensemble, ils burent une tasse de café et saint Nicolas put se réchauffer au feu qui flambait dans la cheminée. Quant la nuit tomba, il dit au bûcheron : "Merci beaucoup, brave homme. Je dois maintenant reprendre ma route, les enfants m'attendent impatiemment."

Et saint Nicolas disparut bientôt dans un tourbillon de neige. Le bûcheron sortit lui aussi dans la nuit, car il avait encore besoin d'un peu de bois pour sa cheminée. Alors qu'il marchait péniblement vers le sentier, un spectacle fantastique s'offrit à ses yeux éberlués : le chemin était couvert d'un bout à l'autre de noix, d'oranges, de pain d'épices et de petits cadeaux. Saint Nicolas aurait-il laissé tout cela pour lui ?

Pendant ce temps, saint Nicolas filait vers le village. Dans les descentes, il s'asseyait confortablement sur son traîneau, dans les montées, il aidait son petit âne à tirer sa lourde charge. Le voyage était long et pénible, mais il se réjouissait à l'avance de voir les visages des enfants rayonnants de bonheur.

Toutefois, lorsqu'il descendit de son traîneau à l'entrée du village pour décharger son sac, il n'en crut pas ses yeux. Le grand sac était vide, complètement vide. Saint Nicolas découvrit bien vite le trou dans le sac. Celui-ci s'était peu à peu agrandi sur le chemin cahoteux, et toutes les noix, les pommes et les petits paquets étaient tombés dans la neige.

Qu'allait-il faire maintenant ? Il était trop tard pour refaire tout le trajet en sens inverse. La neige, qui avait d'ailleurs continué de tomber, avait sûrement tout recouvert. Devait-il arriver chez les enfants les mains vides ? Désespéré, saint Nicolas s'assit sur son traîneau.

Il vit alors une silhouette apparaître au loin, d'abord toute menue, puis de plus en plus grande et nette. Qui donc pouvait encore circuler à cette heure ? L'homme qui s'approchait portait un énorme sac sur son dos. Il semblait très énervé. De loin, saint Nicolas entendit ses cris : "Saint Nicolas ! Attends, attends !"

Quand l'homme fut à portée de voix, saint Nicolas reconnut le sympathique bûcheron qui l'avait invité. Il l'avait suivi, avait ramassé tous les cadeaux et les avait rassemblés dans un sac.

Saint Nicolas lui tomba dans les bras et lui dit : "Comment pourrais-je jamais te remercier ? Quel est donc ton nom ?"

"Au village, on m'appelle le Père Fouettard."

"Il y a longtemps que j'espérais un assistant comme toi ; n'aimerais-tu pas m'accompagner chez les enfants ?"

Et comment ! Les yeux du Père Fouettard brillaient de joie.

Un peu plus tard, les deux hommes frappèrent ensemble à la première porte. Petits et grands furent ébahis de voir saint Nicolas en compagnie du Père Fouettard. Cependant, quand saint Nicolas eut raconté l'histoire des cadeaux perdus, ils furent alors tout honteux d'avoir si mal traité le Père Fouettard. Une femme lui offrit même un nouveau manteau bien chaud.

Depuis ce jour, le Père Fouettard est le fidèle assistant de saint Nicolas. Chaque année, on peut les voir tous deux, au début du mois de décembre, traverser la forêt enneigée pour se rendre au village où ils sont toujours accueillis dans la joie par les enfants.

BRICOLAGE

Oiseaux de Noël

OISEAUX DE NOËL
Age :
à partir de 4 ans
Participants :
seul ou en groupe

Matériel :

- un crayon
- du carton blanc
- des ciseaux
- du carton rigide brun
- un stylo doré
- des étoiles autocollantes
- du cordon doré
- une aiguille
- des noix
- un couteau
- de la couleur dorée en bombe ou de la gouache dorée
- un pinceau
- de la colle

5. Attachez la chaîne d'étoiles au ventre de l'oiseau.

6. Ouvrez ensuite une noix en deux avec le couteau et enlevez-en la chair.

7. Laquez la coquille à l'aide de la bombe de couleur dorée ou peignez-la avec de la gouache dorée et laissez-la sécher.

8. Encollez ensuite le bord des demi-coquilles et appliquez-en une sur chaque face de l'oiseau pour représenter les ailes.

Dès la période de l'Avent, vous pouvez décorer votre maison afin d'y créer une atmosphère de fête.

Accrochez donc vos oiseaux de Noël aux ailes dorées à une branche du sapin et celui-ci n'en sera que plus beau.

1. Décalquez les oiseaux du patron sur le carton blanc pour en faire des modèles et découpez-les.

2. Posez un modèle sur le carton rigide brun, tracez son contour et découpez-le.

3. Sur chaque face, dessinez maintenant un œil et le bec avec le stylo doré. Vous pouvez décorer la queue de divers motifs.

4. Fabriquez ensuite de petites chaînes d'étoiles : fixez un petit morceau de cordon doré entre les faces autocollantes de deux étoiles.

9. Pour attacher le volatile, enfilez un morceau de fil doré dans le dos de l'oiseau et nouez ensemble ces extrémités.

JEU

Rallye de l'Avent

**RALLYE
DE L'AVENT**

*Age :
à partir de 7 ans ou
à partir de 4 ans et
un adulte
Participants :
à partir de 4*

Matériel :

• du papier
• un crayon
• des enveloppes
• éventuellement :
des ustensiles
de peinture et
de bricolage

"Comment s'appellent les trois Rois mages ?" demande Emmanuel. "Gaspard, Melchior et Balthazar", murmure Catherine. Sébastien écrit en hâte ces noms sur le papier. "Vous devez maintenant avancer tout droit de cinq pas en direction de la porte de la chambre", lit Emmanuel sur la fiche. Tous trois comptent cinq pas avec application.

Votre rallye d'intérieur sera vraiment passionnant : deux groupes d'enfants ou deux familles lutteront âprement pour la victoire. Certes, le rallye nécessite de longs préparatifs, une solide organisation et l'intervention d'un ou deux adultes, mais les efforts consentis seront récompensés par la joie des enfants.

Au cours de ce jeu, deux équipes doivent parcourir un itinéraire préalablement déterminé et résoudre diverses énigmes.

Dans un premier temps, concevez deux parcours différents, mais de même longueur, serpentant dans la maison. Pourquoi ne pas utiliser les possibilités offertes par la cave et le grenier ? Ne négligez pas non plus la boîte aux lettres du rez-de-chaussée ou le garage.

La première équipe démarre par exemple dans la cuisine, se rend ensuite dans la salle de séjour, puis dans la cave, etc.

Le deuxième groupe commence dans la salle de séjour, puis se dirige vers la salle de bain, ensuite dans la cuisine, etc.

Les deux équipes convergent cependant vers le même point d'arrivée.

Sur chaque trajet, prévoyez plusieurs emplacements destinés aux énigmes. Si les participants doivent bricoler ou peindre quelque chose, préparez le matériel nécessaire.

Veillez à ce que le nombre de cachettes pour les énigmes à résoudre et le degré de difficulté de celles-ci soient identiques pour les deux équipes.

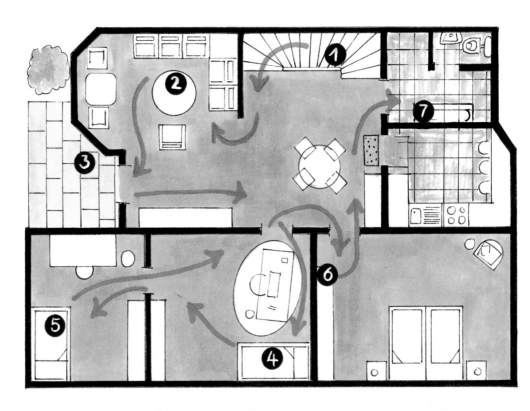

Lors de l'élaboration des questions, tenez compte de l'âge et du niveau de connaissances des joueurs. Si de très jeunes enfants participent au rallye, prévoyez une ou deux énigmes à leur intention.

Sur un morceau de papier, inscrivez la question ou l'énigme et les indices permettant de découvrir la prochaine étape.

Glissez la fiche dans une enveloppe et notez sur celle-ci l'équipe à laquelle elle est destinée.

Les questions et énigmes doivent concerner la période de l'Avent et de Noël, par exemple :

• Saint Nicolas a un assistant. Comment s'appelle-t-il ?
• Quand fête-t-on saint Nicolas ?
• De quelle ville vient saint Nicolas ?
• Voici deux images "identiques" de saint Nicolas. Dix erreurs se sont glissées dans l'une d'entre elles. Trouvez-les.
• Les premières lettres de ces mots croisés à résoudre vous donneront la solution.
• Devinette : saint Nicolas va en ville. Il rencontre en chemin trois femmes et cinq enfants. Combien de jambes y a-t-il sur la route ?
• Ces dix pièces constituent une carte de Noël. Assemblez-les et collez-les sur la feuille de papier.
• Dans quelle ville habitaient Marie et Joseph ?

• Où Jésus est-il né ?
• Quels hommes rendirent visite les premiers à Jésus ?
• Ecrivez le titre de trois chants de Noël. Vous en chanterez un à l'arrivée.
• Indiquez cinq ingrédients nécessaires à la préparation de petits gâteaux.
• Rédigez un petit poème contenant les 5 mots suivants :
Noix
Sapin
Etable
Bougies
Ange
• Qui a annoncé la bonne nouvelle aux bergers ?
• Combien de rois vinrent voir l'Enfant Jésus ? Ecrivez leur nom.

Les deux équipes partent en même temps. Il est permis de recourir à la bibliothèque ou de téléphoner à des amis.

L'organisateur attend à l'arrivée. Il note le groupe qui arrive le premier. En effet, les énigmes résolues permettront de marquer un certain nombre de points en fonction du degré de difficulté, mais la vitesse sera elle aussi récompensée.

L'équipe ayant marqué le plus de points sera déclarée vainqueur. Tous les participants seront cordialement invités à la fête de clôture où ils pourront déguster des rafraîchissements et des friandises.

Sapin de Noël
à la fenêtre

SAPIN DE NOËL - DÉCORATION DE FENÊTRE

Age :
à partir de 6 ans
Participants :
seul ou en groupe

Matériel :

• un crayon
• du carton blanc
• des ciseaux
• du papier de couleur vert
• des chutes de papier brun, rouge et jaune
• du fil
• de la colle
• du cordon doré
• une aiguille

Ce sapin de Noël fait maison constituera un très beau cadeau pour vos amis ou ornera merveilleusement les fenêtres de la maison. Il est décoré d'étoiles et de bougies qui frémissent au moindre souffle de vent. Vous pouvez laisser libre cours à votre imagination pour créer bien d'autres ornements.

1. Décalquez les contours du sapin, de l'étoile et de la bougie du patron sur le carton blanc pour en faire des modèles.
2. Découpez tous les éléments. Attention: évidez également les cercles imprimés sur le demi-sapin !

3. A l'aide du modèle, tracez deux fois le contour de l'arbre et des cercles sur du papier de couleur verte.
4. Découpez ensuite le tout.
5. Le tronc sera formé d'un rectangle de papier de couleur brune d'environ 5 x 4 cm.
6. Peignez à présent six étoiles sur du papier jaune et huit bougies sur du papier rouge, puis découpez tous ces éléments.

7. Assemblez les motifs identiques deux à deux en ayant pris soin de glisser entre eux un fil permettant de les attacher. Vous obtenez ainsi trois étoiles et quatre bougies que vous répartirez sur une moitié de sapin.
8. Fixez à présent les attaches sur le sapin de façon à ce que les sujets puissent bouger librement.
9. Collez le tronc.
10. Apposez maintenant la seconde moitié de l'arbre de façon à ce qu'elle se superpose exactement sur l'autre partie qui est déjà décorée.
11. Attachez un morceau de cordon doré à la pointe du sapin, pour pouvoir le suspendre.
Il ne vous reste plus qu'à l'accrocher à la fenêtre.

BRICOLAGE

Coussin tendresse

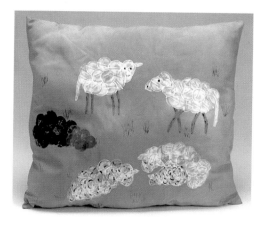

COUSSIN TENDRESSE

Age :
à partir de 6 ans
Participants :
seul ou en groupe

Matériel :

• du tissu : environ
80 x 70 cm
• des ciseaux
• un crayon
• du carton blanc
• des épingles
et des aiguilles
• un bouchon
• un pinceau
• de la peinture
pour tissu blanche,
brune, verte
et rouge
• une machine
à coudre
• une bobine de soie
• du bourrage

Tous les enfants ont un objet qu'ils affectionnent tout particulièrement, sans lequel ils ont de la peine à s'endormir ou qui est absolument indispensable pour les voyages. Votre coussin orné de moutons pourrait bien remplir cette fonction.

Certes, les enfants auront besoin de l'aide d'un adulte pour le coudre. Il est cependant facile de l'imprimer au bouchon, ce qui amusera beaucoup les petits.

Si vous n'avez pas envie de faire un coussin, vous pouvez faire un joli tableau sur papier avec ce motif et cette technique.

1. Découpez deux morceaux de tissu prélavé à la taille souhaitée.
2. Décalquez ensuite les moutons sur le carton blanc et découpez-les pour en faire des modèles.

3. Placez maintenant les modèles sur un des morceaux de tissu et fixez-les avec des épingles de manière à ce qu'ils ne se trouvent pas trop près du bord. Vous devez en effet prévoir une marge pour les coutures.

4. Tracez les contours à l'aide d'un crayon gras. Enlevez ensuite les modèles.
5. Enduisez le bouchon de peinture blanche pour tissu et imprimez les moutons. Etant donné que la différence d'intensité de la couleur est caractéristique de cette technique, pressez toujours le bouchon plusieurs fois sur le tissu avant de le retremper dans la peinture.
6. A l'aide d'un pinceau, dessinez maintenant les yeux, le nez, les oreilles et les pattes des moutons. Vous pouvez décorer votre coussin à votre guise en y peignant par exemple de l'herbe, des cailloux ou des nuages.
7. Laissez sécher la peinture et fixez-la conformément au mode d'emploi figurant sur l'emballage.
8. Superposez maintenant les deux moitiés du coussin endroit sur endroit et cousez-les à environ 10 cm du bord.
9. Retournez le coussin, bourrez-le et fermez la dernière couture.

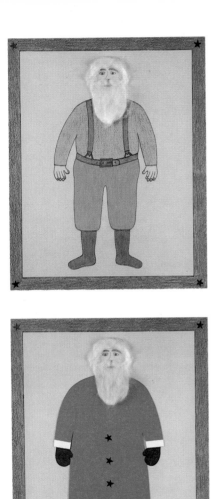

Dé du Père Noël

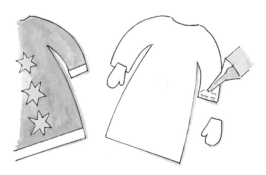

DÉ DU PÈRE NOËL

Age :
à partir de 5 ans
Participants :
à partir de 2

Matériel :

• un morceau
de carton rigide
de couleur crème :
30 x 37 cm
• un crayon
• une règle
• un feutre noir
à mine fine
• des crayons
de couleur
• de la ouate
• des ciseaux
• de la colle
• un morceau
de carton rigide
rouge, brun et noir
• du papier cadeau
vert imprimé de
motifs de Noël ou
du carton rigide vert
• du carton blanc
• des étoiles
autocollantes
• un dé à jouer

Qui aura terminé le premier d'habiller son Père Noël ?

Les enfants apprécieront tout autant de réaliser le Dé du Père Noël que d'y jouer.

1. Dans le carton rigide de couleur crème, dessinez un cadre intérieur à 2 cm du bord.

2. Décalquez le Père Noël à partir du patron et repassez toutes les lignes qui le composent au feutre noir.

3. Coloriez maintenant le Père Noël et le bord du carton. Si vous le souhaitez, inspirez-vous de l'illustration.

4. Avec de la ouate, réalisez les cheveux et la barbe dont vous égaliserez les bords. Collez ensuite ces deux éléments avec précaution.

5. Fixez la longue barbe uniquement par son extrémité supérieure, afin de pouvoir par la suite glisser le manteau par-dessous.

6. Décalquez maintenant le gant et la botte (deux fois) et le manteau, le bonnet, le sac et le sapin (une fois) sur le carton rigide et découpez tous ces éléments.

Si vous utilisez du papier cadeau pour le sapin, renforcez-le auparavant avec du carton.

7. Décorez les manches et l'ourlet avec du carton blanc ou avec des bandes de fourrure. Fixez les gants au dos du manteau.

8. Collez de petites étoiles dorées pour représenter les boutons.

9. Découpez ensuite un petit rond de carton blanc et collez-le au bonnet pour former le pompon.

Vous pouvez maintenant jouer au Dé du Père Noël :

Placez tous les éléments séparés autour de votre Père Noël. Lancez le dé chacun à votre tour.

En fonction du chiffre tiré, vous compléterez votre Père Noël de la manière suivante :

1 : les deux bottes
2 : le manteau
3 : le bonnet
4 : le sac
5 : le sapin
6 : relancer le dé.

Le vainqueur est le premier qui achève d'habiller son Père Noël.

BRICOLAGE

Bougeoir en étoile

3. Découpez maintenant votre étoile. Ses pointes seront particulièrement réussies si vous travaillez toujours de l'extérieur vers l'intérieur.

4. Déposez-la ensuite face vers le bas.

5. En son centre, placez une bougie pour chauffe-plats retournée et marquez le pourtour de celle-ci avec un crayon.

BOUGEOIR EN ÉTOILE

Age :
à partir de 3 ans
Participants :
seul ou en groupe

Matériel :

• un crayon
• du carton fin
• des ciseaux
• par étoile, un morceau de carton doré : 12 x 12 cm
• des ciseaux pointus
• une bougie pour chauffe-plats.

Les soirées de l'Avent sont très longues, car la nuit tombe très tôt à cette période de l'année. Allumez donc des bougies afin de créer une atmosphère chaleureuse dans la maison.

Les bougeoirs en étoile sont très simples à réaliser.

1. Décalquez un modèle d'étoile sur le carton fin et découpez-le.

2. Posez-le ensuite sur le carton doré et tracez les contours avec un crayon.

6. Découpez le cercle avec des ciseaux pointus : à cet effet, percez un trou au milieu, coupez jusqu'à la ligne et découpez ensuite le long de celle-ci.

7. Placez la bougie dans l'orifice du bougeoir et le tour est joué.

BRICOLAGE

Boules de Noël

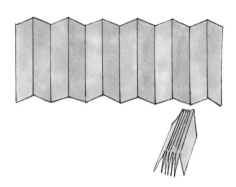

BOULES DE NOËL

Age :
à partir de 6 ans
Participants :
seul ou en groupe

Matériel :

• du papier cadeau
fin à motifs de Noël
• une règle
• des ciseaux
• un tube de colle
• un compas
• du carton
• un crayon
• du cordon doré
• des étoiles dorées
autocollantes

9. Dessinez maintenant un motif et découpez-le. Il doit être simple et ne pas dépasser de la boule. Laissez un petit bord à gauche et à droite.

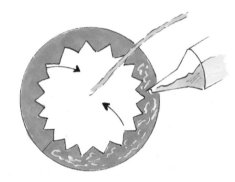

1. Découpez un morceau de papier cadeau de 38 x 8 cm.

2. Au dos du papier, mesurez une bande de 3 cm de large et pliez-la vers le haut.

3. Répétez ce procédé de pliage jusqu'au bout de la feuille. Coupez le bord excédentaire.

4. Déposez maintenant le papier plié, côté non imprimé orienté vers le haut, sur votre plan de travail.

5. Encollez une pliure sur deux, sauf la dernière, et collez les bandes les unes aux autres.

6. Dessinez un cercle de 5,5 cm de diamètre sur un morceau de carton, puis découpez-le et pliez-le en deux.

10. Dépliez à présent le papier. Enduisez de colle une moitié de la boule encore ouverte.

11. Placez le cordon doré au milieu – comme le montre la photo – et collez ensuite la seconde demi-boule. Eliminez l'éventuel bord dépassant.

12. Fixez, au centre de votre boule, deux étoiles autocollantes au fil doré.

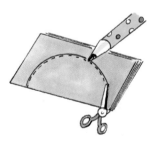

7. Placez le côté rectiligne du demi-cercle exactement contre le bord fermé de la bande de papier plié.

8. Tracez ensuite l'arrondi et découpez le papier le long de cette ligne. Pour éviter que les couches de papier ne glissent, tenez fermement la bande.

Dans la nuit noire

Il existe en Terre Sainte un lieu du nom de Nazareth où, voici environ 2000 ans, vivaient Marie et Joseph. Un jour, un cavalier de l'empereur Auguste arriva, afin de rendre public l'ordre de ce dernier : tõus les gens qui habitaient dans son immense empire devaient être recensés. A cette fin, chacun devait se rendre dans la ville d'où était originaire sa famille. Les ancêtres de Marie et Joseph venaient de Bethléem. Ils se mirent donc tous deux en route vers cette cité. Le voyage s'annonçait très long. Marie et Joseph n'avaient pas de voiture ni de cheval, mais seulement un petit âne, monté par Marie. Le trajet était pour elle particulièrement pénible, car elle allait bientôt avoir un enfant.

Ils étaient en chemin depuis de nombreux jours, lorsqu'ils atteignirent enfin Bethléem, complètement épuisés. La ville était noire de monde, car, comme eux, de très nombreuses personnes venaient s'y faire recenser. Partout régnait une foule dense et dans toutes les auberges où il demanda une chambre, Joseph obtint la même réponse :"Nous n'avons plus de place, tout est complet !" Où allaient-ils loger ?

Désemparés et inquiets, ils quittèrent Bethléem. Joseph s'inquiétait beaucoup pour Marie et était triste de ne pas avoir pu trouver de place pour dormir.

Affligés, ils continuèrent leur route. Après un certain temps, ils arrivèrent près d'une étable. Il y faisait chaud et sec, il y sentait bon le foin frais. Marie et Joseph pourraient enfin s'y reposer et ce simple abri les comblait de joie. Et c'est là que, dans la nuit, naquit l'Enfant Jésus. Marie le prit dans ses bras, l'enveloppa de linges chauds et le déposa dans la mangeoire. Heureux, Marie et Joseph admiraient leur enfant.

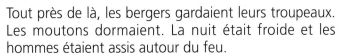

Tout près de là, les bergers gardaient leurs troupeaux. Les moutons dormaient. La nuit était froide et les hommes étaient assis autour du feu.

Soudain, le ciel sombre s'éclaira d'une vive lumière et de magnifiques chants retentirent. Les bergers regardaient fixement le ciel. Dans la lumière radieuse, ils virent un ange. Ils s'effrayèrent et tombèrent à genoux. Mais l'ange leur parla : "N'ayez crainte, je vous apporte une bonne nouvelle. Cette nuit est né Jésus, le fils de Dieu. Dieu nous a envoyé son fils pour nous montrer son amour. L'enfant dort dans une mangeoire, dans une étable proche d'ici."

Après avoir entendu ce message, les bergers s'enlacèrent de joie. Ils voulurent voir l'Enfant Jésus, s'agenouiller devant lui et lui adresser leurs prières. Ils se rendirent en hâte à l'étable. Ils trouvèrent le chemin sans difficulté car l'étoile la plus brillante du ciel leur en montra le chemin.

Un bonheur unique régna durant cette nuit de Noël et aujourd'hui encore chaque nuit du 24 au 25 décembre apporte une paix extraordinaire au monde.

Contes de Noël avec des poupées de nœuds

CONTES DE NOËL AVEC DES POUPÉES DE NŒUDS

Age :
à partir de 4 ans
Participants :
à partir de
2 spectateurs

Matériel :

• un morceau
de tissu rouge,
un bleu foncé et
plusieurs bruns :
environ 50 x 50 cm
• un morceau
de tissu blanc :
environ 25 x 25 cm

Les poupées de nœuds sont des personnages extrêmement simples, mais elles fascinent vraiment les enfants. Peut-être justement parce que cette simplicité laisse le champ libre à l'imagination.

Illustrez vos histoires de Noël à l'aide de ces poupées, et vous verrez combien il est facile de capter votre auditoire.

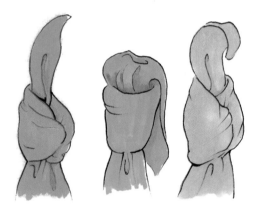

Nouez un coin du tissu pour former la tête du personnage, mais ne le serrez pas trop, car vous devrez pouvoir y passer le doigt. Vous pouvez déterminer l'apparence des poupées simplement par la forme des nœuds. Que vous choisissiez de serrer le nœud ou non, de laisser dépasser la pointe du tissu ou de la rentrer dans le nœud, le personnage aura à chaque fois une tout autre allure.

Prenez une couleur différente pour chaque personnage : les tissus bleu et rouge pour Marie et Joseph, le blanc pour l'Enfant Jésus et les bruns pour les bergers.

La manipulation de ces poupées est aussi facile que leur réalisation : placez-en une sur votre main et glissez l'index dans le nœud. Le pouce et le majeur formeront les bras du personnage, tandis que les deux autres doigts serviront à écarter le tissu.

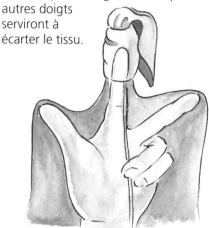

Bougez maintenant la main, le bras ou le doigt et votre poupée s'animera.

Une table, le sol ou votre genou pourront former la scène.

Si vous n'avez pas besoin de l'un des personnages, mettez-le de côté ou assoyez-le délicatement.

Avant le début du jeu, disposez quelques bougies que vous allumerez symboliquement lorsque vous raconterez la naissance de Jésus. Vous pouvez également, si vous le désirez, préparer une petite crèche et la remplir de paille ou de mousse.

Il n'est pas nécessaire d'en faire plus, l'imagination des enfants se chargera du reste.

CHANSON

Entre le bœuf
et l'âne gris

En- tre le bœuf et l'â- ne gris Dort, dort,

Refrain

dort le pe- tit fils Mille an- ges di- vins Mil- le sé- ra-

phins Vo- lent à l'en- tour De ce grand Dieu d'a- mour.

Entre le bœuf et l'âne gris
Dort, dort, dort le petit fils

Mille anges divins
Mille séraphins
Volent à l'entour
De ce grand Dieu d'amour.

Jeux

Le roi dort 14
Roi, couvre-toi ! 15
Il fait froid 16
Figés dans la glace 18
L'infiniment petit 19
Jeux de balles ou de boules 20
Le moulin 22
Mots gigognes 30
Sur la piste des animaux 32
Pensées 34
Dans le noir 34
Pêche à la carpe 35
A l'intérieur 36
Course aux triangles 37
Le jeu des gants 38
Le labyrinthe 39
Pyramide de table 49
Catapulte 49
Tombola baraka ! 54
Western dansant....................60
Serpent gesticulant 61
Serpents à la une 61
Chapeau claque 62
Aveugle attrapé 62
Le jeu des grimaces 64
Saut au but 64
Queue d'âne 65
Gugusse 65
Chiens volants 66
Balle-trap' 66
Jeux de kim 72
Ver 79
Grenouilles et cigognes 86
Mimes du temps 99
Rallye en ville 106
Rallye en ville 108
Noir ou blanc 110
Le train fantôme 124
Jeu de puce 134
C'est vert 159
Lancer de balle 164
Course d'animaux 165
Labyrinthe 170
Jeux avec une corde 171
Tous mes petits doigts 184

Pigeon vole 185
La vache fait meuh ! 185
Le lama cracheur 188
Le brigand dans la forêt 188
Course d'obstacles 190
Petit Poucet 193
Le cheval à bascule 196
Cherche le fil 197
Football à deux 197
La ferme de Firmin 202
Les animaux du cirque 202
Où partons-nous en voyage ?... 203
Cassette souvenir 204
Lignes dans le sable 212
Courir dans le sable 213
Dissimuler des petits cailloux .. 213
Le serpent de mer 213
Les oiseaux dans le nid 217
Cinq amis dans un nid 217
Empreinte de pas 221
A qui sont ces pieds ? 221
La pêche 223
Aménager un paysage 225
Course de bateaux 226
Pêche aux bouchons 226
Chasse au trésor 226
Navire dans la tempête 227
L'île aux trésors 229
La tante d'Amérique 229
Souris dans un trou 246
Attrape la souris 246
Rallye d'automne 248
Ballon relais 251
Chasse au lapin 260
Moulin à vent 260
Scions du bois 263
Billes en cercle 264
Le capitaine des brigands 265
Le roi aux clés 265
Que mettez-vous
dans votre panier? 268
Clarté et obscurité 306
Jeux d'ombres 315
Jeux de noix 327
Rallye de l'Avent 338
Dé du Père Noël 342

Contes de Noël

avec des poupées de nœuds ...348

Chansons

J'aime la galette 14
Flocon papillon 18
Arlequin dans sa boutique 62
Passe, passera 110
Voici le mois de mai 128
Duo dansant 131
Dans la forêt lointaine 189
Ah ! tu sortiras, Biquette 198
Bateau, ciseau 228
Une souris verte 247
Vent frais 268
Tout en passant
par un p'tit bois 289
L'éléphant sur la toile
d'araignée 292
Promenons-nous 303
O grand saint Nicolas ! 331
Entre le bœuf et l'âne gris 349

Bricolages

Il fait froid 16
Le serpent à la pomme 22
Le coin des veillées 25
Corneilles dans la neige 31
Couvre-chefs 44
Canard du carnaval....................50
Cartons d'invitation 52
Joyeuses décorations 53
Couple de pantins 63
Invitation
à une fête d'anniversaire 70
Mobile d'abeilles 75
Vitraux 80
Marionnette grenouille 83
L'étang aux grenouilles 84
Ballon grenouille 85
Décorer des œufs 92
Motifs à piquer 93
Nid de lapin 94
Lapin culbuteur 95
Modelages de printemps 98
Horloge météorologique 100

Tableaux et signets 103
Animaux en papier 104
Bouquet de fleurs 112
Bouquet de fleurs 114
Félicitations 132
Chat cadeau 132
Cœur en feuille 133
Jeu de puce 134
Classeur
pour recettes de cuisine 136
Cartons d'invitation 138
Ballons fraises 139
Pompons en forme de fraise ...140
Le village des Indiens 146
Voilier et animaux flottants 148
Impression
à la pomme de terre 156
Le kamishibaï 160
Eventails 174
Animaux visières 176
Tableaux en relief 177
Mahommed et Lalo 178
Visage aux mille nez 180
Tous mes petits doigts 184
Animaux en bouchons 186
Boîtes échasses 192
Le dessin musical 193
Grenouille pantin 194
Petits cochons 200
Sable multicolore 214
Tableau de coquillages 216
Poissons transparents 218
Cadran solaire 219
Portrait refait 220
Double portrait 220
Paysages mirages 222
Bateau en écorce 224
Bateaux en emballage 230
Petit théâtre de marionnettes ..232
Valise souvenir de vacances 240
Tournesols 241
Collage d'épis
et de graminées 244
Souris 245
Souris de pierre 246
Composition
de fruits d'automne en plâtre ..251

Etal de marché 252
Jeu de mémoire
"Fruits et légumes" 253
Betterave de Halloween 261
Figurines pour doigts 262
Un ver dans la pomme 270
Jeu de tir en plein air..............270
Fenêtre coquette 274
Guirlande de feuilles 275
Bonshommes de feuilles 275
Cerf-volant décoratif 278
Marionnette fantôme 279
Château fort
de la chauve-souris 290
Soufflez, c'est joué ! 300
Parachute 301
Tableau dans la brume 304
Jeu de mémoire 305
Théâtre d'ombres 312
Enfant lanterne 316
Décoration de fenêtre 319
Petites lanternes de l'Avent 321
Ville lumière 322
Le lutin de l'Avent 326
Serviettes de saint Nicolas 330
Instruments faits main 332
Oiseaux de Noël 337
Sapin de Noël à la fenêtre 339
Bougeoir en étoile 341
Coussin tendresse 344
Boules de Noël 345

Jeux de doigts

Le bonhomme de neige 37
Les rois du carnaval 46
L'orage 79
Tous mes petits doigts 184
Cinq amis dans un nid 217
Baleine 222
Les deux pouces 227
Guignol 237
Dix petites souris 245
Le soleil fait ses adieux...........262
La petite fille qui grimpe 269

Crédit

Photographies et illustrations

Fotostudio Rabovszky, Wien, pp.24-63;
Michael Zorn, Wiesbaden, pp.70-345;
TLC-Foto-Studio GmbH Velen-Ramsdorf, pp.120, 137, 167, 223, 243, 254, 255 à droite, 273, 277, 329.
Studio C.P. Fischer, München, p.272;
Fotostudio Wissing & Partner, Elzach, p.255 à gauche;
Illustrations : Gerhard Scholz, pp. 14-241, 250, 260, 298, 299, 306, 307, 314; Hartmut Dietrich, Wiesbaden, pp.242,245, 248, 252, 259-261, 278, 290, 291, 300-302, 304, 312, 313, 316-321, 330-333, 337-349;
Illustrations des vignettes : Kurt Dittrich, Wiesbaden.

Textes

p.79 : Raimund Pousset, *Gewitter* aus *Fingerspiele und andere Kinkerlitzchen*, éd. Rowohlt Taschenbuch, Reinbeck;
p. 163 : *Zwei Rätsel* aus *Mein Lese-und Arbeitsbuch*, éd. F. Dümmler, Bonn;
p.206 : Frederik Vahle, *Fischbrötchen im Kuhstall*, éd. Gertraud Middelhauve, Köln;
p.256 : Willhelm Matthiesen, *Das Märchen von dem guten Kartoffelkönig* aus *Das alte Haus*, éd. Herder, Freiburg;
p.308 : Christine Mühlbauer, *Wie die Sonne ins Land Malon kam*, éd. RPA, Landshut.

Imprimé en Belgique par Casterman imprimerie, s.a., Tournai.
Dépôt légal septembre 1994; D1994/0053/205
Déposé au Ministère de la Justice, Paris
(loi n°49.956 du 16 juillet 1949 sur les publications destinées à la jeunesse).